D0590588

Kim Fay

De verloren geschiedenis

VAN HOLKEMA & WARENDORF
Uitgeverij Unieboek | Het Spectrum bv, Houten – Antwerpen

Oorspronkelijke titel: *The Map of Lost Memories*
Vertaling: Sandra Lanzing
Omslagontwerp en -illustratie: Johannes Wiebel | Punchdesign
Omslagfoto: Image Focus | Shutterstock.com
Opmaak: ZetSpiegel, Best

ISBN 978 90 00 30299 4 | NUR 302

www.kimfay.net
www.unieboekspectrum.nl

Van Holkema & Warendorf maakt deel uit van
Uitgeverij Unieboek | Het Spectrum bv
Postbus 97, 3990 DB Houten

Voor m'n opa,
Woodrow 'Buck' Ethier

China

Vietnam

Laos

Zuid-
Chinese Zee

Siam

• Kha Seng

Cambodja • Stung Treng

Angkor• Mekong-
Wat Rivier

• Phnom Penh

• Saigon

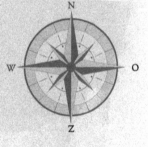

N

W   O

Z

Deel 1

SHANGHAI

Vanaf het moment dat Shanghai zich ontpopte als buiten-landse enclave nam de stad de status van vrijstad aan. Een visum of paspoort was bij aankomst niet nodig. Wie berooid, ambitieus of crimineel was, kon in Shanghai met een schone lei beginnen. Lady Jellico, die haar jeugd doorbracht in de stad, omschreef het zo: 'Je vroeg iemand niet waarom hij naar Shanghai gekomen was. Je ging ervan uit dat iedereen iets te verbergen had.'

– Harriet Sergeant, *Shanghai*

1

Onstuimig weer

Achter in het appartement gaf een rij louvredeuren toegang tot een balkon uitkijkend over de zadeldaken van Shanghai. De Whangpoo-rivier spoelde langs een kronkelweg achter de lage gebouwen tegen de kades. Boven deze donkere waterband hing een zware, fluwelen vochtigheid; de constante hoge druk veroorzaakte een zwakke luchtstroom die de geur van jasmijn de dikke, donkere avondlucht in blies, vermengd met de stank van riool, kool en rottende waterplanten.

Binnen barstte de kleine zitkamer uit zijn voegen met de tien, twaalf oververhitte journalisten en revolutionairen, plus het buitenissige gezelschap dat altijd wel aanwezig was op feestjes in Shanghai in 1925: een Perzische operazanger, een Wit-Russische barones en een wapensmokkelaar van obscure komaf. Er liep een priester rond met pupillen groot van de cocaïne die hij via de roomservice in Astor House had gekregen. Irene Blum herkende de Italiaanse fascist die ze de avond tevoren met een tijger aan een leren halsband over de Del Monte had zien paraderen. Eigenlijk hadden Shanghaiers geen excuus nodig om bij elkaar te komen. Maar vandaag was er een: Roger en Simone Merlin waren terug uit Frankrijk. Het stel was erheen gegaan om fondsen voor de Chinese Communistische Partij te werven.

De Merlins waren laat. Dit veroorzaakte onrust onder de gasten, waaraan ook Irene niet ontkwam.

'Wat is het heet!' hoorde ze de Italiaanse fascist verzuchten.

'Het is beestachtig weer,' reageerde de Perzische operazanger.

'Heb je al gehoord van die Argentijnse ballerina die betrapt werd toen ze kruiden stal op de Chinese markt? Ze hult zich uitsluitend in Chanel. Elke keer dat de koopman zich omdraaide, liet zij een snufje saffraan in haar zak glijden. Ze zweert dat ze niet weet waarom ze het deed. Beweert dat de hitte haar hersens aantastte.'

Daar kon Irene over meepraten. Het was beangstigend wat die hitte teweegbracht. Ze was nog maar een week in Shanghai, maar nu al kreeg ze zo rond het middaguur – als de zon, hoog aan de hemel, de stad teisterde – visioenen van de raarste dingen. Dan zag ze zichzelf een riksjaloper neersteken met haar zakmes, of smeet ze een onopvallend kamermeisje van de trap achter haar hotel. Natuurlijk bedwong ze die impulsen, maar het feit dat ze bij haar opkwamen, benauwde haar. Het bracht een opgewonden zonnesteekgevoel teweeg, dat vanavond tot nieuwe hoogten opliep. Ze had niet verwacht te moeten wachten om Simone Merlin te ontmoeten. En de gedachte dat dat nu eindelijk ging gebeuren, leverde veel spanning op. Ze bleef maar naar de deur kijken. Aangezien ze zich niet kon concentreren op de conversatie, glipte ze het balkon op, waar ze leunend tegen de balustrade pluisjes van haar jurk plukte en de drukkende sfeer in de kamer ontliep.

Ze kreeg al snel gezelschap van Anne Howard. Anne had het feestje georganiseerd zodat Irene Simone kon ontmoeten. Maar toch zei ze nu: 'Je kunt je bedenken. Het is nog niet te laat.'

'Waarom ben je er zo op tegen?' vroeg Irene.

'Lieverd, ik ben alleen maar bezorgd. Meer is het niet. Dit overtreft alles waar je je tot dusverre mee beziggehouden hebt. Het is geen uitstapje naar Phoenix om te zien of je een vervalste...'

'Die heb ik ontdekt. En met dat beeld heb ik meneer Simms een flinke mep geld bespaard, om nog maar niet te spreken van de vernedering bedrogen te worden door een smerige oplichter uit Arizona.'

'Dat weet ik. Je bent goed in wat je doet. Dat spreek ik ook niet tegen. Maar als de verkeerde mensen hier hoogte van krijgen... Als er ook maar iemand te weten komt waarnaar je op zoek bent... En dan die jungle! Irene, je lijkt niet te beseffen dat dit totaal iets anders is.'

'Het is precies wat ik al jaren doe.' Irene keek nijdig in het gezicht van de vrouw die ze zo goed meende te kennen.

Anne was bijna zestig en had grijs haar, geknipt in een modieuze boblijn. Ze had zich opgeworpen als hoofd van Shanghais dependance van het Brooke Museum in Seattle. Zij en Irene werkten al tien jaar vanaf twee kanten van de Stille Oceaan samen. Al vanaf het begin van de Eerste Wereldoorlog, toen Irene door professor Howard, de conservator én Annes ex-echtgenoot, bij het museum werd aangesteld. Bij de opsporing van verdwenen oudheden had Anne Irene geholpen door haar informatie toe te spelen die alleen in China bekend was.

Anne was een vriendin van Irenes moeder. Toen Irene vijf jaar was, was Anne gescheiden en naar Shanghai verhuisd. Maar elk jaar stuurde ze Irene met kerst een cadeau: een ring van goudemail; zijden muiltjes; een Chinees lakwerkjuwelenkistje, dat met gemak in een kinderhand paste. Na de dood van haar moeder was Anne de enige vrouw die Irene dingen schonk waar ze werkelijk om gaf. Haar hele jeugd had Irene de brieven gelezen die Anne haar moeder schreef. Met verhalen over het afbinden van voeten en keizerlijke tradities, tot en met de verhouding die de middelbare vrouw aanging met een Chinese revolutionair die al twee echtgenotes had.

Ze had zich ondergedompeld in deze exotische wereld, zoals andere meisjes zich verloren in Jane Austen en Louisa May Alcott. In de jaren dat leraressen haar kribbig wezen op een gebrek aan huishoudelijk talent of andere vrouwelijke vaardigheden, hield het leven van Anne in Shanghai Irene overeind. Anne was het bewijs dat je als vrouw alles kon doen wat je wilde, zolang het je onverschillig liet wat anderen van je dachten. En dus bracht Irene elke dag door met haar kaarten en boeken, dromend over verloren schatten, en oefende zich in onverschilligheid.

Het was wel moeilijk zich niets aan te trekken van wat Anne vond. Anne had Irene altijd gestimuleerd. En nu wilde ze dat Irene zou afzien van wat haar het dierbaarst was. Dat voelde scheef.

Irene nipte van haar whisky. Ze voelde zich al wat tipsy, wat nogal ongebruikelijk was voor haar. Vanwege haar Zweedse komaf kon ze wel wat hebben. Maar het verzengende klimaat had een verdovende werking, en in combinatie met de toenemende spanning van het moment deed dat haar besluiten kalm aan te doen met haar single malt.

'Ik ken de gevaren,' zei ze.

'Je bent nog koppiger dan ik was.' Anne ging terug naar binnen.

Irene bleef op het balkon, zonderde zich af zoals ze dat wel vaker deed op feestjes. Ze maskeerde haar oplettendheid met een koele Scandinavische blik van haar fletse blauwe ogen. Ze was negenentwintig, half zo oud als Anne. En ze stak boven de meeste vrouwen uit, maar was niet lang genoeg om mannen te intimideren. Dat vond ze een voordeel. Mannen die zich bedreigd voelden, zelfs al kwam dat uitsluitend door je lengte, waren moeilijk te manipuleren. En zonder manipulatie redde je het niet in de internationale kunsthandel.

Irene had haar haar naar achteren gekamd en losjes opgestoken. Ze droeg een waterval van zijde die haar slanke figuur goed deed uitkomen, met wit, Indisch priegelborduurwerk dat schitterde in het lamplicht. Het was een jurk die ze vaker gedragen had, bij speciale gelegenheden in het museum, als ze sponsors of verzamelaars te woord moest staan. Ze had hem ook gedragen op de avond dat ze Rockefeller ontving met *gin gimlet*-cocktails, in de tijd dat ze nog trots kon zijn op het museum. Ze schudde haar hoofd. Op de een of andere manier zou ze het museum uit haar hoofd moeten zetten. Ze was al te lang gedesillusioneerd. Toen ze een sigaret opstak, schoven de warme stenen van haar kornalijnen armband over haar polsgewricht. Ze raakte ze aan; dat bracht geluk.

Eindelijk ging de voordeur open, en hoorde Irene de namen

van de Merlins. Veel mensen stonden op om hen te begroeten. Tussen hen door ving ze een glimp op van vochtig, donker haar. Het honingkleurige licht van een olielamp reflecteerde op een bezweet voorhoofd. Er hing rook in de lucht. Hoewel dat bijna onmogelijk leek in zulk drukkend weer, ging er een rilling over Irenes rug.

Anne was door haar whiskyglazen heen, en dook met rum-soda's in koffiemokken op de Merlins af. Er klonk een welgemeende toost op het Franse stel, dat zo'n belangrijke bijdrage leverde aan de stakingen die het Europese gezag in Shanghai ondermijnden om de nationalisten van de Communistische Partij, de Kwomintang, aan de macht te krijgen. De Perzische operazanger – lila gleufhoed schuin op het hoofd – giechelde bezopen.

'Het is een wonder dat ze jullie het land weer in lieten,' brabbelde hij.

Met haar glas in de hand gluurde Irene langs een van de luiken die werkeloos tegen een beschimmelde muur op het balkon hingen. Anne baande zich een weg terug naar Irene, en trok Simone Merlin aan haar mouw mee. Nu ging het gebeuren. Dit was het moment waarop Irene gewacht had. Ze hoorde het rumoer van de stad in de zee van duisternis onder zich. Kinderen lachten. Het klotsen van water waarmee de vaat gedaan werd, terwijl een vrouw een melancholisch volksliedje kweelde.

Irene had foto's van Simone gezien, maar details waren haar ontgaan. In levenden lijve had de jonge vrouw dezelfde lijkbleke teint als alle andere Europeanen die in de tropen waren opgegroeid. Daarbij droeg ze een kleurloos enkellang gewaad, alsof ze zo uit een landschap van Turner gestapt was. Irene begreep niet hoe zo'n kleine, uitgebluste figuur het in zich had een tempel te plunderen en een communistische revolutie te steunen. Die paradox intrigeerde haar. Mensen die in één enkele zin omschreven konden worden, boeiden haar niet.

'Ma chérie,' riep Roger haar achterna, te midden van zijn schare fans. 'Waarom loop je van me weg?'

Simone keek niet om.

'Anne wil me aan iemand voorstellen.'

Roger deed een paar stappen in de richting van zijn vrouw. Hij was een veertiger, een stuk ouder dan zij. Hij was ook niet zo groot, maar hij stak zijn kin arrogant omhoog. Zijn strenge, intellectuele bril leidde de aandacht af van zijn onaanzienlijke gestalte.

'Weet je dat zeker?' vroeg hij.

Het was een vreemde vraag. Terwijl Roger op antwoord wachtte, bleef Simone bij de balkondeur staan. Ze staarde stoïcijns langs Irene de duisternis in. Toen het duidelijk was dat hij geen antwoord zou krijgen, richtte Roger zich tot Annes minnaar, Song Yi. Die had een blos op zijn knappe gezicht, vanwege de complimenten die hij de hele avond al kreeg voor zijn recente vertaling van Karl Marx' *Communistisch Manifest* in het Mandarijn.

'Hoe was de reis?' informeerde Anne vriendelijk.

'We hebben constant ruzie gehad. Je weet hoe Roger is. Die gelooft niet in compromissen. Toen ik hem vertelde dat ik hem dit keer toch echt verliet, probeerde hij me overboord te gooien.' Simone lachte. Maar er klonk geen humor in haar stem toen ze zei: 'Ik bof dat ik niet als visvoer op de bodem van de Arabische Zee ben beland.'

'Klinkt als een nare man,' merkte Irene op.

'Dat is hij ook,' bevestigde Simone.

'Heeft hij je pijn gedaan?' vroeg Irene, verbaasd dat dit de eerste conversatie was die ze met Simone Merlin had.

'Ik leef nog, dus het valt mee.'

Anne greep Simones hand.

'Hij gaat ons helpen dit land te redden.' Ze bracht het alsof het om een verzachtende omstandigheid ging.

Ook al stonden hij en Song Yi binnen te praten, Rogers stemgeluid was tot op het balkon te horen. Dit leek Annes uitspraak kracht bij te zetten.

'De volgende fase in de stakingen is een noodzakelijk kwaad. Er zullen doden vallen. Dat is betreurenswaardig, *bien sûr,* maar pas als we bereid zijn offers te brengen, laten we zien dat we écht willen veranderen.' Op luidere toon voegde hij eraan toe: 'Luister je wel, lieve schat? Hoor je wat ik zeg? Ben je klaar voor de offers die noodzakelijk zijn bij het tot stand brengen van wat jij wilt? Heb je daar de overtuiging voor? De kracht?'

Ook al provoceerde Roger zijn vrouw op deze wijze, bij de gasten was geen spoortje gêne te bespeuren. Ze keken het paar aan alsof het personages uit een populaire film of serie betrof.

'Nou?' brulde Roger.

De Perzische operazanger leunde naar voren.

De gretigheid van de toeschouwers stond Irene tegen. En de vermoeide uitdrukking waarmee Simone het balkon op stapte om zich achter de louvredeur te verschuilen, verontrustte haar.

'Denk maar niet dat je van me af bent!' gilde Roger.

Simone zuchtte. 'Song Yi is geweldig. Hij blijft overal zo kalm onder. Ik wou dat ik zo was. Vanwege de dood van Sun Yat-sen en die stakingen is iedereen op van de zenuwen. En nu Roger terug is, staat de stad op het punt te ontploffen. Ik voel het. Er heerst hier net zo'n stemming als in Saigon, vlak voor de autoriteiten onze pers vernietigden.' Droefgeestig voegde ze eraan toe: 'Ik benijd je, Anne.'

Dit was niet de kant die Irene uit wilde. De conversatie dwaalde te ver af. Hopend dat ze niet ongevoelig overkwam, stuurde ze het gesprek bij.

'Heeft Anne je de reden verteld waarom ik je wilde ontmoeten?'

'Ze zei dat je naar Cambodja gaat.'

Irene wachtte of er nog wat volgde. Maar Simone hield haar mond.

Uiteindelijk zei Anne: 'Dat is het enige wat ik verteld heb. Het is niet aan mij de details te openbaren.'

Simone veerde op.

'Als ik geweten had dat je vanavond raadselachtig ging doen, had ik me erop gekleed.'

Nu ze de volle aandacht van de vrouw had, stelde Irene zich snel voor.

'Ik ben Irene Blum van het Brooke Museum.'

'Ik ken het Brooke goed. Het heeft een behoorlijke reputatie opgebouwd.'

Dat deed Irene plezier. Die reputatie was aan haar te danken, ook al had ze er nooit de vruchten van geplukt. Uiteindelijk had ze er niet eens waardering voor gekregen. 'Net als jij ben ik gespecialiseerd in Cambodja en het oude Khmer-rijk,' ging ze door. 'Hoewel, niet precies zoals jij. Ik ben nooit in Cambodja geweest. En mijn vader was geen Angkor-expert. Hij was nacht-waker in het museum. Ik was er kind aan huis. Je zou kunnen zeggen dat ik er mijn lessen kreeg. Ik was ook jouw leerling trouwens. Je monografie over iconografie van hemelse wezens in de Khmer-kunst is ronduit meesterlijk.'

'Probeer je een wit voetje te halen?'

'Ik meen het. Hoe jij leeft... Zo heb ik het altijd gewild.'

'Ongelukkig getrouwd zijn met een hufter? Dat lijkt me een merkwaardige ambitie.'

'Ik bedoel...'

Anne viel haar in de rede.

'Simone, Irenes moeder is overleden toen ze negen was. En haar vader was zo slim haar niet toe te vertrouwen aan de eer-ste de beste passerende moeke, om haar taarten te leren bak-ken. In plaats daarvan nam hij haar elke nacht mee naar het museum. Ze sliep in haar jeugd in de zaal van de *apsara's*. Het gaf haar een roeping. En een vrouw met een roeping, dat is toch iets prachtigs!' Ze zuchtte. 'Erg mooi en erg gevaarlijk. Pas dus goed op, lieverd,' waarschuwde ze, voor ze terugging naar haar gasten.

'Het wordt steeds geheimzinniger,' mompelde Simone.

'Ik vind het een eer je te ontmoeten,' benadrukte Irene en ze stak haar hand uit. Ze voelde flink wat eelt op Simones hand-palm en bedacht dat ze de oorzaak daarvan wel wist. Als kind had Simone ruïnes afgestroopt. Zij en Roger hadden een reliëf uit de Banteay Srei-tempel gestolen. Irene had de gebeeldhouw-de steen met eigen ogen gezien in Seattle. Ze was diep onder de indruk als ze bedacht hoe Simone hem uit de tempelmuur gehakt moest hebben.

Simone opende haar handtas en haalde er een emaillen make-updoosje uit. Ze dipte haar vinger in de lippenrouge en bracht een dun laagje aan. Toen ze klaar was, deed haar rode mond Irene denken aan de vrouwen in de Chinese wijk, die het rode sap van uitgekauwde betelnoot op de straat spuugden.

'Ga je me nog vertellen wat je van me wilt, of moet ik nog langer over koetjes en kalfjes praten?'

'Ik ben meestal minder nerveus,' gaf Irene toe.

'Komt het doordat je een geheim hebt?'

'Een opmerkelijk geheim.'

'Nou, je bent niet de enige, als dat helpt. Iedereen die naar Shanghai komt heeft wat te verbergen.'

Irene nam de aanwezigen in zich op.

'Zo lijkt het anders niet. Het komt eerder over alsof alles hier geëtaleerd is. Communisme, opium...'

'Decolletés en gebroken harten? Hoeveel "wee mij"-verhalen heb je al aan moeten horen over dikke Engelse echtgenoten die door bekoorlijke Chinese prostituees van hun families weggerukt zijn?'

'Te veel, gezien het feit dat ik hier nog maar een week ben.' Aangemoedigd door Simones oprechtheid vroeg Irene: 'Zou je me iets willen vertellen over je leven in Cambodja? Maakt niet uit wat.'

'Terug naar koetjes en kalfjes dus.'

'Niet voor mij.'

Met een blik in de richting van haar echtgenoot, die beweerde dat de Chinezen buitenstaanders nodig hadden om ze te vertellen hoe ze zich van de buitenlandse machthebbers konden ontdoen, pakte Simone een bamboe waaier op die was blijven liggen op de balustrade. Ze wapperde ermee, bracht de lucht in beweging, en dreef zo de geur van gekookte gember over het balkon.

'Ik was nog een meisje toen ik er wegging. Achttien nog

17

maar. Ik had geen idee hoe hypocriet Rogers versie van de revolutie was.'

Irene hield zich niet bezig met politiek, maar helemaal onwetend was ze ook niet. Ze kende de communisten, was er niet alleen van op de hoogte dat ze de paleizen van de tsaar geplunderd hadden en Boticelli's en Rembrandts verkwanselden om hun opstand te bekostigen, maar ze wist ook dat ze de Kwomintang beheersten en erop uitwaren de macht in Shanghai te grijpen. In heel China zelfs, als ze daar de kans toe kregen. Maar dat interesseerde haar niet, ondanks de rol die de Merlins daarin speelden.

'Zou je terug willen naar Cambodja?' vroeg ze.

'Ik mis het.'

'Wat mis je het meeste?'

'In Angkor voel je je nietig,' antwoordde Simone. 'Een tempel en tegelijk een complete stad. Hoogtepunt van de Khmerbeschaving, eeuwenlang verlaten. En toch is het...' Ze wierp een behoedzame blik naar haar man door de spleten van de jaloezieën. 'Het is...'

'Je kunt me vertrouwen.'

'Het is heilig.'

Het 'heilig' had op Irene de uitwerking van een wachtwoord.

'Ik ben op weg naar Cambodja om een verloren tempel te vinden. Ik zoek de geschiedenis van de Khmer.' Het was niet haar bedoeling geweest dit er zo uit te flappen. Ineens hield ze haar mond. Met haar duim en wijsvinger friemelde ze aan haar kraag.

'Ga door,' drong Simone aan.

De nieuwsgierige blik op Simones gezicht was aansporing genoeg.

'Ik heb een dagboek van een missionaris in mijn bezit. Daarin staat dat hij een gedocumenteerde geschiedenis van het rijk gevonden heeft,' verklaarde Irene.

'Iedereen die zich bezighoudt met de Khmer spreekt daarover.'

'Droomt daarover,' corrigeerde Irene haar. 'Droom jij erover?'

'Dat weet ik niet meer.' Simone ging met haar rug naar het gelige licht van de fakkel aan het eind van het balkon staan. Haar gezicht ging verborgen in de schaduw.

'Ik wil je inschakelen om mij te helpen die koperplaten te vinden.'

Simones stem schoot uit. 'Koperplaten?'

'Je hebt er toch wel van gehoord?'

'Ik heb geruchten gehoord, zoals iedereen.'

'Dit gaat om meer dan een gerucht. Ik heb een kaart.'

Simone schampte met de waaier langs haar wang.

'Waarom kom je naar mij?'

'Jij bent degene die het reliëf uit Banteay Srei heeft gepikt. Jij weet hoe je zoiets aanpakt.'

'Hoe weet jij van... O, ja. Natuurlijk weet je dat. Je werkt in het Brooke. Is het de bedoeling dat de koperplaten naar het museum gaan?'

'Om heel eerlijk te zijn, wérkte ik in het Brooke. Ik ben er... met ruzie weggegaan. Dus, nee. Het is niet mijn bedoeling de rollen daarheen te brengen. Ik wil ze zelf hebben, om ze te bestuderen, en ik ben niet van plan ze waar dan ook naartoe te brengen.'

Dit was niet geheel waar, maar dat kon Irene Simone niet vertellen. Ze kon niet het risico lopen dat iemand wist dat ze de rollen mee naar Amerika wilde nemen om daar als pronkstuk te dienen in een nieuw te vormen instituut, waar zij de leiding had.

'Toch wil ik het geheimhouden. Je weet wat er zou gebeuren als er iets uitlekte. Als er ook maar iemand wist dat we de sleutel tot een verloren beschaving in handen hebben, zouden we iedere archeoloog en schatjager achter ons aan krijgen.'

'Uiteraard.'

'Ik heb al zoveel over je gehoord. Dat je als meisje Sanskriet leerde aan de hand van tempelinscripties. Dat je een kei was in Pali en Khmer.' Irene stak haar bewondering niet onder stoelen of banken. De enige vreemde taal die zij kende, was Frans. 'Ik wil dat je de rollen voor me vertaalt. Ik wil dat je me vertelt wat er gebeurd is met het Khmer-rijk.' Haar handen kromden zich om de leuning van het balkon. 'We zullen de eerste westerlingen zijn die dat te weten komen.'

'Toen ik nog een kind was,' vertelde Simone, 'schreef ik verhalen over hoe ik nieuwe tempels zou gaan ontdekken. Mijn vader voorspelde me een toekomst als auteur. Ik schreef lezingen die ik over de hele wereld bij geografische instituten zou gaan geven, en ik bedacht zelfs al de jurk die ik op mijn tournee zou dragen. Die moest van Khmer-zijde zijn, met ivoren knopen in de vorm van de rozetten op de tempelmuren.'

Vanaf een jonk op de rivier klonk het droefgeestige gejammer van een schelphoorn. Irene was haar baan kwijtgeraakt. Haar vader was nog geen jaar geleden overleden, en Henry Simms – de man die haar op deze zoektocht stuurde – ging dood. Binnenkort had ze niemand meer, niemand die haar begreep. Deze vrouw begreep haar, dat voelde ze.

'Dus je gaat mee?'

Simone keek naar Roger, die languit op Annes oude sofa lag, en zijn schoenen brutaalweg liet wegzakken in een rood kussen. Hij hief zijn glas in de richting van het balkon.

'Het spijt me, Irene,' zei ze.

'Hoe bedoel je?'

'Je hebt geen idee hoezeer het me spijt.'

'Wat dan?'

'Ik kan niet weg. Niet nu. Zeker nu niet, aan de vooravond van de revolutie van mijn man.' Simone zei het vol afschuw.

'Maar je bent helemaal naar Frankrijk gereisd om geld los te krijgen voor de stakingen. Ik mag je vijftigduizend dollar bieden. Dat is een kapitaal.'

'Ik heb je verteld wat er aan boord gebeurd is. Roger zal me niet laten gaan. Hij staat op het punt geschiedenis te schrijven.'

'Hoe lang gaat dat duren?'

Simone wierp de waaier op de stoel naast haar. 'Irene, het is een revolutie, geen knokpartij in een bar. Sun Yat-sen is dood, en de partijen vallen uiteen. De strijd om de macht is op zich al voldoende om Roger gek te maken, en als hij nog gekker wordt dan nu...'

'Vind je deze revolutie belangrijker dan de koperplaten?' vroeg Irene. 'Is dat wat je bedoelt?'

'Wat ik belangrijk vind, telt al heel lang niet meer.' Snel liep Simone terug het appartement in.

Simone had Angkor Wat 'heilig' genoemd, en de revolutie van haar man 'hypocriet'.

'Wacht,' riep Irene. 'Ik begrijp het niet.'

Maar in plaats van het uit te leggen, liep Simone naar Roger, ging op de leuning van zijn stoel zitten, en legde liefkozend een hand in zijn nek.

Er leek een verschuiving op te treden die avond; het was alsof Shanghai zich vastgreep aan haar wortels. Een nukkige koelte probeerde binnen te dringen vanuit de verre Oost-Chinese Zee. In het zwart van de Whangpoo-rivier hoorde Irene scheepsschroeven tekeergaan. En terwijl onder haar in het duister een meloen werd gekliefd, waarvan de zoete geur wegdreef op de vochtige lucht, vroeg ze zich af wat er in hemelsnaam net gebeurd was.

2

Alle troeven in handen

Zes maanden eerder zat Irene in januari in haar kamer in het Brooke Museum voor Oosterse Kunst in Seattle. Ze keek naar de voorwerpen die ze door de jaren heen had verzameld. Teder streek ze met haar hand over de rand van de tekentafel die ze als bureau gebruikte, en waarvan het bovenblad vlak stond afgesteld. Daarop opgestapeld lag het materiaal voor haar laatste opdracht: het inventariseren van de foto's die John Thomson in 1866 in Angkor Wat gemaakt had. Vol bewondering bekeek ze de drie Franse eikenhouten archiefkasten, die als afdankertjes haar kant op gekomen waren toen de behoefte aan opslagruimte voor al haar correspondentie en catalogi toenam. Aan de muur erboven hing haar favoriete voorwerp in deze kamer. Het allereerste wat ze opgehangen had in dit depot, dat ze een decennium geleden had opgeëist en tot kantoor had omgebouwd. Het was een door haar moeder geschilderde, ingelijste aquarel van de sierlijk uitgehouwen stenen muren van de Khmer Banteay Srei-tempel.

Irene herinnerde zich hoe hij er heel lang eenzaam had gehangen. Nog voor haar passie voor Khmer-kunst de pan uit rees en ze er de kamer mee vulde, ten koste van alle andere projecten waaraan ze voor diverse afdelingen van het museum had gewerkt. Noodgedwongen had ze haar kaarten van Cambodja deels over elkaar heen gehangen. En zette ze de Khmer-godenbeeldjes, afkomstig van archeologische opgravingen, op de tjokvolle boekenkasten dicht op elkaar. Tot ze op een dag de kamer in liep en besefte dat het kantoor meer het aanzien had van een stoffig winkeltje in curiosa. Doorgaans had ze alles zo goed op een rijtje, was ze stipt en precies. En daarom nam ze zich elke avond wanneer ze naar huis ging voor de volgende dag eens goed te gaan ruimen. Maar elke volgende dag was er wel iets belangrijkers te doen in het museum.

Nu kon ze het niet langer uitstellen. Binnenkort moest ze haar spullen pakken en verhuizen naar het ruime kantoor van professor Howard, aan het eind van de gang op de tweede verdieping. Bij dit vooruitzicht gleed er een glimlach over haar gezicht. De allereerste glimlach sinds ze met Thanksgiving haar vader in elkaar gezakt op hun sofa had aangetroffen. Zijn ogen hadden haar venijnig aangestaard, en hij was al niet meer uit zijn woorden gekomen. Door de beroerte die zijn geest verwoestte, was hij haar twee weken voor ook zijn lichaam het begaf al helemaal vergeten.

Irene rilde toen ze hieraan terugdacht, ondanks de hitte in het kantoor, die te wijten was aan een rammelende, oververhitte radiator in de hoek. Ze zette de gedachte van zich af. Haar vader was zo trots geweest op alles wat ze bereikt had. Hij zou het vreselijk gevonden hebben als ze dit ene, wat ze liever wilde dan wat dan ook, liet overschaduwen door het verdriet over zijn dood.

Professor Howard was een jaar geleden zeventig geworden, en had toen aangekondigd dat hij met emeritaat ging. Het afgelopen jaar hadden ze samen overlegd, bekeken hoe zij hem zou opvolgen. Tot drie keer toe had hij er met de raad van commissarissen over vergaderd. Met het oog op alles wat zij voor hem gedaan had sinds ze voor hem voor werkte, had hij haar aanbevolen. Precies zoals ze verwacht had. Zíj had het museum internationaal op de kaart gezet, maar om hem gezichtsverlies te besparen had ze hem de eer gegund. Ze had zich bescheiden opgesteld. Alles in de wetenschap dat als zij eenmaal op die post zat, de buitenwereld zou weten wie ze was en wat ze gedaan had.

Een week geleden had professor Howard zijn afscheid officieel aangekondigd. Gisteren had hij Irene ingelicht dat de commissarissen haar vandaag om drie uur wilden zien. Dat kon maar één reden hebben. Ze vond het nog steeds verbijsterend, dat ze, door de allereerste vrouwelijke conservator aan een prestigieus Amerikaans museum te worden, nog voor haar dertigste haar levensdoel bereikt zou hebben. Met een euforisch gevoel luisterde ze naar de voetstappen die door de gang haar kant op kwamen.

Professor Howard stak zijn hoofd door haar open deur. Net als anders zag hij er slordig uit. Zijn overhemd hing half uit zijn broek, en zijn slierterige, grijze haar moest nodig geknipt.

'Ze zijn er,' zei hij lachend.

Irene lachte terug. Toen ze naast hem stond, kneep ze in zijn hand.

'Je bent de afgelopen jaren edelmoedig geweest tegenover deze oude wetenschapper,' merkte hij op, terwijl hij zijn vingers om de hare sloot. 'Je verdient dit.'

Samen renden ze de trap op, niet alleen vanwege de opwinding, maar ook om aan de smerige kou in de hal te ontsnappen. In haar tricot jurk met bijpassend vestje was Irene niet gekleed op de kou van januari. Meestal droeg ze 's winters dikke wollen rokken en truien naar haar werk. Maar het was belangrijk dat ze vandaag gekleed was overeenkomstig de functie die ze ging bekleden: netjes, maar met de vaag bohemienachtige, professionele uitstraling die – zoals ze gemerkt had – door mannen in de kunsthandel gewaardeerd werd.

Toen Irene en de professor de kleine directiekamer in kwamen, zaten de commissarissen al achter de U-vormige tafel, met hun rug naar een raam dat een groezelige winterse aanblik bood over Portage Bay. De drie mannen in het gezelschap verschilden maar weinig van elkaar. Het waren kopstukken uit de houthandel en scheepvaart, van middelbare leeftijd, aan wie de welvaart was af te lezen door hun gemanicuurde vingernagels, hangwangen en bolle buiken, die zelfs onder hun exclusieve maatpakken nog zichtbaar waren. Omringd door wandschilderingen met voorstellingen van de Klondike-goudkoorts in Seattle, waarvoor zij persoonlijk model hadden gestaan, hesen ze zich uit hun leren stoelen, en negen hun grijze hoofden in de richting van Irene.

'Goedemorgen, meneer Lundstrom,' groette ze. 'Meneer Quinn, meneer Ferber.'

Pas nadat ze de mannen op deze wijze had toegesproken, bemerkte Irene dat er wat achteraf nog iemand stond. Hij was lang en stevig, en had vettig haar dat naar achter gekamd was, net als dat van Valentino. Hij was van Irenes leeftijd, maar gekleed op een wijze die in het hele land in de mode was onder jongeren aan universiteiten: donker jasje met een contrasterende crèmekleurige wijde broek. Wat deed Marshall Cabot hier? Ze wierp een blik in de richting van de professor. Die was kennelijk net zo verrast om Marshall hier te zien als zij. Ze kende de commissarissen al sinds haar jeugd, en toch lukte het haar niet iets aan hun gezichten af te lezen.

Carl Lundstrom schraapte zijn keel.

'Irene, ik geloof dat je Marshall al kent.'

Lundstroms stem klonk gespannen. Nu sloeg Irenes nieuwsgierigheid om in ongerustheid. Ze kende Marshall inderdaad. Hij had kunstgeschiedenis gestudeerd aan de Sorbonne, en had een doctoraalscriptie geschreven over archiveringstechnieken. In de tijd dat hij aan het Musée Indochinois du Trocadéro in Parijs verbonden was, had hij zich beziggehouden met gipsafdrukken en plattegronden die de Lagrée-expeditie uit Angkor Wat had meegenomen. Vorig jaar had Irene de catalogus ervoor opgesteld, toen Marshall een kleine tentoonstelling van Khmer-voorwerpen in de Cabot Gallery in Manhattan had samengesteld.

'Ja,' antwoordde ze meneer Lundstrom. 'Marshall en ik hebben elkaar vorig jaar ontmoet op het landgoed van meneer Doheny. Dat was toen professor Howard en ik het museum in Los Angeles gingen adviseren, voor ze overgingen tot het aankopen van Chinese kunst. Dag Marshall.'

'Lieve Irene,' sprak Marshall met het air van een man die zijn plek veroverd heeft. 'Ik weet nog hoe je me hielp toen de oorlog uitbrak. Het was een gevaarlijke onderneming om tussen vijandige onderzeeërs door kunst naar New York te krijgen,' liet hij de commissarissen weten.

Meneer Lundstrom knikte instemmend. 'Irene is een rots. Ik ben ervan overtuigd dat jullie een formidabel team zullen vormen. We hebben namelijk goed nieuws voor je, Irene. Marshall doet ons de eer aan conservator van het Brooke Museum te willen worden.'

Irene staarde hem aan.

'Maar dat is mijn functie. U kunt hem niet mijn baan geven.' Wat was hier gaande? In haar oren klonk geruis als van de zee. Ondertussen probeerde ze na te denken. Ze keerde zich tot professor Howard. 'U heeft tegen me gezegd...'

'Ik begrijp het niet,' bracht hij uit.

Resoluut zei meneer Lundstrom: 'Irene, je moet je toch bewust zijn van onze positie. Jij hebt niet de juiste achtergrond. En om eerlijk te zijn, ben je als vrouw...'

'Als vrouw?' Vechtend tegen de tranen gooide Irene nu de bescheiden, verleidelijke lach in de strijd die haar door de jaren heen al zo vaak van pas gekomen was. 'Juist omdat ik een vrouw ben, raakte ik bevriend met Charlotte Grant. En aan die vriendschap hebben we het te danken dat we als enige museum in Amerika een complete inventarisatie hebben van het leven aan het hof in keizerlijk China. Florence Levy doet het geweldig als directeur van het Baltimore Museum of Art,' ging ze met trillende stem door. 'En Belle da Costa Greene heeft ook geen academische opleiding. Maar sinds zij het Pierpont Morgan Museum onder haar hoede heeft, durft meneer Morgan geen stap te zetten zonder haar vooraf om advies te vragen.'

'Voor je verdergaat moet je wel weten dat de beslissing al genomen is,' viel meneer Lundstrom haar in de rede.

Professor Howard leek inmiddels bekomen van zijn verbazing.

'Carl,' zei hij tegen meneer Lundstrom, 'jij en ik hebben het hier vorige week nog over gehad.'

'We hebben gesproken over Irenes inzet voor het museum, Thomas. En die staat buiten kijf. Je bent van onschatbare waarde, meiske,' zei meneer Lundstrom tegen Irene. 'In de tijd dat Marshall zich inwerkt, zal hij veel steun aan je hebben.'

Plotseling voelde Irene zich net zo somber als de donkergrijze lucht buiten. De wolken hingen laag boven het gitzwarte water, drukten hun stempel op wat er nog restte van de dag, en kwamen in botsing met de eeuwig groene bomen op de heuvel aan de overkant van de baai. Ach goeie god, wat had ze zich verbeeld? Oog in oog met Marshall Cabot, die met zijn nonchalante manier van doen aantoonde dat hij vooraf op de hoogte geweest was van wat er besproken ging worden, realiseerde ze zich pas hoe naïef ze was geweest. Ze had zich bescheiden op de achtergrond opgesteld, had erop vertrouwd dat ze uiteindelijk erkenning zou krijgen voor haar kennis en expertise, en niet gepasseerd zou worden vanwege een gebrek aan status. Maar zelfs al had ze aan de Sorbonne gestudeerd, monografieën geschreven, en runde ze haar eigen galerie, dan nog had Marshall Cabot iets op haar voor, besefte ze. En met deze gedachte in haar achterhoofd sloeg haar verdriet om in wanhoop.

De kamer tolde om haar heen. Het met Yukon-goud beladen schip op de muur achter Marshall danste op het randje van haar vertroebelende blikveld. Terwijl de grond onder haar tekeerging, drukte ze een hand op de rand van de tafel.

'Ik was u dankbaar tijdens de oorlog,' sprak ze met klem tegen professor Howard, alsof hij degene was die hier verandering in kon brengen. 'Dat was ik echt. U heeft me een kans gegeven. De kans om hier te werken. Ik weet ook waarom u dat deed. Ik heb mezelf nooit voor de gek gehouden. Ik wist dat het was omdat de mannen vertrokken waren. Maar dat maakte me niet uit. Ik was bereid alles aan te pakken om hier te mogen zijn. Archiveren, brieven typen... Maar al snel deed ik veel meer dan dat. Zeg dan tegen ze dat ik veel meer deed.'

Professor Howard keek zo gekweld dat het leek alsof hij fysiek leed. 'Dat heb ik gedaan, Irene. Ze weten het. Ze hebben het altijd geweten.'

'Dat kunnen ze niet geweten hebben. Als ze dat wisten, zouden ze...' Ze richtte zich tot de commissarissen. 'Ik heb elke vrije minuut besteed aan ordenen. U weet toch nog wel hoe het er hier uitzag voor ik kwam? De stukken stonden gewoon opgestapeld in hoeken. Ik heb alle papieren doorgenomen om de herkomst ervan te achterhalen, om te kijken wat er allemaal verkocht was. Ik heb structuur aangebracht. Ik heb mijn leven aan het Brooke Museum gewijd. Alles om het een goede reputatie te bezorgen.'

Irenes keel stond in brand, en het kostte haar veel moeite de voortdurend opkomende tranen te onderdrukken. Stonden ze daar soms op te wachten? Keken ze haar daarom zo onbewogen aan? Was het hun bedoeling dat ze in tranen zou uitbarsten, om zo te bewijzen dat een vrouw te emotioneel was voor zo'n belangrijke baan?

'U heeft me verteld dat ik een uitzonderlijke conservator kon worden. U heeft me de indruk gegeven...' Ze kon zich niet voorstellen dat na alles wat zij gedaan had, deze mannen zo weinig respect voor haar konden hebben. Wie dachten ze wel dat ze waren? Ze deden net of ze niet wisten dat het Brooke Museum volslagen onbekend was voordat zij hier kwam. Ze was boos en beschaamd dat ze ertoe gedwongen werd de professor onderuit te halen. Maar toch verklaarde ze: 'Ik ben de reden waarom dit museum nu goed aangeschreven staat. Ik heb het op de kaart gezet.'

'Irene, dat is ook precies de reden waarom ik ernaar uitkijk om met je samen te werken.' Soepel nam Marshall een verzoenend toontje aan. 'Daarom wil ik je vanavond graag mee uit eten nemen. In het Olympic. Dan kunnen we dit allemaal bij een glaasje wijn nog eens rustig bespreken. Als collega's onder elkaar.'

'Dat lijkt me een prima idee,' sprak meneer Lundstrom opgelucht.

De andere twee mannen knikten. Irene was verbijsterd dat ze er zonder meer van uitgingen dat ze zich erbij zou neerleggen.

'Dat ben ik volledig met je eens, Marshall,' haastte ze zich te zeggen. Ze wist dat ze beter haar mond kon houden. Maar toch ging ze door. 'Wij hebben veel te bespreken. Bijvoorbeeld hoe het kon dat veertig rituele Duanfang-potten in China op een schip gezet werden en bij aankomst in Amerika spoorloos verdwenen bleken. Waren die niet voor jouw galerie bedoeld?'

Marshall keek verward.

'Meneer Quinn hier,' vervolgde Irene, 'heeft namelijk behalve oog voor Chinese dienstjongens ook een grote interesse voor Chinese kunst.'

Meneer Quinns blozende gezicht werd ineens bleek.

'Irene, doe dit nou niet,' waarschuwde de professor.

Maar Irene kneep haar ogen tot spleetjes. Terwijl ze met terugwerkende kracht niet alleen besefte hoe naïef ze geweest was maar ook hoe dom, werd ze nijdig. 'Om heel eerlijk te zijn is dat waarom ik in Los Angeles was toen we elkaar ontmoetten. Ik had namelijk een afspraak met C.T. Loo. Jij wist waarschijnlijk niet dat hij die week in Californië was, is het wel? Niemand wist het. Alleen ik. Ik heb ervoor gezorgd dat jouw bronzen Duanfang-potten aangekocht werden voor meneer Quinns privécollectie.' Wetend dat ze ieder moment de moed kon verkiezen, hield ze het kort. 'Ieder van de commissarissen hier heeft een bijzondere, eigen collectie. Hou er wel rekening mee dat je daar discreet mee om moet gaan. Want behalve expertise is er behoorlijk wat discretie vereist voor deze functie.'

Het klonk erg sterk, maar Irene voelde dat ze als een pudding in elkaar zakte, en besefte dat ze zo snel mogelijk de kamer uit moest.

'Neemt u mij niet kwalijk,' mompelde ze.

Ze nam de benen, en hoorde nog net hoe de professor zich een houding probeerde te geven. Kreten als 'misleidend' en 'niet zo netjes' kwamen haar achterna de donkere gang in. Het was er zo koud dat ze door de witte condens van haar ademhaling de indruk kreeg dat de bewolking naar binnen gedreven was. Terwijl ze de trap af ging en de Japanse, Siamese en Birmese zalen voorbijliep, voelde ze een druk op haar borst. Ze kwam bij de Khmer-vleugel, waar ze trillend bleef staan onder de boog die naar de zaal van de apsara's leidde.

Irene staarde de zaal in, en voelde hoe het kleine beetje verzet dat ze nog in zich had oploste. Ze barstte in tranen uit. Al zo lang had ze de ernaar verlangd leiding te geven aan het museum. Het ging haar niet alleen om de baan. Het Brooke Museum was haar thuis. Ze was opgegroeid in deze lange, smalle ruimte. Ze hapte naar adem, droogde haar tranen met haar mouw en ging naar binnen. Ze liep op de eerste van de tien zandstenen sokkels af die langs de muur stonden opgesteld. Op elk stond een bronzen apsara, een nimf. Ze pakte de hemelse vrouwenfiguur die voor haar stond op en wiegde haar, net zoals ze gedaan had toen ze nog een meisje was. Teder haalde ze haar vinger langs de bloemenkroon boven de verre, raadselachtige blik van het beeldje.

In gedachten ging ze terug naar haar prilste jeugd. Het was een prachtige tijd geweest. Irenes moeder pakte soms eten in en deed dan alsof ze op een grote expeditie gingen, terwijl ze haar naar deze zaal bracht voor een avondpicknick met haar vader. Als hij op zijn ronde was vertrokken, nam haar moeder haar schetsboek en liet Irene een beeld uitkiezen. Zij aan zij tekenden ze dan het honingraatmotief op een decoratieve kraag, de amandelvorm van een oog, of de lenige, uitgestrekte armen van een apsara, die was afgebeeld tijdens een dans om de koning te behagen.

Daarna was haar moeder gestorven. Elke avond maakte haar vader onder de emotieloze blikken van de apsara's een bedje van quilts voor haar. Het was meer dan een decennium geleden dat Irene voor het laatst op de grond van het museum geslapen had, maar ze zag nog hoe de beelden destijds boven haar bewogen in het lichtbruine schijnsel van een olielamp in de hoek. Ze herinnerde zich hoe ze naar haar moeder verlangd had in die dagen, weken en maanden na haar begrafenis. Hoe vaak had ze niet haar ogen dichtgedaan, in de hoop haar 'mon petit chou' te horen fluisteren voor ze in slaap viel?

Het enige wat Irene niet meer voor de geest stond uit die tijd, was hoe zinloos haar verlangen was geweest en het besef dat ze die woorden nooit meer zou horen onherroepelijk. Maar nu ze overspoeld werd door hetzelfde wanhopige gevoel, te midden van dansende godinnen in een wereld waarin ze ooit gemeend had de leiding te zullen hebben, herkende ze het meteen.

Langzaam liep Irene bij het museum vandaan. Op haar onpraktische schoenen met dunne zolen slipte ze weg op de bevroren, op- en aflopende paden van het universiteitsterrein. Haar gezicht tintelde in de ijskoude lucht. Ze trok de kraag van haar vaders duffelcoat over haar mond.

De colleges van die dag waren ten einde. De vroege avond ging gehuld in een sombere winterduisternis. Nu haar ogen rood waren van het huilen, wilde ze geen bekende tegenkomen. Ze was blij met de snijdende kou, waarvoor iedereen naar binnen vluchtte. Naar een lekker houtvuurtje, dat op zo'n avond een smeulende belofte van comfort bood.

Toen ze de huizen aan de noordzijde van het universiteitsterrein passeerde, kreeg ze een rij witte huizen in het oog. Zes piepkleine cottages met elk twee slaapkamers, die bestemd waren voor de bewakers van de universiteit, en hun gezinnen. Midden in het rijtje lag het huis van Irene. Ze was er al bijna aan gewend dat bij dat van haar als enige geen brandend buitenlicht of rook uit de schoorsteen te zien was, als teken van leven. Ooit zorgde haar vader daarvoor, voor hij naar het museum vertrok, om haar welkom te heten als ze van haar werk thuiskwam. Net als veel andere dingen die ze vanzelfsprekend had gevonden, was er aan deze kleine rituelen een einde gekomen toen hij stierf. Maar vandaag zag ze al van een afstandje een gloed achter het voorraam, en naarmate ze dichterbij kwam, ook een rookpluim boven het dak.

Er lag een dun laagje ijs op de metalen deurknop. Ze moest haar hand in haar mouw wikkelen om hem open te draaien. Nadat ze de deur geopend had, zag ze haar vaders oudste en beste vriend, Henry Simms, bij het vuur staan. Dat verbaasde haar niet. Ze liep naar binnen en trok haar jas uit. Hij zei niets. Het viel Irene op dat zijn haar geknipt was en keurig in model zat. Ze vermoedde dat hij die middag had doorgebracht bij zijn kapper in Hotel Washington. Waarschijnlijk was hij gekomen om het verwachte goede nieuws met haar te vieren. Na alle moeite die hij voor haar gedaan had, werd ze misselijk bij de gedachte aan wat ze hem moest vertellen. Wat zag hij er met zijn achtenzestig jaar bedrieglijk gezond uit, ook al leverde hij al een jaar een gevecht tegen kanker.

Op de salontafel zag ze een karaf met wijn en daarnaast twee glazen. Dat plaatje stond in schril contrast tot de chaos in de rest van de kamer, die haar herinnerde aan de volle omvang van haar verlies.

Planken die altijd vol boeken gestaan hadden waren nu leeg. Op de plaats waar haar moeders aquarellen hadden gehangen, vertoonde het behang donkere plekken. Alles wat Irene bezat aan serviesgoed, glazen, kleding, nummers van *National Geographic*, langspeelplaten, tot aan haar vaders sextant toe, lag uitgestald op de grond. Overal stonden lege kratten. Gestuurd door mensen van de universiteit, die haar uit medeleven hadden toegestaan de vakantie nog te blijven, ook al was de nieuwe nachtwaker al een week na haar vaders dood aangesteld.

Irene was in Manila geboren. Rond haar eerste verjaardag hadden haar ouders dit huisje betrokken. Het was er klein en het rook het hele jaar door naar de vochtige bossen van het noordwesten. Net als het museum had ze het beschouwd als haar domein. Ze wist precies welke planken kraakten, kende ieder barstje in de porseleinen wasbak. En nu moest ze hier weg. Maar elke keer dat ze zich ertoe wilde zetten iets in te pakken, bleef ze hulpeloos midden in de kamer staan, met een van haar vaders cowboyromannetjes in de hand. Of de broodrooster die twee sneetjes tegelijk aankon, die hij met Kerst van vrienden gekregen had omdat hij dol was op dat soort speeltjes en ze in de Sears-catalogus altijd wel iets naar zijn zin konden vinden.

Terwijl ze in huis rondkeek, kreeg Irene tranen in haar ogen. 'Ik heb de baan niet gekregen,' bekende ze meneer Simms.

Zijn gezicht stond ernstig.

'Ik weet het. Lundstrom heeft het me vanmorgen verteld.'

Vechtend tegen de tranen vroeg Irene: 'Waarom heeft u me niet gewaarschuwd?'

'Hij vond het beter dat je het van hen hoorde.'

'Waarom?'

'Om uit te vinden hoe je er werkelijk over denkt.'

In het bewegende schijnsel van het vuur liet Irene zich op de bank zakken. Ze begreep het niet. Eerlijk gezegd snapte ze helemaal niks vandaag. 'Wat hebt u gezegd toen hij dat vertelde? Heeft u gezegd dat u hem dit niet toestond?'

'Nu ik doodga, is mijn invloed in het museum beperkt.'

'Zeg dat toch niet.'

Lichamelijk gezien was meneer Simms weinig imposant. Maar hij was wel iemand om wie anderen niet heen konden. Als hij aan het woord was, klonk er een zelfvertrouwen in zijn stem dat gezag afdwong. Zijn ziekte had daar niets aan veranderd. Hij klonk nog steeds alsof hij ieder dreigement waar kon maken. Ook toen hij zei: 'Lieverd, als je wilt dat ik jouw baan als conservator als voorwaarde stel voor mijn schenking aan het Brooke, dan doe ik dat. Dan bel ik direct Lundstrom om te zeggen dat ik mijn geld en mijn collecties morgen terughaal als hij jou die baan niet geeft.'

Irene kraste met haar vinger over een versleten plekje in het doorgestikte fluweel van de leuning. Ondertussen dacht ze na.

'Waarom heeft u daar vanmorgen niet mee gedreigd?'

In plaats van te antwoorden, schonk meneer Simms de twee wijnglazen halfvol en gaf er een aan haar. 'Hier, drink maar.'

Ze nam een teug zonder de ronde smaak van de wijn te proeven.

'Nog wat,' drong hij aan. 'Het zal je goeddoen.'

Ze deed wat hij zei. Terwijl de warmte zich door haar lichaam verspreidde, voelde ze iets in zich opkomen.

'"Een rots!"' snauwde ze boos. 'Dat is wat meneer Lundstrom me noemde. Alsof ik al die jaren niets meer geweest ben dan een betrouwbare assistent.' Het was een verachtelijke belediging. Ze draaide zich af, staarde dwars door de ijsbloemen die op de ruit stonden.

'Ben je van plan te blijven?' vroeg meneer Simms.

Ze dacht aan haar eerdere uitbarsting in de directiekamer, en begreep dat haar woorden een vuur hadden gelegd onder de brug die ze de afgelopen tien jaar zo zorgvuldig gebouwd had. Zodra de commissarissen van de schrik bekomen waren, zouden ze woedend zijn. Als ze dat nu nog niet waren tenminste.

'Dat gaat niet.' Terwijl ze dit zei, keek ze naar haar spiegelbeeld in de donkere ruit. Haar gezwollen ogen waren niet meer dan wazige vlekken. Eerst de dood van haar vader, nu het verlies van zowel haar huis als haar baan. Het voelde alsof ze in het niets oploste.

'Wat moet ik nou doen?' vroeg ze.

'Exact hetzelfde als toen je hoorde dat je hier niet kon blijven wonen. Je trekt bij mij in.' Meneer Simms nam een slok van zijn wijn, en zei toen: 'En nu ik je volledig voor mezelf heb, kunnen we de catalogus van mijn collectie afmaken. Dan hebben we de kans daar de laatste hand aan te leggen voor ik doodga.'

Henry Simms was een fanatiek verzamelaar. Irene had hem geholpen bij de aankoop van zijn Villeroy-collectie, toen die in Parijs onder de hamer kwam. En ze had toegezien op zijn aankoop van een deel van het Romeinse zilver uit de eerste eeuw, dat uit de as van de Vesuvius was bovengehaald. Ze had ongelimiteerd toegang tot zijn collecties, zowel wat hij in bruikleen gaf aan musea en voor particuliere tentoonstellingen, als wat er achter gesloten deuren bleef voor conservators, historici en collega-verzamelaars. Zij was de enige die wist dat hij Titiaans *Venus met spiegel* bezat, die verdwenen was tijdens het geharrewar in de kunstwereld na de moord op de Russische tsaar Nicolaas. Irene leek dus de aangewezen persoon om de uiteindelijke inventaris op te maken. Maar ze besefte heel goed dat meneer Simms dit op dit moment vooral voor haar voorstelde. Zij had hulp nodig. En hij wilde haar helpen, iets waar hij goed in was.

De eerste keer dat hij haar te hulp geschoten was, was Irene nog niet eens geboren. Haar vader was een zeeman en handelaar in curiosa in de Oriënt geweest, toen haar moeder, acht maanden zwanger, in Manila ontvoerd werd voor losgeld. Irene herinnerde zich hoe haar vader en meneer Simms er negen jaar later over praatten, in de weken na haar moeders dood. Avond aan avond zaten ze in de Chinese zaal van het museum tegenover elkaar te schaken op een *xiangqi*-bord uit de Ming-dynastie. En ondertussen spraken ze over die ontvoering – *dat vervloekte boek... nog nooit zoveel bloed gezien* – alsof Irene er niet bij was. Het gesprek begon altijd met het mysterieuze boek dat de reden geweest was voor haar moeders ontvoering, en eindigde ermee hoe meneer Simms die twee mannen gedood had. En met de kogelwond die Irenes moeder bijna het leven gekost had.

Na de dood van haar moeder nam meneer Simms het opnieuw voor haar op. Hij zorgde voor afleiding door Irenes ontluikende interesse voor Khmer-kunst te stimuleren. In de keuken liet hij kaarten achter, naast de bakplaat met gemberkoekjes die zijn kokkin gebakken had. Knap getekende plattegronden die haar op een schattenjacht stuurden door de drie verdiepingen van zijn in Italiaanse renaissancestijl gebouwde villa op de Queen Anne-heuvel. Met zo'n kaart in haar hand geklemd volgde ze het spoor door de kassen die verzorgd werden door een man die hij bij Kew Gardens weggekaapt had, langs geheime doorgangetjes achter tapijten van de Pannemakers, om uiteindelijk uit te komen bij een bronzen wierookbrander of geglazuurd stenen kalkpot, die meneer Simms op elk denkbaar moment voor haar verstopt kon hebben. Als begin van haar eigen collectie Khmer-kunst.

Jaren later, toen de oorlog ten einde was en soldaten terugkwamen uit Europa om hun baan als liftbedienden en verkeersregelaars weer in te nemen, had meneer Simms professor Howard gevraagd Irene in het museum aan te houden. Tegen die tijd had de professor haar talenten al ontdekt. Hij was ingenomen met de wijze waarop ze de tentoonstellingsruimten inrichtte alsof het tempels waren. Hij was er blij mee dat het museum steeds bekender werd, tot het uiteindelijk van wereldfaam was. Conservators, galeriehouders en archeologen kwamen hem om advies en informatie vragen. En Irene liet hem het woord doen, overtuigd van haar toekomst, van haar strategie. Overtuigd dat ze niet meer op de steun van meneer Simms hoefde terug te vallen.

Uit frustratie had Irene een gaatje in de bekleding van de bank geprikt. De vulling puilde eruit, in een weerbarstige wirwar.

'Het is niet genoeg,' zei ze.

'Waar heb je het over?' vroeg hij.

'Uw collectie beheren.' Ondanks haar vermoeidheid vormde zich een nieuwe gedachte. 'Het is niet genoeg om ze af te troeven.'

'Heb je het nu over wraak nemen?'

'Ik wil gewoon waar ik recht op heb. Ik vind het heerlijk om uw collectie te beheren. Dat weet u. Maar de collectie van het Brooke... Ik zou alles gedaan hebben om er een hoogstaand museum voor Khmer-kunst van te maken. Dat is het allerbelangrijkste voor mij. Ik dacht echt dat als ik het eenmaal voor het zeggen had, ik het Brooke kon veranderen in hét museum voor Khmer-kunst. Daar ligt mijn hart en ziel. Ik kan me geen leven voorstellen zonder dat, en ik heb geen idee hoe ik ze moet bewijzen dat ze het wat mij betreft volledig bij het verkeerde eind hebben.'

Meneer Simms bukte zich en pakte haar vaders elektrische koffieapparaat onder een hoop troep vandaan. Hij bekeek het gevlekte metaal alsof het doffe oppervlak alle gesprekken bij hem bovenbracht, die ze gevoerd hadden onder het genot van een kop van die koffie. Toen hij eindelijk wat zei, had hij een vreemde glimlach op zijn gezicht. 'Als er ooit een moment komt om in het lot te geloven, is dit het wel.'

Irene trok de kapotte bekleding recht en vroeg: 'Hoe bedoelt u?'

'Die doos die je vader me naliet, Irene. Heb je erin gekeken voor je hem aan me gaf?'

Een paar weken eerder had Irene tijdens het opruimen van haar vaders kamer een grenen kist gevonden ter grootte van een kleine reiskoffer. Eromheen zat een touw dat vastgeknoopt was met een van haar vaders onmiskenbare paalsteken, en er hing een label aan met meneer Simms' naam.

'Nee, natuurlijk niet.'

Meneer Simms wond de rafelige elektriciteitsdraad om het koffieapparaat, en legde het ding samen met zijn hoed en jas op het dressoir, alsof hij van plan was het mee te nemen. Hij zocht wat in de zak van zijn jas, en haalde een boekje tevoorschijn. Dat gaf hij aan Irene. 'Dit zat in die kist. Heb je het al eens gezien?'

De dunne, kalfsleren band was soepel geworden, zo vaak was het vastgepakt. Ze draaide het boekje om voor- en achterkant te bekijken, en opende het. Op het schutblad stond vaag te lezen:

Eigendom van Ds. James T. Garland
Boston, Massachusetts
Aangevangen op 1 april van het jaar onzes Heeren 1825
Beëindigd op 15 augustus van het jaar onzes Heeren 1825

'Nee,' antwoordde ze. 'Wat is dit?'

Toen meneer Simms geen antwoord gaf, bladerde ze door de vergeelde bladzijden tot ze bij een zijden leeslintje kwam. In de marge zag ze schetsjes van stenen waterspuiers, die dwars door palmwaaiers heen staken. Het handschrift was mannelijk en resoluut.

24 juni 1825
De afgelopen 27 dagen ben ik in noordoostelijke richting ge-
reisd vanaf de indrukwekkende ruïne van een stad die Ang
Cor genoemd wordt. Het weer is een bron van misère. Op
sommige momenten waan ik me wadend op de zeebodem.
Svai lijkt er geen erg in te hebben. Hij volhardt als ware hij
een slaaf, geen betaalde gids. Gisteren kwamen we aan bij
een door malaria getroffen nederzetting aan een zijarm van
de Me Cong-rivier, alwaar men handel drijft. Svai noemt het
Stun Tren. Ik schat dat we op zes dagen reizen van de grens
met Lao verwijderd zijn.

'Maar de eerste ooggetuigenverklaring van Angkor Wat is van na 1860,' merkte Irene op. 'Als deze man er al in 1825 geweest is, waarom...'
'Lees nou maar door.'

Hedenmorgen wekte Svai mij al voor zonsopgang. Hij wilde
een geheim met mij delen, zei hij. We liepen ongeveer een
mijl door de jungle voor we bij zijn bestemming kwamen.
Het eerste wat ik opmerkte was poreuze steen van het soort
dat ook rond Ang Cor in het struikgewas ligt. Ik zag een in-
springende stenen muur waardoorheen een boom met witte
kapok groeide. Svai tikte op een muurpaneel. 'Musée,' merk-
te hij op. Hij leidde mij door een wankele poort naar een
rommelige binnenplaats, alwaar een afbrokkelende tempel
op instorten stond. We gingen naar binnen; het was er pik-
donker. Svai had een lantaarn meegebracht. Mijn ogen
traanden van de aanwezige geur van vleermuizen. Ik ging
liever niet verder, maar Svai wist van geen wijken.
Binnen in het heiligdom weerkaatste het schijnsel van de

lantaarn. Ik ontwaarde de glans van metaal. Svai liep verder de tempel in en kwam terug met een opgerolde, platte metalen plaat, niet groter dan een vel schrijfpapier, vol met het minutieuze schrift dat ik eerder gezien had op de stenen pijlers in Ang Cor, en dat een combinatie lijkt van Chinees en Sanskriet. Svai zei iets wat ik ruwweg kan vertalen als 'de tempel van de koning', en vertelde daarop trots dat in deze tempel tien koperplaten te vinden waren, waarop de geschiedenis van zijn primitieve volk beschreven staat.

Irene keek verbijsterd op. 'Is dit wat ik denk dat het is? Heeft deze man werkelijk de geschiedenis onder ogen gehad? Bestaat die echt?'

'Daar lijkt het wel op.'

'En wat als die er nog is? Dan zou ze daar moeten liggen. Had iemand die platen meegenomen, dan zouden we dat weten. Als iemand het zou weten, zijn wij dat. O mijn god, we hebben een aanwijzing. De eerste echte aanwijzing over hoe de Khmer-beschaving aan haar einde kwam!'

Irenes hoofd tolde van het snelle tempo waarin haar hart het bloed door haar lichaam pompte. Ze voelde het niet alleen in haar borst en haar polsen. Het leek tot in de uithoeken van de kamer rond te fladderen, als een vogel die geen kant op kon.

'U heeft die kist al twee weken in uw bezit. Waarom heeft u me dit boekje niet eerder laten zien?'

Meneer Simms schonk hun glazen bij. Ze dronken in stilte. Ondertussen bleef zij hem vol verbazing aankijken. De man die altijd een antwoord leek te hebben, wist nu niet wat hij moest zeggen.

'En waarom heeft mijn vader dit eigenlijk aan u nagelaten?' wilde ze weten. 'Hij wist wat dit voor mij zou betekenen.'

Meneer Simms antwoordde niet. Irene richtte haar aandacht opnieuw op het dagboek.

'Tot dusverre heb ik de Khmer altijd naar mij laten komen,' zei ze. 'Als ik al een reis naar Cambodja overwoog, was dat als conservator. Ik zou Angkor Wat bezoeken en onderzoek doen in het museum in Phnom Penh. Ik heb afgewacht in de hoop dat hun geschiedenis op zou duiken, zonder te bedenken dat ik degene zou kunnen zijn die haar vond. Als ik de Khmer-geschiedenis aan het licht zou brengen, zou me dat een aanzien, een status bezorgen waar niemand meer omheen kon.' Ze stond op en verklaarde: 'Ik wil erheen. Naar Cambodja.'

Nog steeds hield meneer Simms zijn mond. Maar Irene zag dat zijn heldere, blauwe ogen opgetogen schitterden, net als wanneer hij op het punt stond een clandestiene aankoop te doen.

'Ik ga die platen ontdekken,' zei ze tegen hem. 'En u denkt dat ik het kan, toch? Dat is de reden waarom u Lundstrom niet gedwongen hebt mij die baan te geven. U wist dat als ik conservator zou worden, ik waarschijnlijk niet zou gaan. U wilt dat ik achter die geschiedenis aan ga.'

'Ik heb aan niets anders gedacht sinds ik die kist geopend heb,' antwoordde hij uiteindelijk. 'Die rollen zullen het hoogtepunt van mijn collectie worden. Mijn zwanenzang. En jij, mijn lieve Irene, zult ze me bezorgen.' Meneer Simms' leeftijd en ziekte vielen weg in het schijnsel van het vuur. Hij was wederom een jonge man, vitaal, klaar om de wereld te lijf te gaan. 'Als je boft, beleef je het avontuur van je leven.'

'Heeft u er ook een gehad?'

'Ik prijs me gelukkig dat ik een aantal ongelofelijke avonturen beleefd heb,' stelde hij haar gerust, met zijn ogen op het dagboek. 'Mag ik je een tip geven?'

Irene knikte vol enthousiasme.

'Wat je moet weten over een avontuur is dat als alles loopt zoals je vooraf verwacht had, je niet kunt spreken van een avontuur.'

3

In Yellow Babylon

In de tijd dat ze moest wachten tot Simone Merlin terugkwam uit Frankrijk, was Irene verliefd geworden op Shanghai. Het was de wereld in het klein, onderverdeeld in districten waar respectievelijk de Fransen, Engelsen, Amerikanen en Japanners het voor het zeggen hadden. Te midden van de riksja's, trolleybussen en Buick-automobielen, van tudorgebouwen en villa's in Spaanse stijl, kon ze zomaar oog in oog komen te staan met een verwilderde Russische prostituee die met twee Chinese barbloempjes om een Engelse zeeman knokte. Even verderop passeerde ze dan weer een oude Kantonees met een kruiwagen vol roze babyhoedjes, of een stel Japanse courtisanes die midden overdag voor een nachtclub stonden te dansen op de muziek van een joods-Duitse band.

Shanghai was een koppig brouwsel van onbekende afkomst, meer dan slechts een bezielende mengelmoes voor Irene. Shanghai daagde haar uit. Als ze op verkenningstocht ging, betrapte ze zich erop dat ze alles categoriseerde, net zoals ze dat deed met de voorwerpen in het Brooke Museum en in meneer Simms' collecties. In haar hoofd maakte ze mappen aan, die in aantal toenamen. En dan betrof het onderwerpen als sikh-politiemannen die hun donkere haar in een brandschone tulband gewikkeld hadden, of Chinese dames die op maat gemaakte, leren Italiaanse pumps droegen. Ze kon een boekwerk schrijven over de inwoners van de stad. De winkels alleen al... Je kon er alles krijgen, van theaterkostuums tot Hershey's-cacao en lotuswortel. Ze had er lol in ze, op basis van wat ze verkochten, in te delen in categorieën: kanaries; chrysanten; leeuweriken; muizen; eetstokjes; dobbelstenen; wierook; mango's; inktpotjes; vishaakjes. Terwijl ze over de brede boulevards in het Franse deel liep, waar pioenrozen en magnolia's stonden, of dwaalde door de Chinese wijk, met nauwe steegjes vol mieverkopers, waarzeggers en kleine kinderen die door een opening in hun broek in de goot plasten, werden haar lijstjes met de dag langer.

Op Shanghai kon Irene zich uitleven. De stad was voor haar één tomeloze, bij elkaar geraapte collectie waar zij orde in moest scheppen om haar gedeukte zelfvertrouwen op te krikken. Ze had de afgelopen tien jaar wel meer gedaan dan bekende voorwerpen classificeren. Ze had achter gestolen of verloren objecten aan gezeten, en ze uiteindelijk gevonden en in het systeem opgenomen. Ze had geleerd om geruchten even goed te bestuderen als wetenschappelijke data. Ze wist hoe je op de hoogte bleef van kunstverkopen, en ze hield bij wie er in de kunstwereld op reis was, om daar vervolgens haar conclusies uit te trekken. Ze opereerde vanuit het principe van waarschijnlijkheid. Op alle denkbare wijzen legde ze verbanden, net zolang tot ze de logica zag. Ze gebruikte haar intuïtie. Meneer Simms bewonderde haar om haar uitzonderlijke intuïtie.

Beter dan welke expert dan ook kende meneer Simms de kneepjes van het kunstvak. Hij wist wat iets waard was. En niet alleen in dollars, maar ook wat de emotionele waarde ervan in onderhandelingen kon zijn. Die kennis had hij met haar gedeeld. Onder zijn leiding had Irene de eigenaren net zo goed leren bestuderen als hun voorwerpen. Die informatie gebruikte ze om haar data compleet te krijgen, waarna ze ging puzzelen tot ze een verklaring had voor iets. Meestal over waar een verloren voorwerp gebleven kon zijn. Puzzelen, daar was ze het beste in. En dat was precies wat ze nu in Shanghai aan het doen was, op de dag na Annes feestje. Want als ze genoeg informatie verzamelde, kon ze erachter komen wat Simone wilde. Waar Simone behoefte aan had. En op die manier kon ze haar overtuigen met haar mee te gaan naar Cambodja.

Irene lette altijd op. En waar ze ook kwam, luisterde ze discreet gesprekken af. Zo wist ze al precies in welke bar in Shanghai je wat kon krijgen. Franse wijn, de beste jazz, Wit-Russische lijfwachten of Siamese maagden. Om de basis te leggen voor deugdelijke theorieën was je afhankelijk van roddels. En voor roddels ging je in Shanghai naar de Yellow Babylon. In het schemerdonker begaf ze zich erheen. Omdat de elektriciteit was uitgevallen door de stakingen, glommen de straten in het licht van lantaarns.

Het was cocktailuur. Door de hitte, in combinatie met Shalimar-parfum en de mannelijke geur van sigaren, hing er een naargeestige stemming. Twaalf tafeltjes stonden dicht op elkaar om een leeg toneel. Daarboven hingen kaarsen aan het plafond, in glazen potjes, als hangers. Irene bestudeerde de bezoekers. Wie haar met desinteresse aankeek, viel voor haar af. Zij zocht die ene die haar gretig aanstaarde omdat ze nieuw was. De huisroddelaar, die er steevast was. De bron waaraan ze zich kon laven.

Ze liep naar een tafeltje in de verste hoek, waaraan een oudere vrouw met een bleke Europese huid en scheve Aziatische ogen zat. Ze droeg ettelijke strengen parels. Ze had gepoederd haar, alsof ze in het Shanghai van de achttiende eeuw thuishoorde. Op de rugleuning van haar stoel zat een blauwe ara.

'Mag ik bij u komen zitten?' vroeg Irene.

De vrouw lachte haar toe, alsof ze de hele dag al op een vreemde had zitten wachten. 'Natuurlijk, lieve kind, kom erbij.'

'Ik heet Irene Blum.'

'Gravin Eugénie. Het is me een genoegen. Wat wil je drinken?'

'Whisky.'

'Uitstekend.' Ze zei het op een toon alsof Irene ook hiermee aan de verwachtingen voldeed. 'Wat voert je naar de Yellow Babylon, Irene?'

'De revolutie,' antwoordde Irene. 'Het communisme in China.' Het had geen zin voorzichtig te werk te gaan. Hoe eerlijker ze was, des te naïever en onschuldiger ze overkwam. Dat had ze lang geleden al gemerkt. 'Ik vraag me af waarom buitenlanders zich daarin zouden willen mengen. Wat trekt ze?'

De gravin lachte.

'Lieve hemel, kindje, dat zou ik niet weten.'

'Is het de romantiek?'

'Romantiek? Op straat worden Chinezen omgebracht om een ideaal. Een ideaal! Wat een belachelijke kreet. Fabrieken worden in de as gelegd als ideologisch statement. Als je het mij vraagt, is het vooral een kwelling.'

De ober kwam op hen af met een karaf. Hij was scheutig met de inhoud. Irene liet haar glas staan. 'Vraagt deze revolutie om iemand als Simone Merlin?' vroeg ze.

De gravin klapte in haar handen.

'Ach lieve kind, voor spion ben je niet in de wieg gelegd.'

Irene accepteerde de kritiek, en reageerde niet.

De gravin knipoogde. Irene wist dat in een mum van tijd heel Shanghai op de hoogte zou zijn van de Amerikaanse spion die navraag deed naar de vrouw van Roger Merlin. Maar Irene wist ook dat verhalen afkomstig van vrouwen als deze gravin altijd met een korreltje zout genomen werden. Dat hield in dat maar weinig mensen geloof zouden hechten aan wat de gravin zei. Maar het betekende ook dat Irene alles wat ze van haar te weten kwam zorgvuldig moest afwegen.

'Wat heerlijk. Ik had me ingesteld op het gebruikelijke saaie avondje met jazz en opium. Rook je? Wil je een pijp?'

'Een andere keer,' antwoordde Irene, die niet wilde laten zien dat ze nooit opium gerookt had. Zó naïef wilde ze nu ook weer niet overkomen. 'Kent u Simone?'

'Iedereen in Shanghai kent haar.'

'Wat hoopt ze te winnen met deze revolutie, denkt u?'

'De Chinezen beschouwen Simone als een koningin. Het moet heerlijk zijn behandeld te worden als royalty.'

'En verder?'

De gravin rolde met haar ogen. 'Het zou kunnen dat ze een aangeboren gevoel voor rechtvaardigheid heeft.'

'Altruïsme?'

'De gemiddelde Chinees hier in de stad heeft een belabberd leven,' verklaarde de gravin, alsof ze een geheim onthulde. 'Ik behandel de mijne goed, maar ik ben dan ook wel een uitzondering.'

'Denkt u dat Simones overtuiging te maken heeft met trouw aan haar man?'

'Die walgelijke man!' De gravin leunde samenzweerderig over de tafel. 'Vorig jaar wilde ze bij hem weg. Ze reisde over land, de onnozele hals. Bij Wuchow haalde hij haar in en sloeg haar halfdood. De officiële versie is dat ze ontvoerd en mishandeld werd door schurken van de overheid. Dat was olie op het vuur van de opstandelingen. De rellen hielden bijna twee dagen aan. Lily daar, die aan het tafeltje met die kolonel zit, is verpleegster. Zij heeft voor Simone gezorgd. Lily,' riep ze. 'Lily, schat, kom hierheen en maak kennis met mijn nieuwe vriendin Irene.'

Lily was al zeker vijftig. Ondanks pogingen dat met make-up te verhullen had ze een gelige huid. Iets wat alle alcoholisten in deze stad gemeen hadden, had Irene geconstateerd. Haar logge lijf was gehuld in een onflatteus strakke jurk en ze had dikke enkels. Ze stiefelde op naaldhakken op hen af, met een glas champagne in de ene hand en een cigarillo met een goudbruin mondstuk in de andere.

'Wel, wel,' haalde ze dramatisch uit. 'Wie hebben we hier?' Op haar gefronste gezicht viel duidelijk af te lezen dat ze alle vrouwen als haar rivales zag.

'Vooruit, Lily, gedraag je. Irene komt ons wat afleiding brengen vanavond. Ze is een spion.'

'Voor wie?'

'Voor de vijand, natuurlijk,' antwoordde Irene met een zorgeloos lachje.

'Wat doet het ertoe?' zei de gravin. 'Ga nou maar zitten en vertel haar wat je over Simone Merlin weet.'

45

Lily trok één wenkbrauw langzaam op. Ze liet zich op de stoel naast Irene zakken en reikte over de tafel heen om de ara te pakken. De ara hapte naar de cigarillo. Lily trok hem weg en liet hem in plaats daarvan uit haar champagneglas drinken.

'Gedraag je, president Coolidge. Ik ben nog altijd niet vergeten wat je heb aangericht met m'n Perzische tapijt. En wat zou je willen weten, spion Irene?'

'Heeft Simones man haar werkelijk halfdood geslagen?'

'Dat is wat ze me verteld heeft. En aangezien ik ook iets dergelijks heb meegemaakt, geloof ik haar. Vrouwen liegen over van alles en nog wat, maar zelden over zoiets. Het is te vernederend om te verzinnen. Trouwens, Roger Merlin is een schoft.'

'Waarom zegt u dat?'

'Hij geeft niets om Chinezen.'

'Jij geeft ook niets om Chinezen, Lily,' sprak de gravin geamuseerd.

'Dat klopt,' gaf Lily toe. 'Maar ik pretendeer ook niet ze te helpen. Als ik zin heb er een de grond in te trappen, dan doe ik dat. En zonder me na afloop schuldig te voelen.'

'Denkt u dat hij zich anders voordoet dan hij is?'

'Volgens mij viel Napoleons ego in het niet bij het zijne.'

'Waarom heeft hij er zo'n moeite mee dat Simone bij hem weg wilde?'

Lily staarde Irene aan alsof ze achterlijk was. Toen boog ze zich naar haar toe. Uit al haar poriën kwam de geur van een bedorven gardeniaparfum.

'Hij is een man, schat.'

'Jawel, maar ze is toch niet zijn gevangene,' reageerde Irene geïrriteerd.

'Toen ze de baby verloor, heeft ze alle hoop opgegeven ooit van hem af te komen, vermoed ik.'

'Was er een baby in het spel?' vroeg de gravin. 'Lieverd, dát heb je me nooit verteld.'

'Echt niet? Ik dacht van wel.'

'Je weet best dat je me dat niet verteld hebt.'

'Maar lieve gravin, zoiets zou ik u niet onthouden.'

'Net zoals ik jou ook onmiddellijk zou doorgeven dat jouw kolonel op lenige, jonge fabrieksarbeiders valt.'

Irene greep in voor de conversatie volledig ontspoorde.

'Wat is er gebeurd dan?' vroeg ze.

Met een ongelukkige blik in de richting van de kolonel vertelde Lily: 'Op het moment dat ze Roger verliet, was Simone zwanger.'

'Hij heeft haar in elkaar geslagen, ook al was ze zwanger?' vroeg Irene verbijsterd.

De gravin hapte naar adem.

'Ik heb zes dagen bij haar gezeten in het ziekenhuis,' vertelde Lily. 'Hij heeft haar geslagen om zich van zijn dochtertje te ontdoen. Dat kon je afleiden uit de manier waarop hij tekeer was gegaan.'

'Wat verschrikkelijk.' Bij dat gruwelijke beeld stond Irenes verstand stil. Ze had medelijden met Simone, vanwege de pijn en de wanhoop die ze gevoeld moest hebben. Toch dwong ze zichzelf door te vragen. 'Weet u waar ze heen wilde?'

'Dit gesprek bevalt me niet meer,' merkte Lily op. 'Té deprimerend voor een zondag, zelfs in Shanghai.' Ze gooide haar cigarillo op de vloer.

De gravin zuchtte. 'Ik moet toegeven dat ik nooit erg gecharmeerd was van Simone. Maar dat van die baby verandert de zaak. Arm ding.'

Lily stond op. En tegen Irene zei ze: 'Cambodja, blonde Amerikaanse spion. Daar was ze naar op weg toen hij haar inhaalde. Maar ik heb zo'n idee dat jou dat niet zal verbazen.'

'Voor de rest kan het me niet schelen. Je mag iedereen alles vragen wat je wilt, als je het maar niet over mijn baby hebt,' zei Simone.

Irene keek op. Simone stond in de deuropening van Annes kantoor. Het liep tegen het einde van de maandagmorgen. Na haar avondje met de gravin en Lily had Irene niet goed geslapen, en ze probeerde haar hoofd op orde te krijgen door Anne te helpen bij het uitzoeken van een verzameling Yangshao-aardewerk.

'Dit is mijn stad,' ging Simone door. 'Hoe durf je hier te komen en te doen alsof jij het voor het zeggen hebt. Alsof ik je ondergeschikte ben. Waarom kwam je niet naar mij toe, als je meer over me wilde weten? Ik ben altijd bereikbaar.'

Irene verbaasde zich over de snelheid waarmee nieuws zich verspreidde in Shanghai. Dat ging veel sneller dan ze dacht. De elektriciteit was uitgevallen, de lucht extreem vochtig, en ze sprak zonder na te denken, iets wat ze zelden deed.

'Hoe is het mogelijk dat je in de greep van zo'n man bent terechtgekomen? Hoe heb je dat kunnen laten gebeuren?'

'Laten gebeuren?' Simones kwaadheid veranderde in verbijstering.

'Irene, je beledigt haar,' berispte Anne haar vanuit het open raam.

'Je hebt gelijk. Het spijt me.' Irene besefte dat ze haar eigen gevoelens over wat de commissarissen haar aangedaan hadden en Rogers gedrag jegens Simone niet door elkaar moest laten lopen. Ze streek de documenten glad die voor haar op het bureau lagen. Terwijl ze met haar zweterige handpalm over het bovenste vel wreef, smeerde ze de inkt uit. 'Maar komt hij nog steeds achter je aan als hij weet dat er een getuige is, Simone? Als we samen zijn?'

Simone stapte de kamer in. Haar gezicht ging schuil onder een zwarte hoed met een brede rand. Ze droeg een groene bloes van Chinese snit op een zwarte broek met kaarsrechte pijpen, die best van een herenkostuum kon zijn. Ze zag eruit alsof ze zo uit een variétévoorstelling was weggelopen.

'Het maakt hem niets uit wie het ziet.'

Achter Anne reflecteerde het zonlicht in het straatje. Het viel op wat verbleekt wasgoed dat aan een balustrade aan de overkant hing te drogen.

'Lieverd, als Simone niet mee wil, laat haar dan.'

'Laat haar dan?' vroeg Irene vol ongeloof. 'Hoe kun je dat nu zeggen? Uitgerekend jij, die je man verliet omdat je geen huisvrouw meer wilde zijn. Dit is veel erger!'

'Ik had nog wel meer redenen, en dat weet je heel goed,' sprak Anne haar tegen. 'Dat heb je altijd geweten. En afgezien daarvan, Thomas zou mij niets gedaan hebben.'

'Juist daarom zou je bij hem weg moeten,' zei Irene tegen Simone. 'Je zou niet in angst moeten leven. Ik kan je helpen. Dit kan je kans zijn aan hem te ontkomen.'

'Nu een ander onderwerp graag, ' zei Anne. 'Dit is een veel te gecompliceerd probleem om in deze hitte te bespreken. In Shanghai lijkt in de zomer alles altijd erger dan het werkelijk is.'

Simone fronste haar wenkbrauwen en liep de kamer door naar de bank. 'Jij geeft bij alles de hitte de schuld.'

'In een koeler klimaat zijn de mensen minder opvliegend.'

'Dat lijkt maar zo, Anne,' merkte Irene op. 'In Seattle heb je de vakbondsrellen.'

Simone zette haar hoed af, en legde haar hoofd tegen de leuning van de bank. Het was een weloverwogen beweging, waarbij ze haar hoofd naar een kant draaide zodat haar rechter, opengereten oorschelp te zien was. Haar kaak en wang waren gekleurd door een bloeduitstorting.

'Irene, voor de duidelijkheid... Ik heb mijn man over je aanbod verteld. En met een koekenpan kun je flink uithalen. Hij is creatief, *n'est-ce pas*?'

'Ach, lieverd.' Anne stond al overeind, en vloog op Simone af.

'Ik heb hem verteld dat ik meegevraagd was om een verloren tempel te gaan zoeken. En toen maakte ik de fout hem te vertellen hoe graag ik dat wilde.' Met trillende vingers streek ze langs de korst op haar oor. Het zweet liep haar langs het gezicht. 'Ik wist niet dat je je zo alleen kon voelen.'

'Stil maar.' Anne sloeg haar armen om Simone heen en streelde haar haar. 'Het gaat snel regenen, dat zul je zien.'

Irene keek naar de twee. Opeens besefte ze dat eenzaamheid niets te maken heeft met alleen zijn, maar met hoe je met anderen omgaat. Of bereid bent je bloot te geven, en anderen toestaat je te leren kennen. Simone liet zich in ieder geval omhelzen en troosten door Anne. Irene kon zich niet herinneren wanneer iemand haar voor het laatst zo omhelsd had. Zelfs haar vader of meneer Simms deed dat niet.

'Irene, wil je de thermoskan pakken die op de plank achter mijn bureau staat,' vroeg Anne.

Simone lachte. *'To sleep, perchance to dream,'* citeerde ze.

Irene gaf de thermosfles aan Anne. Die draaide de dop eraf en schonk de dop vol met een ondoorzichtige grijze vloeistof. Simone sloeg het achterover. Daarop schonk Anne de dop opnieuw vol en bood hem aan Irene aan, met de woorden: 'Ik zal wat kussens voor je neerleggen.'

Irene nam de dop van haar aan. Het spul rook smerig.

'Wat is het?' vroeg ze.

'Ik maak het zelf.' Uit een kast pakte Anne een paar kussens en een deken. 'Ik koop de papaver van die mandarijn met maar één oog achter Jardine's.'

Terwijl Anne het gebreide kleed uitspreidde, dacht Irene terug aan haar jeugd, aan haar bedje van dekens op de vloer van het Brooke Museum.

'Het is een wondermiddel,' zei Anne. 'Elk ongemak, elk pijntje, elke trieste gedachte… Poef, weg! Beter dan Bayer. Veel plezieriger dan een psychoanalist. Als ik daar wegga, voel ik me – om wat voor reden dan ook – altijd beroerder dan toen ik kwam.'

De kaars in de jade asbak op het bureau was bijna opgebrand. En de bewegingsloze bladen van de plafondventilator wierpen luie schaduwen op de muur, vlak onder het plafond. Hoe aanlokkelijk de gedachte ook was in zo'n slaap weg te zakken, Irene concentreerde zich liever op het kantoor van Simone verderop in de gang. Ze hoopte dat Simone de deur niet had afgesloten, aangezien ze het slot niet kon forceren. Ze gaf de dop terug aan Anne, en zei: 'Nee, dank je.'

Simone draaide zich op een zij, op de vlucht voor haar treurige bestaan. Ze was een totaal andere persoon dan Irene gehoopt had te vinden. Ze was bijna zover dat ze meneer Simms een telegram zou sturen om hem te vertellen wat voor fout hij gemaakt had door Simone te kiezen om haar te helpen. Maar na de vernedering in Seattle was de gedachte aan falen bij datgene wat haar naar Shanghai gebracht had, te pijnlijk. Bovendien zou het veel tijd kosten om iemand te vinden met dezelfde kennis op het gebied van Cambodja en de Khmer als Simone. Meneer Simms had erop vertrouwd dat Irene zijn laatste wens in vervulling zou laten gaan. Die tijd hadden ze niet, zeker niet gezien het feit dat de eerstvolgende beschikbare overtocht van Shanghai naar Indochina al over drie dagen was.

Met de stakingen viel niet te voorspellen wanneer het volgende schip zou vertrekken. En dus moest Irene naar een oplossing blijven zoeken en om te beginnen zou ze Simones kantoor doorspitten. Voorlopig ging ze door met de taak die ze op zich genomen had, tot Anne de smerige thee gedronken had, zich onder het neuriën van een Chinees liefdesliedje uitstrekte, en uiteindelijk – net als Simone – in slaap viel.

Het was maar twee deuren verder en Irene kreeg het gevoel dat ze na een halve wereldreis terug was in haar kantoor in het Brooke Museum. Simones kleine kamer was een heiligdom gewijd aan Cambodja. De muren waren van boven tot onder behangen met gele overzichtskaarten. De kasten stonden vol beelden: tientallen apsara's gemaakt van brons, koper, zilver of steen.

Er stond er zelfs een van geslagen tin, uit de categorie goedkope rommel die bij souvenirwinkeltjes verkocht werd. Weer een ander stuk was gehakt uit lichtrode zandsteen en glom van alle aanrakingen door de tijd. Het beeld was acht eeuwen oud, schatte Irene op het oog. In de roodbruine schaduw achter de olielamp stond een kast met Étienne Aymoniers *Archeologische verkenningen*, het allereerste systematische verslag van de tempels, en een van de primaire bronnen die ook Irene gebruikt had om zich te bekwamen in het classificeren. Ze trok de atlas van Auguste Pavies missie in Indochina tevoorschijn, en sloeg hem open bij de kaart die ze in Seattle bestudeerd had toen ze net van het bestaan van de verloren tempel had gehoord. De kaart besloeg het gebied rond de vage grens tussen Cambodja, Vietnam en Laos.

Irene ging aan Simones bureau zitten, waar Sappho Marchals *Khmer Costumes and Ornaments* openlag bij de opdracht: *Voor mijn lieve vriendin. Kom snel terug, Sappho.* Dat stemde Irene hoopvol. Deze kamer was het bewijs hoeveel Cambodja voor Simone betekende.

Irene streek haar vinger langs een dikke laag wierookas, die als een mierenhoop in de bronzen brander lag. In haar verlangen meer te weten te komen over de vrouw die net zo bezeten was van de Khmer als zij, rommelde ze wat aan het handvat van de bovenste la, en trok hem open. Ze haalde er een potje Luminal uit, waar nog zes pillen in zaten. Daaronder lagen drie velletjes briefpapier. *Lieve Louis, jij gaat...* las ze. En: *Louis, dit is... Louis, de tijd is...*

Ze had geen idee wie dit mocht zijn.

Toen ze verder zocht, vond ze een handvol knipsels uit Shanghais overheidsbladen en communistische kranten. Met een half oog bekeek ze de artikelen, die allemaal over Roger gingen. De stakingen en rellen waartoe hij had aangezet. Zijn aanwezigheid op het Eerste Nationalistische Congres met Sun Yat-sen een jaar eerder, zijn samenwerking met bolsjewistische militaire instructeurs, zijn arrestatie nadat een Frans attaché gedood was met een explosief in een buis. Door gebrek aan bewijs was hij weer vrijgelaten, maar in het redactionele stuk van de *North-China Daily News* werd zijn betrokkenheid geïmpliceerd.

Irene begreep dat ze voorzichtig te werk moest gaan waar het Roger Merlin betrof. Maar hij was ook een man. En met mannen viel te onderhandelen. Dat hadden ze liever dan voor het blok gezet worden, als ze maar de indruk kregen dat ze er beter van werden. Het was simpel genoeg een man te laten denken dat hij er beter van werd. En tot dusverre leek dat het enige te zijn waar Roger om gaf.

Ze deed de krantenknipsels terug in de la. Haar oog viel op een kop: GRAANMOLEN SIMMS & CO IN POOTUNG VERWOEST DOOR VUUR. Verrast door de naam Simms liep ze de papieren door. Ten aanzien van dit onderwerp bleek uit de kranten duidelijk dat Henry Simms een groot aantal fabrieken bezat in Shanghai. Hij werd vaker genoemd dan welke andere ondernemer dan ook, en altijd in relatie tot zakelijke ondernemingen die het doelwit waren van de Kwomintang.

Irene wist dat Shanghai lang meneer Simms' tweede thuis geweest was. Het was zijn uitvalsbasis geweest voor en na zijn tijd in Manila, waar hij haar ouders ontmoet had. Ze herinnerde zich dat hij in haar jeugd vaak naar Shanghai ging. Ze bewaarde een briefkaart die hij haar gestuurd had, van riksjalopers, en een kleine roze kimono die hij van een van zijn reizen voor haar had meegebracht. Ze wist dat hij flink geïnvesteerd had in de Oriënt, bijvoorbeeld in scheepvaart, import en export, en thee- en rubberplantages op het Maleisische schiereiland en Vietnam. Maar ze hadden het er nooit over gehad samen. De financiële details van zijn imperium waren nooit doorgedrongen in het soevereine rijk van de kunst, waarin zij zich beiden ophielden. Tenminste, tot nu toe. Irene verweet zichzelf dat ze zich niet eerder afgevraagd had hoe het zat met meneer Simms' zaken in Shanghai, en wat de consequentie kon zijn: dat Roger Merlin en hij recht tegenover elkaar stonden.

Henry Simms had haar erop uitgestuurd om de vrouw van zijn tegenstander in te huren.

De geschiedenis van meneer Simms was Irene net zo vertrouwd als die van haar eigen vader. Hij was de zoon van een graanboer in het oosten van de staat Washington. Dankzij een paar slimme zakelijke transities had hij zich weten op te werken tot een van de rijkste mannen ter wereld. Maar hij was een strateeg, een meesterbrein. Hij deed niets zonder dat het vooraf tot in de puntjes was uitgewerkt. Terwijl ze daar stond, met de broze krantenknipsels in haar hand, viel het haar te binnen dat ze verwikkeld geraakt was in iets wat meer omvatte dan ze voorzien had.

Irene was dol op geheimen en mysteries. Ze vond het heerlijk ze te ontrafelen. Meneer Simms wist dat. Misschien dacht hij dat ze wel te weten zou komen wat hij voor belangen had in Shanghai. Hij had zelfs kunnen bedenken wat hij haar aandeed door Simone erin te betrekken. Maar áls dat zo was, begreep Irene niet waarom hij erop stond dat ze Roger Merlins labiele vrouw zou benaderen. Het intrigeerde haar wel. En ze was ervan overtuigd dat het zo moest zijn.

In Annes kantoor lag Simone nog te slapen. Ze snurkte zachtjes. Naast haar op de vloer staarde Anne glazig naar het plafond.

'Vertel me nu eens eerlijk waarom je niet wilt dat ik dit doe,' vroeg Irene haar zacht vanuit de deuropening.

'Het is niet eerlijk om me op dit moment iets te vragen,' protesteerde Anne.

'Als je nuchter bent geef je er geen antwoord op.' De zon was de meridiaan gepasseerd, en het kantoor lag nu in de schaduw van de gebouwen aan de overkant van het steegje. Maar nog steeds was het drukkend benauwd. Er brandde nog maar één kaars; het lontje sputterde in de gesmolten was. 'Je hebt me nog nooit een strobreed in de weg gelegd.'

Anne hield haar hoofd schuin om Irene aan te kunnen kijken.

'Je bent van plan die platen achterover te drukken.'

'Dat heb ik nooit beweerd,' zei Irene nu nog zachter.

'Dat hoeft ook niet. Henry bekostigt je expeditie.'

'Heb je Simone over meneer Simms verteld?'

'Zodra Roger erachter komt dat Henry erbij betrokken is... Zelfs al lukt het jullie Cambodja te bereiken... Simone zal er kapot van zijn als je de koperplaten meeneemt naar Amerika.'

'En ik dan? Je weet hoe hard ik dit nodig heb.'

Anne bewoog zich futloos; ze ging tegen de onderkant van de bank zitten.

'Je gaat over de schreef.' Ze probeerde streng te klinken. Maar haar poging werd tenietgedaan door het effect van de thee.

'Ik wist niet dat jij je aan grenzen hield. Dat werd me in ieder geval niet duidelijk toen je mijn hulp vroeg bij het vinden van die ring van de weduwe van de keizer.'

Anne hief haar gerimpelde hand in een vaag straaltje licht. Het viel op de ring met de gevlochten gouden zetting rond een vermiljoen uitsnede van de letter die voor Puyi stond. Dat was de naam van de achterneef die de keizerin als opvolger had gekozen. De laatste keizer van China. Toen de keizerin doodging verdween de ring. Waarschijnlijk was hij gestolen door een van haar dienaressen. Trots herinnerde Irene zich hoe ze hem getraceerd had. Hij was in het bezit geweest van een Servische verzamelaar, Murat Stanić. En zij wist de verblijfplaats van een van Caesars robijnen, een hanger die ontbrak aan de kroonjuwelen van de Romanovs. In ruil voor die kennis verkocht Stanić de ring aan haar in plaats van aan Puyi zelf, die er na zijn verbanning uit de Verboden Stad toch een aanzienlijke som geld voor bood.

'Irene, we hebben het hier niet over een sieraad,' merkte Anne op. 'Dit is niet zomaar een beeld of een vaas. Het gaat hier om de geschiedenis van een land, om erfgoed.'

'En ik zal er dan ook voor zorgen dat die goed bewaard blijft. Als ik er niet achteraan ga, gaat het misschien voor altijd verloren. Wat gebeurt er als een ander de rollen vindt? Ik zal ze niet voor mezelf houden, Anne. Ik heb er plannen mee. Ze zullen veilig zijn.'

'Je geeft er wel een erg gemakkelijke draai aan.'

'Maar het is waar. Ik stop de koperplaten niet weg in een privécollectie. Ik ga er een museum mee opzetten. Een plek waar zij tot hun recht komen, en ik ook. Begrijp je dan niet waarom ik dit wil? Waarom een vaas of een beeld niet genoeg is? Nadat de raad van commissarissen...'

'Lieverd, ik begrijp best hoe moeilijk het allemaal voor je is geweest. Maar je moet wel...'

'Ik verdien beter. Ik verdien dit. Dit is wat ik nodig heb.'

'Ook als je haar daarmee in gevaar brengt?'

Irene keek naar Simone, die er met de knieën opgetrokken tegen haar borst bij lag als een kind. Ondanks de duisternis was aan een kant van haar gezicht een blauwe plek te zien, in de vorm van een groenige striem over de hele lengte van haar kaak. Irene wilde niemand kwetsen. Maar ze was bijna dertig. Ze had te hard gewerkt om opnieuw te kunnen beginnen. Ze was te goed in de functie die ze voor zichzelf gecreëerd had om het nu op te geven.

'Hij heeft haar met een koekenpan geslagen. Ze mag blij zijn dat ik haar hier weghaal.'

Alleen op haar hotelkamer haalde Irene de kaartenmap onder haar matras vandaan; voor de zekerheid had ze de bruinleren tas aan een van de houten spijlen gebonden. Rond een koperen gesp was het stiksel vergaan. En op de klep zat een vochtplek, als een continent omringd door bruine zee. Ze maakte de gespen los, en schoof de inhoud eruit. Voorzichtig vouwde ze de bovenste kaart open. De vouwen waren inmiddels zo zacht als oude flanel. Het was de eerste kaart die ze van haar vader had gekregen nadat haar moeder was overleden. Ze spreidde hem op de vloer uit naast een andere. Daarnaast legde ze weer een andere, en nog een, tot ze uiteindelijk midden in een puzzel van Cambodja stond, het land opgesierd met indigo tijgers en karmozijnrode hindoegoden.

Buiten werd het snel donker. En binnen lag het Krâvanh-gebergte deels verscholen onder een hoopje sprei dat op de grond gegleden was. Het Tonle Sap-meer stroomde de duisternis onder de schrijftafel in. De Mekong-rivier liep als een dikke ader door het land. De kwastjes aan de kap van de olielamp wierpen schaduwen over de saffraankleurige stip die de stad Stung Treng aangaf, alsof het de gerafelde schaduwen van donderwolken waren. Irenes jeugd bestond uit een opeenvolging van reizen die ze in gedachten door dit verre land gemaakt had. Terwijl ze neerkeek op dit geheel kwamen die avonturen als een gelaagd pentimento bij haar boven.

Bij het vinden van de vergeten tempel ging het om meer dan opeisen waar ze recht op had. Irene verweet Anne dat ze dit niet inzag. Nadat ze haar baan in het museum was kwijtgeraakt, was Irene gaan inzien dat haar hele leven afgestemd was op het moment dat meneer Simms haar het dagboek van de missionaris toonde. Nu zat ze met dat dagboek op haar bed in het hotel in Shanghai, bladerend door bladzijden die ze uit haar hoofd kende, en die bijna uit elkaar vielen van het vele herlezen.

De afgelopen 27 dagen ben ik in noordoostelijke richting gereisd vanaf de indrukwekkende ruïne van een stad die Ang Cor genoemd wordt.

Deze woorden waren exact honderd jaar voor Irenes komst naar Shanghai geschreven. Vijfendertig jaar voordat Henri Mouhot, een Frans natuurvorser, Angkor Wat ontdekt zou hebben en het bestaan ervan wereldkundig maakte. Het was bijna onvoorstelbaar dat deze missionaris, dominee Garland, Ang Cor – zoals hij dat noemde – nog voor Mouhot gezien had, en het tegen niemand gezegd had. En ook niet bekendmaakte wat hij een paar dagen later had gezien.

Svai tikte op een muurpaneel. 'Musée,' merkte hij op... Svai zei iets wat ik ruwweg kan vertalen als 'de tempel van de koning', en vertelde daarop trots dat in deze tempel tien koperplaten te vinden waren, waarop de geschiedenis van zijn primitieve volk beschreven staat.

De eerste keer dat Irene de term 'primitief volk' gelezen had, had ze gelachen. De Khmer waren net zomin primitief geweest als de Romeinen. Nog minder eigenlijk, aangezien de Romeinen gladiatoren hadden en christenen voor de leeuwen wierpen. Het Khmer-rijk bestreek van de negende tot de vijftiende eeuw een gebied met meer dan duizend tempels, dat van Siam en Laos liep tot aan de Zuid-Chinese Zee. Hun reliëfs waren gelijkwaardig aan die van de Grieken en Perzen. Te oordelen naar hun indrukwekkende waterinstallaties waren het meesterbouwers geweest. Maar wat het meest indruk op Irene maakte, was dat ze de grootste tempel ter wereld hadden gebouwd. Angkor Wat alleen al besloeg meer dan twee vierkante kilometer. En daaromheen hadden nog eens een miljoen mensen geleefd.

Na een eeuwenlange beschaving ging het rijk ten onder. Maar zelfs op zijn hoogtepunt was het onbekend geweest in het Westen. En tegen de tijd dat Mouhot kwam was er zelfs geen schim meer van overgebleven onder de Cambodjanen, zoals de nazaten van de Khmer nu door de buitenwereld genoemd werden. Het enige overblijfsel was de kilometerslange rij tempels, die met uitzondering van de monniken die er woonden, door iedereen vergeten waren.

Toen hij voor het eerst de ruïnes van Angkor Wat zag, had Mouhot geschreven: *Het is de evenknie van de tempel van Salomo, en had van de hand van Michelangelo kunnen zijn. Het is grootser dan alles wat ons door de Grieken en Romeinen is nagelaten.*

Wat was de oorzaak geweest van het verval van de Khmerbeschaving? Er waren wetenschappers die hun leven wijdden aan het beantwoorden van deze vraag. Irene had zich ook over de mogelijkheden gebogen. Er waren theorieën bij de vleet, maar met het antwoord was het net als met de heilige graal. Velen, onder wie Irene, vreesden dat het antwoord nooit gevonden zou worden, gezien de vergankelijkheid van het bronnenmateriaal.

De Khmer legden hun wereld vast op papier gemaakt van de schors van de moerbeiboom en in boeken van palmbladeren. Deze bladzijden waren vergaan of verwoest in de honderden jaren nadat ze geschreven waren. Maar rollen koperplaat... Irene kon ze in gedachten al zien zoals dominee Garland dat gedaan had. Want in haar loopbaan had ze vaker dit soort documenten onder ogen gehad: metalen rollen, uitgerold en platgewalst tot extreem dunne platen. Zulke voorwerpen overleefden met gemak. Die konden nog bestaan. En als deze rollen inderdaad de geschiedenis van Cambodja weergaven, dan was Irene er nu dichterbij dan iemand ooit geweest was.

Uit een zakje dat achter in het dagboek genaaid was, haalde ze nog een kaart. Het was de kaart die dominee James T. Garland getekend had met de precisie van een cartograaf. Elk deel van de route was genoteerd, keurig neergepend op de junglepaden van Noordoost-Cambodja. Vanaf de stad 'Stun Tren' tot aan de eindbestemming, die met een blauwe x was aangegeven, bij een dorpje dat 'Ka Saeng' genoemd werd, niet ver van de grens met Laos. Aan de hand van haar eigen kaarten had Irene de dominees aanwijzingen uitvoerig nageplozen, in Seattle al. En later tijdens de oversteek, aan boord van de Tahoma op de Stille Oceaan. Maar ook hier in het hotel, toen ze moest wachten tot Simone Merlin terugkwam uit Frankrijk.

Het vertrekpunt was de stad Stung Treng, het punt waar de Mekong- en de Sekong-rivier samenkwamen, en per stoomboot bereikbaar vanuit Phnom Penh. Het eindpunt bij Kha Seng lag op onbekend terrein, maar de dominee had op de weg erheen de namen van de dorpjes opgeschreven. De route was zo goed gedocumenteerd, dat het bijna lachwekkend was. Zou het echt zo simpel kunnen zijn?

Irene vouwde de kaart op en schoof hem terug in het dagboek. Ze haalde er meteen een visitekaartje uit, dat ze in het omslag bewaarde. Er stond een bedrijfsnaam op: Rafferty's Nachtclub, met in de hoek: Marc Rafferty, eigenaar. Ze draaide het kaartje om en las opnieuw de overhellende hanenpoten van Simms. *Als je hulp nodig hebt, waarmee dan ook, ga dan naar hem*. Toen meneer Simms haar dat kaartje gaf, verbaasde het haar niet dat hij wist bij wie ze in Shanghai moest aankloppen, gezien zijn kennis van de stad. Maar nu, met alles rond Simone in haar achterhoofd... Meneer Simms deed alles met een vooropgezet plan, zelfs al leek dat nog zo onschuldig.

Ze keek uit het raam. Door de stroomstoring waren Shanghais gevaarlijk overhellende daken niet zichtbaar. Irene herinnerde zich dat meneer Simms tijdens de eerste voorbereidingen van haar reis langs zijn neus weg geopperd had dat ze met Simone Merlin kon samenwerken. Op een avond had hij haar in zijn studeerkamer op de eerste etage geroepen. Het was meer een kluis dan een kamer, waarin ze door de jaren heen ontelbare uren pratend hadden doorgebracht. Toen Irene binnenkwam, brandde er een vuur, waardoor de diepe kleurschakeringen van de kersenhouten lambrisering tot een blozend bruine gloed werden gereduceerd. Meneer Simms stond met zijn rug naar haar toe tegenover het enige kunstvoorwerp in de kamer: drie stukken lichtrode zandsteen, bijna goudachtig van kleur, die op elkaar stonden. Samen waren ze zo'n een meter tachtig hoog.

De rand was een meander van gebeeldhouwde bloemen, die om een reliëf van een van de goddelijke apsara's van Banteay Srei kronkelde, de Khmer-tempel uit de tiende eeuw die bekendstond als de Vrouwentempel. De godin was twee jaar eerder in het diepste geheim naar de villa gebracht. Het nieuws van haar verdwijning deed al snel de ronde. In het holst van de nacht had Irene met meneer Simms in die kamer de zending en reconstructie van de apsara afgewacht. Hij had haar nooit een reden gegeven waarom hij juist dit kunstvoorwerp verkoos in deze voor hem heilige plek, terwijl hij er toch zoveel had. Irene piekerde er ook niet over het hem te vragen. En dus stond het beeld daar, ongestoord, in haar uitgehakte zandstenen nis.

In de tijd dat Irene naast meneer Simms bleef staan wachten om te horen waarom hij haar had laten komen, bekeek ze de apsara. Ze had het beeld al zo lang bestudeerd, maar nooit raakte ze uitgekeken op de soepele ledematen, de serene lijn van de mond en de platte jukbeenderen die ze dankte aan de Indische afkomst van de handelaren die op doorreis naar China voet op Khmer-bodem zetten.

Ten slotte vroeg meneer Simms: 'Heb ik je verteld hoe ze Cambodja uit gesmokkeld is?'

Irene knikte. 'In doodskisten.'

'Slim. Heel slim. En weet je wie dat gedaan hebben?'

'Ja,' zei Irene, die zich met gemak voegde in de rol die ze al zo vaak had aangenomen. 'Roger en Simone Merlin.'

'Ik heb eens nagedacht over die vrouw. Simone. Zij zou maar zo de juiste persoon kunnen zijn om je bij te staan. Wat denk je?'

Zo simpel was het geweest. Maar nu ze daar zo aan terugdacht, vroeg Irene zich af of het werkelijk zo eenvoudig geweest was. Ze pakte haar kaarten op en vouwde ze voorzichtig in elkaar, en schoof ze een voor een in de map. Ze overwoog haar opties. Ze nam een bad. Ze waste haar haar, kamde het en liet het loshangen. Het voelde heerlijk, koel en vochtig aan op haar schouders. Ze trok een mouwloze linnen jurk aan, en een paar sandalen die ze bij het Wing On-warenhuis gekocht had. En toen ging ze de stad in om uit te vinden waarom meneer Simms zo terloops voorgesteld had om de hulp van Marc Rafferty in te roepen.

4

Een plek als deze

Het was stil in de straten van de Franse wijk van Shanghai. Afgaand op het visitekaartje was Irene bij een ijzeren hek gekomen, en ze zocht naar een aanwijzing dat ze op de juiste plek beland was. Op de rand van de hoge stenen muur stonden kaarsen. Maar in het miezerige flikkerlichtje viel geen bord te ontdekken. Plotseling werd er binnen gegild. Het geluid van jazz zwol aan, en het hek zwaaide open. Het was alsof er een bom ontplofte. Mensen slingerden de straat op. Vrouwen op sandaaltjes met hoge hakken kwamen zwalkend in botsing. Een donkere man viel om, en raakte in de verdrukking toen mensen over hem heen stapten. Maar iedereen lachte. De mannen droegen een smoking. Een vrouw trippelde voorbij. Er staken pauwenveren uit haar met juwelen bezette kapsel. Ze joelde alsof ze zojuist de allersmerigste mop van de wereld gehoord had.

'Bosch had deze stad met plezier geschilderd.'

De man die dat zei, stond achter Irene verdekt opgesteld in de schaduw. Waarschijnlijk stond hij daar al een poos.

'Zei u "Bosch"?' vroeg ze.

'Vlaamse schilder,' verduidelijkte hij.

'Ik ken hem wel. Vijftiende eeuw. Verleiding en moraliteit.'

Hij knikte instemmend.

'En doodzonden, niet te vergeten.'

'De kwellingen van de hel.'

'U snapt dat Shanghai hem gelegen zou hebben.'

Zoals vaker bij Europeanen die lang in de tropen gewoond

hadden, had de man een Europees accent dat niet meer precies te herleiden viel. Hij wierp een nonchalante blik op de wirwar van mensen die de nachtclub uit kwam. 'Er is een rel in de Chapei-wijk. Die stomme Chinezen steken hun eigen pakhuizen in de fik. Vanaf het dak van het Palace Hotel schijn je er goed zicht op te hebben.'

Een Filippijns tienermeisje werkte zich door het publiek naar voren. Ze trok een Italiaanse windhond mee aan een met sterren versierde riem. De hond schoot over de straatstenen achter haar aan.

'Ik heb een fles Veuve gepikt,' gilde ze tegen de man, en ze zwaaide de champagnefles boven haar hoofd. 'Ik kom m'n schuld later inlossen, schat. Reken maar van yes!'

Een stoet auto's met een donkerrode Rolls-Royce voorop reed in de richting van de Britse wijk, waar het Palace Hotel stond, met het mooie uitzicht van het dak. Irene en de man bleven alleen achter. Hij bukte zich, raapte een paarse boa van veren op, en nam die mee het terrein op. Ze liep hem achterna.

'Ga jij niet mee?'

Boven een zee van kaarslicht lieten wilgen hun blaadjes hangen. Er was een gelige ginkgo omgevallen. De keramieken pot lag aan diggelen. De smeedijzeren tafeltjes stonden vol jade asbakken. Aan een paal zag Irene het bordje met daarop RAFFERTY'S hangen.

'Ik zie er de lol niet van in,' sprak ze.

'Een intelligente vrouw. Dat mag ik wel.' De man glimlachte. 'Om eerlijk te zijn heb ik het gerucht verspreid. Ik heb niet meer het geduld van vroeger. Ik ga weg uit Shanghai, en Jan en alleman wil afscheid van me nemen. Al mijn klanten denken dat ik hun beste vriend ben, om het simpele feit dat ik de smerige geheimpjes die ze me verklappen als ze te zat zijn om beter te weten, niet doorvertel. Ik ben deze mensen beu.'

'Ben jij Marc Rafferty?'

Hij zweeg en nam haar eens goed op. Hij zag zweet op haar huid en een lichtblauwe jurk die op het eerste gezicht ruim leek. Maar bij nader inzien liet de jurk juist de rondingen van haar lichaam goed uitkomen.

'Inderdaad. En jij bent?'

In het licht dat uit een van de bovenramen viel bestudeerde ze hem ook. Hij had een nonchalant overhemd zonder boord en een wijde oosterse broek. Hij was lang en stevig, maar niet dik. Hij had diepliggende ogen. In de vochtige hitte krulde het donkerblonde haar over zijn oren. Als hij niet zo'n matte, verwijtende blik op zijn gezicht had gehad, zou ze hem misschien knap gevonden hebben. Ze vreesde dat ze een verkeerd moment gekozen had om hem te benaderen, maar stelde zich voor.

'Ik ben Irene Blum.'

Onmiddellijk ontdooide hij.

'Wat zeg je me daarvan? En ik dacht nog wel dat niets me meer kon verrassen.' Hij lachte.

'Je weet wie ik ben?' informeerde ze.

'Waarom kom je bij mij?'

'Henry Simms heeft je aanbevolen.'

Hier dacht Marc even over na. 'Waarom?'

Irene stak hem het visitekaartje toe.

Hij deed een stap naar voren en las wat er achterop stond.

'En klopt dat? Heb je hulp nodig, waarmee dan ook?'

'Dat zal haast wel, als hij dat denkt.'

'Daar zit wat in.'

'Ik neem aan dat je hem goed kent.'

Marc keek alsof hij die opmerking niet begreep. Maar hij antwoordde: 'Redelijk.' Hij haalde de boa over een tafelblad, en raapte as en sigarettenpeuken op van de grond. 'De regen kan nu ieder moment losbarsten. Dat zal ik missen aan Shanghai. Voor de regentijd wordt de lucht bijna statisch. Net als je denkt dat je het niet meer uithoudt, barst de bui los en ben je gered. Opnieuw. Drink wat.'

Hij nam Irene mee een ruimte in die zwak verlicht was door kaarsen. De muren waren van ruwe natuursteen, van het soort dat je normaal in kelders tegenkomt. In een hoek zaten vijf bandleden bij hun instrument onderuitgezakt in een waas van sigarettenrook. Een broodmagere windhond, identiek aan het dier dat de Filippijnse meegetrokken had, zat aan een microfoonstandaard gebonden. Het beest liep heen en weer. Als hij de eerste tafeltjes bereikte, trok zijn riem strak. Er hing een geur van gesmolten was, citronella, kardemom en zweet.

Marc pakte een fles whisky en nam die mee naar een tafeltje, amper groot genoeg voor twee. 'IJs heb ik niet,' verontschuldigde hij zich. Hij wachtte tot ze haar eerste slok genomen had, tilde toen de kaars op en hield hem bij haar gezicht.

'Je ziet er niet uit als iemand die uit tempels steelt,' constateerde hij.

Dat was wel het laatste wat ze verwacht had te horen.

'Waarom denk jij dat ik uit tempels steel?'

'Dat heeft Henry me verteld. Wou je het ontkennen?'

Het verraste haar dat meneer Simms deze man in vertrouwen genomen had over de expeditie. Maar tegelijkertijd was ze hem dankbaar dat hij voorzien had dat ze iemand nodig had die ze kon vertrouwen. 'Nee,' zei ze. 'Ik ontken niets.'

'Moedig, om dat toe te geven.'

Irene voelde zijn been onder de tafel, vlak naast het hare.

'Ik heb een heleboel geheimen bewaard,' zei ze, 'maar nooit van deze orde. En ook nooit op een plek waar ik niemand had om ze te bespreken.' Ze dacht terug aan wat Anne in haar kantoor gezegd had over eenzaamheid. 'Het maakt me eenzaam, en daar heb ik moeite mee. Ik ken je wel niet, maar om de een of andere reden vind ik het prettig dat je weet wat ik van plan ben. Ik ga een tempel schenden,' bekende ze roekeloos, en ze vond het heerlijk die woorden hardop uit te spreken.

'Eenzaamheid,' mompelde Marc. 'Die heerst hier in Shanghai. Zoveel mensen bij elkaar, en iedereen bemoeit zich met iedereen. En toch is er niemand die echt iets over je weet. Je realiseert je dat pas op dat ene moment dat het anders is.'

De kamer was een cocon, benauwd en ondoordringbaar.

Marcs lage tenor, die haar bekend voorkwam, bracht haar van haar stuk. 'Je vertelde dat je vertrekt. Waar ga je heen?' vroeg ze.

'Om te beginnen naar Saigon. Mijn tante opzoeken.'

'Ik ga ook naar Saigon. Ik ben op weg naar Cambodja.'

'Daarna ga ik door naar Amsterdam. Een neef van me heeft een koffiehuis aan de Keizersgracht. Hij heeft me gevraagd dat voor hem te runnen. Het is tijd om eens naar huis te gaan.'

'Hoe lang heb je in Shanghai gewoond?'

'Mijn hele leven.'

'En toch noem je Amsterdam "thuis"?'

'Mijn moeder is er geboren. Mijn familie woont er nog.' Hij rolde de whiskyfles tussen zijn handpalmen. 'Shanghai hield op mijn thuis te zijn toen mijn vrouw stierf.'

'Dat spijt me.'

Nu Marc zijn been wegtrok, realiseerde Irene zich pas hoe aantrekkelijk ze hem vond. Ze had dat glas niet leeg moeten drinken. Ze voelde zich licht in haar hoofd. Het was blijkbaar al te lang geleden dat ze met een man alleen was. Marcs been naast het hare voelen, meer was er niet voor nodig geweest. Timide stond ze op.

'Wat ben ik je schuldig?'

'Blijf,' zei hij, en hij streek een sigarettenvloei plat. Hij pakte een zakje en nam er wat tabak uit. Dat legde hij midden op het papier, en hij spreidde het uit. 'Het komt door dit leven in Shanghai dat ik nooit geleerd heb een normaal gesprek te voeren.'

Hij stak de sigaret aan en reikte hem haar over de tafel. Op de plek waar hij hem tussen zijn lippen gehouden had, was hij vochtig.

'Je beseft pas wat zo'n plek met je doet als het te laat is. Het spiegelt je wat voor, en haalt vervolgens het slechtste in je naar boven. En dan is het gebeurd.' Hij inhaleerde diep, tot in zijn longen. De oplichtende as reflecteerde in zijn ogen. 'En wat nu als het me straks niet genoeg is om in een buurtlokaal grijze winkeliers en gezette huisvrouwen koffie voor te zetten? Wat als ik het mis om met een pistool onder mijn kussen te slapen? Ik heb vier lijfwachten, Irene. Vier kleerkasten die niets anders hoeven te doen dan voorkomen dat ik word ontvoerd, of erger. Is dat nou een leven om aan gewend te zijn als man?'

Tot haar verbazing dacht Irene terug aan haar eerste vriendje, een blozende student aan de universiteit, die sprintjes op de atletiekbaan trok en daar verbazing oogstte met zijn prestaties. Op haar drieëntwintigste was er een middelbare kunstcriticus geweest, met een snor als een zeekapitein, die voorspelbare pogingen deed haar met mahjong en tjaptjoi te verleiden. Het waren kortstondige relaties geweest in tijden dat ze leed onder haar eenzaamheid. Maar zij hadden haar hart nooit zo snel doen kloppen.

'Je vraagt het aan de verkeerde.' Ze ging weer zitten. 'Ik ben een tempeldief, weet je nog?'

Hij lachte. 'Dat zeg jij tenminste.'

'Sterker nog, dat heb je te horen gekregen. Ik vraag me af waarom meneer Simms jou dat over mij verteld heeft. En waarom hij mij jouw naam gaf. Dat kan alleen betekenen dat hij denkt dat ik je hulp nodig heb. Maar aan wat voor hulp denkt hij dan?'

'Ik ken Shanghai erg goed,' meldde Marc. 'Informatie, daar moet ik het van hebben. Misschien moet je iets te weten komen over de stad. Of...'

Irenes hand lag op tafel. Alsof hij wilde voelen of ze echt was, raakte hij haar heel licht aan. 'Vertel me wat over jou en Henry, over hoe je hier terechtgekomen bent, dan kan ik er misschien achter komen.'

Ze keek om zich heen. De barman zat op een kruk te dutten. In een walm van rook paften de bandleden hun sigaretjes. Na de wijze waarop Irene in Seattle terzijde geschoven was, na de afwijzing van Simone en de afkeuring van Anne was ze gevoelig voor de aandacht die Marc haar schonk. 'Meneer Simms heeft nooit iets voor me geheimgehouden,' zei ze. 'Zelfs toen ik nog klein was, kende ik de geheime kamers in zijn villa. Ik wist hoe hij aan de voorwerpen kwam die er stonden. Ik wist van zijn clandestiene aankopen en de kratten die hij midden in de nacht liet komen. Het betekende heel veel voor me dat hij mij vertrouwde. Er waren een heleboel mensen die vonden dat ze het recht hadden me te vertellen hoe ik, een meisje zonder moeder, me diende te gedragen. Dat haatte ik. *Irene, dat is niet gepast!* Meneer Simms behandelde me niet als een kind. Tegen de tijd dat ik volwassen was, kon ik hem al niet meer wegdenken uit mijn leven.' Ze dacht terug aan hoe snel zijn toestand verslechterde in de maand voor ze Seattle verliet, en de tranen schoten haar in de ogen. Zachtjes merkte ze op: 'Ik kan me niet indenken hoe het straks zal zijn.'

'Hoe wat straks zal zijn?'

Buiten hamerde de regen alsof een ondergrondse kracht eraan trok. De wind blies dikke druppels door een gebroken ruit naar binnen. Er hing een koude, bijna ijzeren storm in de lucht. Het kaarslicht flakkerde op de muren. De barman zwengelde de grammofoon weer aan, hoewel de 'Rhapsody in Blue' het aflegde tegen het gejaag van de storm. Met haar ogen op tafel gericht draaide Irene haar handpalm naar boven. Haar vingers raakten die van Marc.

Hij trok zijn hand niet terug. Zachtjes, alsof hij het belangrijk vond dat niemand het hoorde, vroeg hij: 'Waarom besteedde hij zoveel aandacht aan jou?'

Irene schudde de gedachten aan meneer Simms' ziekte van haar af, en antwoordde: 'Hij heeft zelf geen kinderen. Er is niemand om zijn erfenis aan na te laten.'

Marc kneep in haar hand. Ze voelde het bloed naar haar gezicht trekken. Ze merkte dat haar hart een slag oversloeg, toen zijn vingers de huid van haar pols beroerden.

'Het zal toch wel meer zijn dan dat,' zei hij.

'Ik lijk op hem. Ik ben altijd dol geweest op het speuren. Op het onbereikbare. Ik ben te gedreven, ik kan er niets aan doen. Dat weet ik van mezelf. En ik heb de aard van een dief.'

Ze lachte, het klonk allemaal zo geheimzinnig.

'Maar "dief" is een lelijk woord. Je kunt niet zomaar iemands huis binnengaan en een schilderij meenemen. Je kunt niet zomaar een museum binnenlopen en vertrekken met een beeld. Dat schilderij, dat beeld, moet eerst dat huis of museum bereiken. En daar ligt mijn interesse.'

Marc leunde naar voren. Zijn sigaret lag brandend in de asbak. Hij luisterde net zo aandachtig naar haar als meneer Simms deed. En net als bij meneer Simms had ze het idee dat ze hem alles kon vertellen.

'Van wie is het eigenlijk?' vroeg ze. 'Van degene die het het eerst in handen heeft. De lokale bevolking interesseert het toch niet. Ze hebben daar geen idee hoe ze hun eigen oudheden moeten redden. Kijk naar de staat waarin Angkor Wat verkeerde toen Mouhot het ontdekte. Compleet vervallen. Het zijn de Fransen die het restaureren. Door de Fransen blijft het bestaan. En de Fransen zelf? Die pikken wat ze kunnen in Cambodja, om er thuis in Frankrijk hun huizen en musea mee vol te zetten. Kunst, archeologische voorwerpen... Ze weten van geen ophouden. Dat is het verbazingwekkende. Ze hebben het nooit geweten, en zullen het ook nooit weten. Grenzen kunnen verlegd worden. Trouw is maar tijdelijk. Denk aan al die oorlogsbuit. Spanje plunderde brutaalweg Peru, Engeland het Zomerpaleis tijdens de opiumoorlog,' mompelde ze, en bewonderend schudde ze haar hoofd.

Marc trok zijn hand weg en pakte het eindje van zijn sigaret op. Irenes hoofd tolde. Ze had hier nog nooit zo openlijk met een vreemde over gesproken. Maar hij leek geen vreemde. Ze was op haar gemak met hem. Dat bracht haar van haar stuk. Ze keek toe terwijl hij hun glazen opnieuw vulde. De whisky glinsterde in het licht van de kaarsvlam.

'Die tempel waar je je zinnen op hebt gezet,' merkte hij op. 'Is daar soms een grens verlegd? Is het oorlogsbuit? Hoe kwam die op je pad?'

'Mijn vader was nog niet erg oud, nog geen zeventig. Ik wist dat hij niet het eeuwige leven had, maar ik had nooit kunnen vermoeden...' Ze was al bijna door haar tweede drankje heen. Het liefst gaf ze de alcohol de schuld, maar dat was niet de reden waarom ze sentimenteel begon te worden, wist ze. Toen ze over haar vader sprak, besefte ze hoe onherroepelijk de situatie was. Ze onderdrukte de emotie in haar stem en zei: 'Toen mijn vader afgelopen december stierf, liet hij meneer Simms een kistje na. Er lag een dagboek in van een missionaris, die schreef over een tempel in Cambodja waar hij geweest was. Een tempel met daarin de koperplaten waarop de geschiedenis van de Khmer beschreven stond. Als wat hij in zijn dagboek schreef waar is en ze daar nog steeds liggen, zou dat de ontdekking van de eeuw zijn.'

'En hoe kwam jouw vader aan dat dagboek?' vroeg Marc.

'Dat is nog een raadsel. Voor ik geboren werd, zat hij zelf graag achter schatten aan. Hij heeft jaren door de Oriënt gereisd. Hij kan het op diverse plaatsen tegengekomen zijn.'

'Denk je dat hij het belang ervan inzag?'

'Dat moet haast wel.'

'En hoe weet je dat hij er niet zelf al naar gezocht heeft?'

'Dat weet ik niet.'

'Hij kan er dus geweest zijn en niks gevonden hebben.'

Irene knikte. 'Dat is mogelijk. Maar waarom zou hij me dat niet verteld hebben?'

'Dus je weet niet zeker of die platen daar nog liggen?'

Irene draaide aan de gladde kralen van de kornalijnen armband, die ook in het kistje had gelegen en die ze gedragen had vanaf het moment dat meneer Simms hem om haar pols gedaan had.

'Ze moeten daar nog zijn.'

'Moeten?'

'Als ik hem deze laatste schat nog kan bezorgen voor hij sterft, dan kan ik iets terugdoen voor...'

'Sterft?' vroeg Marc. 'Wie gaat er dood?'

'Meneer Simms. Hij heeft kanker.'

Een van de luiken sloeg dicht door een windvlaag. De wind-

hond schrok en sprong op de leider van de band af. Een petroleumlamp sputterde. De vlam ging uit. Om hen heen werd het
donker.

'Dat wist ik niet.' Het klonk alsof Marc geen lucht kreeg.
Irene greep naar zijn hand.

Toen blafte de windhond. De deur zwaaide open. Doorweekt
tot op het bot zwalkte de Filippijnse naar binnen. Ze hield de
halsband in haar hand, maar had de hond niet bij zich.

'De regen zal het vuur wel geblust hebben,' klaagde ze. 'We
waren er niet op tijd bij. Maar de champagne was goddelijk.
Hoe kan ik mijn misstap goedmaken?'

Twee mannen in smoking duwden haar opzij. Anderen volgden. Iemand riep: 'Een rondje cognac voor de hele zaak.'

Even leek Marc gepikeerd. Toen stond hij op en riep de band-
leider jolig toe: 'Gregor, wat denk je van een tango voor onze
vrienden?' Hij liep om de tafel, boog zich over Irene, en hield
het gezelschap op afstand door in haar oor te fluisteren: 'Je hebt
me één ding nog niet verteld. Als je op weg bent naar Cambodja, wat doe je dan in Shanghai? Shanghai ligt niet direct op
de route van Seattle naar Phnom Penh.'

Had Marc haar op dat moment gevraagd met hem mee naar
huis te gaan, dan had Irene ingestemd. Maar de bar liep al weer
vol. Het moment was voorbij. Naar adem happend vertelde ze:
'Ik ben hier om Simone Merlin over te halen me te helpen de
tempel te vinden. Misschien is dat het. Misschien is dat het
probleem waarbij jij me kunt helpen. Als je deze stad zo goed
kent, vertel me dan eens waarom ze weigert met mij mee te
gaan.'

Bezorgd fronste Marc zijn wenkbrauwen.

'Omdat haar echtgenoot de gevaarlijkste man van de Oriënt
is.'

5

Tussen hoop en wanhoop

De volgende ochtend wachtte Irene twee uur lang in haar kantoor op Simone. Maar de jonge vrouw kwam niet opdagen. Irene had van Anne gehoord dat Simone zich vaak op de racebaan liet zien, en op de babyafdeling van het Sincere-warenhuis aan Nanjing Road. Maar ook daar was ze niet. Vervolgens probeerde Irene het Huxinting-theehuis, een pagode op palen midden in een aangelegd meertje in het Chinese deel van Shanghai. Het stond bekend als ontmoetingsplek voor de Kwomintang. Hopend dat Simone zou verschijnen, ging ze boven bij een van de ramen aan een tafeltje zitten. Ze nipte van haar thee en doodde de tijd door het volk op de paden rond het meertje te categoriseren. Oude vrouwen die plakjes zilvervis roosterden boven een houtskoolvuurtje, opaatjes die tegen betaling hun levensverhaal op straat kalkten, middelbare dames die rondstrompelden op afgebonden 'lotusvoeten'. Rond het meer hing wasgoed slap aan houten palen die uit de ramen van woonhuizen staken. Irene bestudeerde de verschillende tinten verbleekt blauw en bruin van de kledingstukken, maar had daar weinig lol in. Simone vertoonde zich niet, en de dag was bijna om.

Laat in de middag wrong de troebele hemel zich uit. Irene realiseerde zich dat de kans dat ze Simone tegen het lijf liep klein was, en dat ze haar tijd zat te verdoen. Met de waarschuwing van Marc Rafferty en de verhalen over Rogers opvliegendheid in haar achterhoofd was ze bang geworden voor Roger Merlin. Ze had met eigen ogen gezien wat hij bij Simone had aangericht met een koekenpan. Liever liep ze met een grote boog om hem heen.

En als ze weken de tijd gehad had, zou ze dat met plezier gedaan hebben. Maar zoals de zaken er nu voor stonden, had ze nog maar twee dagen voor de Lumière afvoer naar Saigon. De dag na haar aankomst in Shanghai had ze twee kaartjes gekocht. Ze moest Simone aan boord van dat schip zien te krijgen, of anders op eigen houtje afreizen en onderweg een plan trekken.

Ze nam een taxi naar het appartement van de Merlins aan de Quai de France, een smalle straat evenwijdig aan de Whangpoo-rivier. Op de bovenste verdieping voelde ze of haar kaartenmap nog veilig onder haar jas zat. Er hing een olielamp aan een muurhaak. Het licht wierp haar silhouet als een soort verwrongen geestverschijning over de trap naar beneden. Ze legde haar oor tegen de deur en luisterde of ze stemmen hoorde, wat niet het geval was. Ze klopte aan.

'De deur is open,' hoorde ze Simone roepen.

Irene stapte naar binnen. Het stonk in de kamer. Ze deinsde terug, en trok haar mouw voor haar mond. De geuren van voedsel dat overrijp was geworden door de hitte in de afgesloten ruimte stapelden zich zo dik op dat ze bijna zichtbaar waren. De stank van vergane lelies met stengels die in een grote glazen vaas met slijmerig water stonden te rotten, oversteeg alles.

In het midden van het lage plafond wierp een kring petroleumlampen okerkleurige stralen op de gesloten luiken van de vier ramen die de zitkamer rijk was. Simone zat op een teakhouten stoel. Ze had een blauwe kimono aan die openhing; de obi bungelde losjes om haar middel. Ze sloeg haar blik op, en neeg met een lome beweging het hoofd.

Irene dacht aan Annes opiumthee en het flesje Luminal in het bureau van Simone. Ze keek om zich heen.

'Is hij thuis?'

'Nee.'

Verlost van het angstige idee oog in oog met Roger te staan, deed Irene een stap in de richting van Simone. Ze haalde de kaartenmap onder haar jas vandaan. Op dat moment voelde ze de mengeling van hoop en wanhoop die bovenkomt als je een laatste kans grijpt.

Simone keek toe terwijl ze de gesp opende. Het kalfsleren omslag van het dagboek voelde warm aan. Irene opende het boekje op de pagina's waar ze het lintje tussen gedaan had. Zonder eerst iets uit te leggen, las ze hardop:

'De afgelopen 27 dagen ben ik in noordoostelijke richting gereisd vanaf de indrukwekkende ruïne van een stad die Ang Cor genoemd wordt.'

'Wanneer is dat geschreven?' viel Simone haar in de rede. Ze klonk niet beneveld, zoals Irene verwacht had.

'In 1825.'

Simone drukte haar vingers tegen haar kaak. De zwelling was geslonken, maar de bloeduitstorting zat er nog.

Omdat ze Simone wilde bepraten en wist hoe gemakkelijk ze die kans kon verspelen, las Irene hardop verder. Vanaf Angkor Wat nam ze Simone mee naar het handelsplaatsje Stung Treng. En van daar verder de jungle in. *'Svai liep verder de tempel in en kwam terug met een opgerolde, platte metalen plaat, niet groter dan een vel schrijfpapier.'* Ze keek naar Simone, die haar ogen dicht had. *'Svai zei iets wat ik ruwweg kan vertalen als 'de tempel van de koning', en vertelde daarop trots dat in deze tempel tien koperplaten te vinden waren, waarop de geschiedenis van zijn primitieve volk beschreven staat.'*

Simone zat doodstil. Irene morrelde wat aan de haak van het dichtstbijzijnde luik om het open te krijgen. De rivier lag zo dichtbij dat ze bij iedere inademing vocht proefde. Ze ging de kamer rond tot alle ramen openstonden, en er een briesje binnenkwam. Toen ze zich omdraaide zag ze dat Simone naar haar keek. Wat ze nu beiden wisten overbrugde de afstand tussen hen, merkte Irene.

Lang was aangenomen dat het spectaculaire Khmer-rijk door de Romeinen of Alexander de Grote gebouwd was. Of door reuzen of engelen of een verloren volk uit Israël. De bouwers ervan werden zelfs een keer in verband gebracht met de despoten die de piramides van Tikal hadden laten bouwen. Maar na zes glorieuze eeuwen was er een einde gekomen aan deze beschaving. En of dat door een verwoestende overstroming, ziekte, aardbeving, komeetinslag of de toorn van de goden kwam, wist niemand. Oude geruchten vormden de basis voor de moderne theorieën, die besproken werden op archeologische symposia, in collegezalen en musea. Irene was ervan overtuigd dat Simone ze allemaal kende, net als zij. Maar de feiten stonden niet vast, en een duidelijke geschiedschrijving liet nog op zich wachten, dat wisten ze ook allebei.

'Mag ik eens kijken?' vroeg Simone.

In plaats van het dagboek te lezen, bekeek ze het. Ze voelde aan de bladzijden, en in het lege mapje achterin. Irene had de kaart niet meegenomen. Dat kwam wel als ze wist dat Simone te vertrouwen was.

'Roger zal ook achter jou aan gaan,' merkte Simone op.

Irenes oog viel op de enige poging het slordige appartement wat op te sieren: een schilderij dat Rodin gemaakt had van een Cambodjaanse danseres. Het hing eenzaam boven een dressoir. De hand van de vrouw verdween in een sepia waas van waterverf, alsof het schilderij nog niet af was.

'Ik heb alle argumenten die je kunt bedenken tegen deze expeditie afgewogen,' zei Irene. 'Is het dagboek authentiek? Zijn de rollen niet al jaren geleden meegenomen? Misschien had de dominee het bij het verkeerde eind. Misschien heeft hij zijn gids verkeerd begrepen. Maar voor mij maakt het niet uit. Ik wil dat risico nemen om achter de waarheid te komen.'

Het geluid was zo zwak dat Irene het eerst niet herkende. Simone huilde. Irene ging op zoek naar een kan water en een glas, en wachtte terwijl Simone het gulzig leegdronk.

'Maar je hoeft helemaal dit risico niet te nemen. Je bent gek om mij erbij te betrekken,' zei ze.

Irene was niet van plan haar te vertellen dat ze blind vertrouwen had in meneer Simms, en dat hij er wel een reden voor zou hebben. 'We zullen zien,' antwoordde ze.

Simone veegde haar gezicht af met een mouw van haar kimono. 'Hoe ben je aan dat dagboek gekomen?'

'Het was van mijn vader.'

Geschrokken vroeg Simone: 'Is Henry Simms je vader?'

Die vraag had Irene niet verwacht.

'Meneer Simms? Mijn vader? Welnee.' Ze struikelde over haar woorden. 'Meneer Simms en mijn vader waren vrienden. Wat heeft Anne je over hem verteld?'

'Niets.'

'Waarom begin je dan over meneer Simms?' vroeg Irene. 'Wat heeft hij ermee te maken?'

'Dacht je dat ik dat niet wist? Ik ben misschien suf, maar niet gek. Jij bent van het Brooke Museum. Je hebt me vijftigduizend dollar geboden. Je gaat op zoek naar de belangrijkste archeologische vondst van deze eeuw. Na de veiling van het reliëf dat Roger en ik uit Banteay Srei meenamen, kregen we te horen dat meneer Simms het dubbele geboden had van wat het waard was. Hij moet geweten hebben dat hij daar mijn man financieel mee steunde. Mijn communistische man, die zich tot doel heeft gesteld een einde te maken aan meneer Simms' imperium hier. En alleen omdat hij een stuk van een Khmertempel wilde hebben. Als Simms dacht dat hij ermee weg kon komen, zou hij Angkor Wat steen voor steen laten afbreken en naar Seattle laten vervoeren. Wie kan er anders achter dit plan zitten?'

'Maakt het wat uit?' vroeg Irene.

'Dat hangt af van wat hij wil.'

'Hij wil wat ik wil. Als ik die rollen in handen heb, ben ik van onschatbare waarde voor elk museum dat ook maar iets van Khmer-kunst in huis heeft. Zelfs het Musée Guimet! Tegen die tijd weten ze daar wel wie ik ben. Ik, niet I.B. namens Professor T. Howard,' sprak ze misprijzend.

'Wat bedoel je daarmee?'

'Ik heb jarenlang gecorrespondeerd met de conservatoren van het Musée Guimet om foto's en kopieën van documenten over opgravingen in Cambodja te krijgen. Ik heb een catalogus samengesteld die nauwkeuriger en waardevoller was dan die ze hadden. Maar onder elke brief, echt elke brief, zette ik uit respect voor professor Howard: I.B. namens. Nooit heb ik ondertekend met mijn eigen naam. Het kwam geen moment in me op dat ik uiteindelijk niet de eer zou krijgen die me toekwam.'

'Vergeet het Brooke,' zei Simone. 'Vergeet Guimet. Het doet er niet toe wat mensen in Parijs denken. Het is een onbelangrijke stad. Heel Europa is onbelangrijk. Het is stervende. Nee, dan de Oriënt!'

Ze ging rechtop zitten, trok haar kimono dicht en knoopte de band vast. 'Als je eenmaal tussen de stenen van Angkor Wat hebt gestaan, de plaatsen van de Khmer hebt gezien en betreden, geef je om niets anders meer. Dan maak je je echt niet meer druk over wat een stelletje muffe wetenschappers aan het andere eind van de wereld van je vindt. Ik geef toe, ik geloofde je eerst niet toen je me op Annes feestje vertelde dat je een kaart had. Na alles wat ik had meegemaakt, stond ik mezelf dat niet toe. Dus áls ik hierin meega, als ik hem verlaat, dan moet ik eerst weten waarop jij je vertrouwen baseert.'

Afgezien van meneer Simms had Irene nooit iemand verteld over haar methodes, maar Simone stond op het punt een beslissing te nemen. Voor het eerst sinds ze in het appartement was, kreeg ze het gevoel dat ze Simone kon overhalen de juiste stap te zetten. Als ze het maar slim genoeg aanpakte én Simone een goede reden gaf om in haar te geloven. Irene wierp een blik op de rij karaffen op het dressoir.

'Mag ik iets drinken?'

'Ga je gang.'

Irene schonk genoeg whisky in om de laatste aarzeling te doen verdwijnen.

'Wil jij ook?'

'Ik heb al pillen genomen.' Simone lachte. 'Als ik daar whisky op neem, komen ze er weer uit. Maar een bodempje sherry gaat er wel in.' Ze nam een likeurglas met een stroperig geel drankje aan en nipte ervan. 'Dank je,' zei ze, en ze ontspande zich in haar stoel.

Irene leunde tegen de vensterbank van een openstaand raam, met de benauwde avondlucht als rugleuning.

'Ik heb een systeem ontwikkeld,' zei ze. 'Ik heb zo mijn manieren om informatie te verzamelen en te vergelijken. Ik stond er versteld van hoe eenvoudig het is om aan de ladingsbrieven van een schip te komen. Reisschema's zijn lastiger, maar assistenten blijken elkaar graag te helpen. Het is net of we tot een geheime club behoren. De meesten zijn vrouwen. Dat helpt. Misschien is dat nog een reden waarom ik altijd discreet geweest ben. Daar heb ik nooit eerder over nagedacht. Maar het maakt het eenvoudiger om te krijgen wat ik wil. Want laten we wel wezen, wat heeft iemand in mijn positie nu aan de reisplannen van Rockefeller naar Turkije? Of van Hearst of Morgan?'

'En wat heb je daar dan aan?'

'Ik maak schema's. Ik hou tabellen bij. Ik heb er een met de namen van verzamelaars. Een, die heb ik onderverdeeld naar hun interesse: het oude Griekland, Perzië, China... Elke denkbare specialisatie. Er is er ook een met de namen van handelaren. En er zijn er met schema's, vermiste voorwerpen, data waarop ze verloren zijn gegaan, data waarop ze aangekocht zijn. Als je dat allemaal naast elkaar legt, is het ongelofelijk voor de hand liggend waar al die vermiste beelden uit het Vaticaan en Vlaamse tapijten gebleven kunnen zijn.'

'Schema's...' Simone dacht daarover na.

Irene gebaarde met haar glas naar het dagboek, dat nog op Simones schoot lag. 'Toen ik dit las, dook ik meteen in alles wat ik verzameld had. Kopieën van brieven en dagboeken, boeken, monografieën, alles wat ik maar over de Khmer in handen kon krijgen. Meneer Simms heeft er in zijn huis een hele kamer voor ingeruimd. Ik legde de vloer vol grafieken en overzichten, die ik heb samengesteld uit alle informatie die betrekking had op het dagboek. En beetje bij beetje kreeg ik door dat het mogelijk was. Het kon echt. Simone, je kent de wijdverbreide stelling net zo goed als ik. Het Khmer-leven was in wezen beperkt tot het gebied langs de Koninklijke Weg, die in noordwestelijke richting door Cambodja liep. Maar denk aan je vaders eigen onderzoek naar de handelsroutes. Hij is degene die aantoonde dat de Khmer handelsexpedities naar het noordoosten stuurden.'

'En Wat Phu,' mompelde Simone.

'Precies! Een Khmer-tempelcomplex in het zuiden van Laos. In de verste verte niet in de buurt van de Koninklijke Weg, maar zowat pal ten noorden vanwaar dominee Garland deze tempel zegt te hebben ontdekt. De Khmer zouden zich ook in het noordoosten van Cambodja gevestigd kunnen hebben. Mogelijk vanwege een Siamese invasie. Misschien wilden ze een nieuw rijk bouwen rond deze tempel waar de dominee over schrijft.'

Simone keek van het dagboek op naar Irene.

'Daar zit wat in.'

Irene voelde zich een beetje opgelucht toen ze de instemming in Simones stem hoorde.

'Er is nog iets wat ik wil weten, Irene,' ging Simone door. 'Heb jij ooit je handen vuil moeten maken? Heb je ooit moeten knokken voor je leven? Ik heb het niet alleen over Roger, maar vanaf het moment dat ik Shanghai verlaat, zal ik bespied worden. Door iemand van de overheid, de Kwomintang, of misschien wel een of andere schurk die me voor losgeld hoopt te kunnen ontvoeren. Ik weet te veel over Roger, over de revolutie. Weet je hoe vaak ik bij Chiang Kai-shek thuis gegeten heb? Zijn vrouw neemt mij geregeld in vertrouwen. En als Mei-ling haar mond opendoet, weet ze niet van stoppen.' Onder het praten haalde Simone haar handen door haar haar om zich wat op te kalefateren. 'Ik ben degene die zich ingezet heeft om met Shemeshko de *Shanghai Chronicle* van de grond te krijgen. Ik ben de contactpersoon voor Borodins wapenzendingen. Ik ben twee keer neergeschoten. Ik ben niet zomaar iemand,' hield ze vol, alsof Irene daaraan twijfelde, 'en Roger heeft ervoor gezorgd dat ik geen kant op kan. Zelfs als hij niet achter me aan komt, heeft een ander daar wel een reden voor. Op het moment dat we de jungle in gaan, zullen we niet alleen zijn.'

Hier was dan toch eindelijk de bezielde, zelfbewuste vrouw die Irene in Shanghai verwacht had aan te treffen. En Simone zei: 'op het moment dat'. Niet 'indien'.

'Eén ding tegelijk,' antwoordde Irene. 'Eerst moeten we met Roger afrekenen. Zoals ik het nu zie, hebben we twee mogelijkheden. Óf we gaan er als een haas vandoor, óf we confronteren hem.'

'En dan?' Simone schudde haar hoofd, alsof ze dacht dat Irene gek was. 'Weet je wel wat gezichtsverlies betekent? Weet je wel hoe zwaar dat telt, zeker hier in Shanghai? Weet je wel hoe ver iemand als Roger zal gaan om dat te voorkomen?'

Irene had haar jeugd doorgebracht onder verzamelaars en zakenlieden. Mannen die zich lieten leiden door overmoed, veronderstellingen en wat zij eergevoel noemden.

'Dan zullen we ervoor moeten zorgen dat hij geen gezichtsverlies lijdt,' antwoordde ze.

Simone hield het dagboek tegen haar wang, als een koel kompres bij een koortsaanval. 'Hij is kwaad dat ik niet meer geef om zijn idealen. Hij ziet niet hoe hij geworden is, dat hij de belichaming van zijn idealen geworden is. Ik kan er geen kritiek meer op leveren zonder hem te bekritiseren. Ik kan geen dingen zelf doen zonder daar rekening mee te houden. Heus, Irene, ik zou het je niet kwalijk nemen als je me de rug toekeerde.'

Met ontzetting zag Irene Simone kleiner worden, in haar kamerjas krimpen. Simones woordkeus, 'de rug toekeren', raakte haar. Dat was een kreet die ze te pas en te onpas gebruikt had in de dagen nadat de commissarissen van het museum haar opzijschoven.

'Waar is hij?' vroeg ze. 'Weet je of hij alleen is? We moeten hem alleen benaderen als hij alleen is.'

'Ben je niet bang voor hem?' vroeg Simone.

'Ik ben als de dood voor hem,' gaf Irene toe. 'Maar ik ben nog banger dat het me niet gaat lukken. En die kans is veel groter als ik zonder jou naar Cambodja ga.'

'Het lukt je best deze tempel zonder mij te vinden.'

'Om de een of andere reden wil Henry Simms dat ik jou meeneem uit Shanghai.' Irene verzweeg haar eigen reden. De reden die ze nog maar net bedacht had. Want als ze Simone redde, was het alsof ze daarmee zichzelf redde.

6

De briefopener

Terwijl Simone de schimmige stad uit stuurde, staarde Irene door het zijruitje. Het werd avond. En doordat het ten noorden van de stad donker was, zag ze buiten het schijnsel van de koplampen niets. Het was alsof ze door een tunnel reden die hen naar het middelpunt van de nacht voerde. Ze praatten niet. Maar de stilte tussen hen – hun broze, nieuwe pact – was indringender dan het gesuis van de wind door het raampje. Na bijna een uur voelde Irene hoe de auto vaart minderde. Simone leunde over het stuur en tuurde door de voorruit. Irene zag niets dan geulen in het zand. Zonder af te gaan op een bord dat de richting wees, keerde Simone de auto. Een zijweggetje kwam in beeld. Langs de kant stonden dunne bomen, die oplichtten in het flauwe schijnsel van de koplampen. Daarboven verdwenen hun hoge, brede takken uit het zicht, als naadloze uitlopers van de avondlucht.

In de duisternis voor hen glinsterde een speldenprikje gelig licht, waar Simone op aanstuurde. Eenmaal dichterbij zag Irene dat het een lantaarn was, die op de balustrade van een veranda stond. Langzaam draaide Simone om een huis. De banden zakten weg in de sponzige aarde. Lang moerasgras schampte de bumpers. Simone parkeerde de auto in het duister, met de neus in de richting van waaruit ze net gekomen waren, en zette de motor af. Toen het vertrouwde geronk wegviel, was het alsof Irene een metgezel kwijtraakte die haar bemoedigend in het oor gefluisterd had.

'Waar zijn we?' vroeg ze.

'Op een geheim adres,' antwoordde Simone. 'Alleen Roger en ik weten hiervan.'

'Waarom is hij vanavond hier?'

'Om de stilte.' Simone lachte. 'Hij is zijn memoires aan het schrijven. Hij wil het klaar hebben voor publicatie als de communisten de macht grijpen.'

Ze stapten uit de auto en sloten zachtjes de portieren. De sterren stonden erg hoog, alsof in dit deel van de wereld de hemel verder weg was dan ergens anders. Simone pakte Irenes mouw vast, en leidde haar het trapje op naar de veranda. Irene voelde zich verdoofd, en vroeg zich af of deze emotieloze toestand een voorfase was van moed. Met de toppen van haar vingers klopte Simone drie keer op de deur. Ze wachtte even, en deed het nogmaals. Er kwam geen reactie. Toen ze de deur probeerde, bleek die open te zijn.

Irene liep achter Simone aan het huis in. Eenmaal binnen stonden ze meteen stil. Verderop in de voorkamer stonden twee oude fauteuils en een teakhouten bureau. Achter dat bureau zat Roger, met zijn rug tegen de muur. Hij keek niet op van zijn schrijfwerk. Met zijn hoofd over de bladzijde gebogen leek hij gewoon iemand met een kantoorbaan. Hij had een vloeiblok en een inktpot, een bakje met pennen en een brievenopener die glom in het licht. Zijn gezicht was ingevallen, zijn armen waren dun. Als ze hem op straat voorbij zou lopen zonder te weten wie hij was, zou Irene hem niet aanzien voor een man die zijn vrouw sloeg.

Hij pauzeerde even, deed alsof hij nadacht over wat hij zou schrijven. In plaats daarvan gingen zijn ogen van Simone naar Irene. Hij veegde de inkt van zijn pen, draaide de dop er zorgvuldig op, en legde de pen in het bakje. 'Je moet wel heel graag die tempel willen vinden,' zei hij tegen zijn vrouw. En tegen Irene: 'Ik heb haar verboden iemand hierheen te brengen.'

Het is maar een man, hield Irene zich voor. Niet meer dan dat.

'Ik dacht dat ik duidelijk gemaakt had dat dit niet het juiste moment is om Shanghai te verlaten,' merkte hij op.

'Ik wil alleen even met u praten,' sprak Irene.

'Wij hebben niets te bespreken.'

'Ik kom u een aanbod doen.'

Roger stond op. Zijn stoel kraste over de kale vloer. 'Een aanbod?'

Gewoon een man. En mannen zijn dol op onderhandelen. Ze zijn omkoopbaar, als ze denken dat zij er het beste uitspringen.

'Ik begrijp dat dit geen eenvoudige situatie is. Ik ben mij bewust van de risico's als Simone ergens heen gaat waar u haar niet kunt beschermen. Maar deze tempel kon wel eens de belangrijkste ontdekking van deze eeuw zijn. Dat brengt status met zich mee. Haar naam zal beroemd zijn. En haar naam is de uwe, toch? Denk u eens in wat het zou doen voor uw reputatie en idealen als uw vrouw degene is die de geschiedenis van Cambodja doet herleven. Is dat niet precies wat u beoogt? Landen teruggeven aan de oorspronkelijke bewoners?'

Roger pakte een pijp uit de bovenste la van zijn bureau. 'Is dit het aanbod?' vroeg hij.

Irene grinnikte, om te verbergen hoe geïntimideerd ze zich voelde. 'Nee, dit is alleen nog maar de inleiding.'

'Ik moet toegeven dat die interessant klinkt.'

'Ik wil er wat tegenover zetten. Ik kan u vijftigduizend dollar bieden.'

'Dat is een behoorlijk bedrag. Een mooi uitgangspunt. Kom binnen. Ga zitten.'

Toen Irene aanstalten maakte, greep Simone haar pols. 'Nee.'

Roger nam een pluk tabak en stopte zijn pijp. 'Is dat alles wat je te zeggen hebt? Néé?' Hij liep om zijn bureau heen. 'Deze gulle vrouw biedt aan jou van mij te kopen, en daar heb je geen commentaar op?'

Om Roger niet op stang te jagen hield Irene haar mond. Ze was benieuwd wat Simone te zeggen had. Maar Simone zei niets.

'Denk je echt dat ze die vijftigduizend dollar waard is?'

'Stop daarmee,' fluisterde Simone.

'Ik geloof niet dat jij in een positie bent om mij orders te geven. Vertel eens, Irene. Dat is toch je naam? Je bent toch Irene Blum van het Brooke Museum in Seattle? Ben je bereid er een varken bij te doen?' Zijn stem kreeg een scherpe klank, die de verlammende hitte in de kamer doorsneed. 'Zo doen we dat namelijk hier op het Chinese platteland.'

Irene pakte een sigaret uit haar zak. Ze dwong zichzelf op Roger af te lopen tot ze vlak bij hem stond, en stak hem de sigaret met vaste hand toe, zodat hij niets anders kon dan haar een vuurtje geven. Ze kreeg een ingeving. 'Het is dus waar wat ze over u zeggen,' zei ze.

Roger leunde tegen het bureau. Hij kon niet weg zonder haar opzij te duwen. 'Wat bedoel je daarmee?'

'U bent een sta-in-de-weg geworden.'

'Waar heb je het over?' Hij wierp een blik op Simone.

Irenes hand begon te trillen. Ze deed de sigaret snel omlaag, naast haar zij. Ze nam Simone op, maar kon haar reactie niet inschatten. Toen deed ze een paar stappen naar achter, genoeg om haar eigen persoonlijke ruimte op te eisen. Ze hoopte dat hij aan haar verhitte gezicht niet kon zien hoe bang ze voor hem was.

'Ik heb in de stad naar u geïnformeerd.'

'Denk je nu echt dat het me interesseert wat officiële kanalen over mij zeggen?'

Irenes brein draaide als een machine, husselde alle snippertjes informatie die haar her en der in de stad ter ore gekomen waren door elkaar. 'Ik heb het niet over het gouvernement. Ik heb het over mensen als Voitinsky.'

Grigori Voitinsky was de Comintern-adviseur, die verantwoordelijk was voor het opzetten van de Communistische Partij in China. De stilte die viel nadat Irene zijn naam noemde, was dodelijk. Ze wist niet wie het meest geschrokken was, Roger of Simone. Ze bleef Roger strak aankijken. Ze vertikte het als eerste wat te zeggen.

'Mag ik vragen hoe jij weet wat Voitinsky over mij zegt?' vroeg hij uiteindelijk.

Het was alsof ze midden in het donkere bos van haar gedachten op een open plek belandde, een vrije ruimte waarin leugens voor het opscheppen lagen. 'Van een goede vriend van mij, Marc Rafferty. Kent u hem? Hij is een bron van informatie.'

Roger keek zuur. 'De allerbeste. Hij werkt voor Henry Simms. Natuurlijk. Ja, natuurlijk. Het Brooke Museum. Simms. Logisch dat u Rafferty kent.'

'Uw stunt aan boord van het schip naar Shanghai is niet onopgemerkt gebleven. Men zit er nogal mee dat u uw vrouw overboord probeerde te gooien. U bent labiel. Het is algemeen bekend dat u uw baby gedood hebt.'

Roger gluurde naar Simone.

'Irene,' hakkelde Simone. 'Wat doe je...'

'Zij heeft het mij niet verteld,' zei Irene. 'Dat hoefde niet.'

'Dus Voitinsky praat over mij.'

'Hij is bezorgd. Over u, over jullie beiden. Bezorgd wat u bij Simone teweegbrengt. Wat voor wraak ze zal nemen. Ze kan nogal wat schade aanrichten, gezien haar betrokkenheid bij Borodins wapenleveranties.' Irene nam een trekje van haar sigaret. Haar hand trilde niet meer. Roger leek te peinzen over wat ze hem vertelde. Misschien loog ze niet eens. Misschien had ze – onbedoeld, instinctief – een gevoelige snaar geraakt. 'Maar als u haar nou eens wegstuurde?'

'Waarom zou ik dat doen?'

'U zou haar naar huis kunnen sturen om tot rust te komen. Te herstellen. Onder het oog van lijfwachten die u mag kiezen en die ik zal betalen. Dat zou als meer dan een vriendelijk gebaar worden opgevat. Het zou bewijzen dat u uw idealen laat prevaleren boven uw gevoelens. Dat is waar Voitinsky zich het meest zorgen over maakt.'

Roger keek Irene vol minachting aan. 'Dan komt ze niet meer terug.'

'Als ik haar was, zou ik dat inderdaad niet doen.'

'Je bent slimmer dan ik je inschatte.' Roger liep op Irene af. 'Maar tegelijkertijd ben je ook oerdom. Weet je wel hoe gemakkelijk je verhaal is na te gaan?'

'Doe dat vooral.'

'Ik bewonder je lef.'

'Het punt is,' sprak Irene, 'dat we toch gaan. Of u dat nou leuk vindt of niet. U kunt er beter van worden. Of niet. Maar als u haar vermoordt, draait ú ervoor op. Dan heeft u geen keuze.'

Hij kwam nog dichterbij. 'En waarom is dat?'

'Ik ga niet al mijn geheimen prijsgeven.'

Roger stond al vlak naast Irene. Ze rook de vettige lucht van de haarcrème waarmee hij zijn haar had platgekamd. Nu pas ontdekte ze het leren foedraal aan zijn riem. In zijn hand had hij de walnoten greep van een single-action Colt-revolver, het wapen van de Amerikaanse cavalerie. Irene was het door de jaren heen al in heel wat verzamelingen tegengekomen.

'Met dank aan Borodin, geholpen door mijn vrouw,' legde Roger uit, en hij liet het koude ijzer van de loop langs Irenes wang glijden. 'En als ik jóú nou omleg? Nu, op dit moment? Ik zou je hier kunnen begraven, zonder dat iemand het wist. Snap je dat?'

Het werd ijskoud in de kamer. Haar keel bevroor, ze kon geen woord uitbrengen.

Hij verschoof de revolver en drukte het uiteinde tegen haar jukbeen. 'Wil je nog steeds dat mijn vrouw mee naar Cambodja gaat?'

De lucht gaf licht. Irene zag niets anders dan strepen. Bijna onhoorbaar antwoordde ze: 'Ja.'

'Deze afstand noemen we *à bout portant*. Je zult er in ieder geval niets van voelen.'

'Laat haar gaan,' fluisterde Simone. 'Alsjeblieft, Roger.' Ze was naar het bureau gelopen en leunde ertegen om overeind te blijven. 'Als je dat wilt, smeek ik je.'

'En hoe voelt dat nu?' vroeg Roger aan Irene. 'Om je leven in handen van mijn vrouw te leggen? Als ik jou was, zou ik me daar zeer ongemakkelijk bij voelen.'

Met haar bleke huid en dunne, gekruiste armpjes leek Simone

het toonbeeld van zwakheid. Maar toen ze sprak, klonk ze staalhard. Met haar ogen voortdurend gericht op het wapen in de hand van haar man beval ze: 'Irene, ga langzaam achteruit. Neem de auto en ga ervandoor.'

'Ik kan niet weg...'

'Dat kun je wel. Doe alsjeblieft wat ik zeg.'

Irene deed een stap naar achteren, in de overtuiging dat Roger haar vast zou pakken. Maar om de een of andere reden bewoog hij niet. Langzaam, heel langzaam, trok ze haar gezicht weg van het wapen. Ze deed nog een stap, en nog een. Toen botste ze tegen de deur. Direct daarop stond ze buiten op de veranda. Achter haar werd de deur dicht geschopt. De petroleumlamp was uitgegaan. Trillend liep ze op de tast het trapje af, en schuifelde in de richting van de auto.

Er klonk een koor van cicaden. Voorovergebogen, met het hoofd tussen haar knieën, begon ze te kokhalzen; ze gaf over op het gras. Met één hand streek ze het haar uit haar gezicht. Met de andere hield ze zich vast aan de auto, in de hoop dat ze haar duizeligheid kon bedwingen. Na een poos stond ze op, en ging terug naar het huis. Ze had geen keus. Bij het raam naast de deur bleef ze staan. Het gordijn was niet helemaal dicht. Door een spleet zag ze dat Roger Simone tegen de wand vastpinde. Hij had zijn hand om haar kin; zijn vingers drukten hard op de bloeduitstorting. Ze maakten ruzie. Woedend ratelden ze door elkaar heen. Irene verstond er niets van.

De revolver lag op het bureau. Kon ze erbij komen, als ze snel was? En stel dat dat lukte... Ze had nog nooit een pistool afgevuurd. Ze liep weg bij het raam. Op het moment dat ze de deur door stormde, schreeuwde Simone. Irene zag Roger achterovervallen, met zijn hand om zijn keel. 'Jij kreng!' gorgelde hij.

'Rennen, Irene. Rennen!' Simone struikelde over Roger, die op handen en knieën lag. Hij graaide naar haar rok, en kreeg de kanten onderrand in handen. Ze trapte naar hem, waarop het tere kant scheurde.

Irene had de auto al gestart, voor ze omkeek en Simones silhouet omlijst in de verlichte deuropening zag. Meteen verdween dit beeld weer. Het loste op, terwijl Simone het trapje af strompelde. Ze rende naar de bijrijderskant, sprong in de auto en riep: 'Gas!'

Kledderige aarde spatte van de wielen. Irene vervloekte de kletsnatte ondergrond, voelde hoe haar hele lichaam zich spande toen ze de versnelling in de achteruitstand zette. De auto ging een klein stukje naar achter, dook naar voren, en bleef heen en weer slippen, tot hij uiteindelijk met een bons voorbij de veranda schoot. In een flits zag ze Roger voor de auto, en ze voelde de knal. Ze trapte vol op de rem. De koppeling trilde. De auto slingerde, waarbij zij tegen het stuur viel. Sputterend sloeg de motor af.

'Je hebt hem geraakt,' kreunde Simone. Haar bloes was bij haar schouder donker van het bloed. Ze sprong de auto uit en liep snel naar de voorkant. Daar knielde ze en verdween uit het zicht.

Irene zag op de bodem bij de stoel naast haar iets glimmen. Ze greep ernaar. Het was de briefopener die op Rogers bureau gelegen had; hij zat nu onder het bloed.

Ze stapte uit.

Voor haar lag Roger, op zijn zij met één arm uitgestrekt, alsof hij geprobeerd had de auto die hem omver reed te stoppen. In het licht van de koplampen zag ze de dunne ijzeren brillenpootjes die om zijn oren zaten. Zijn gezicht was krijtwit. Ze kon niet zien waar Simone hem met de opener gestoken had. Er liep zoveel bloed langs zijn nek.

Irene keek rond tot ze Simone op haar hurken zag zitten in het grauwe gebied tussen koplampen en duisternis. Het gras week uiteen toen Simone zich naar voren bewoog om op handen en knieën op Roger af te gaan. Voorzichtig kroop ze om hem heen, alsof ze zich al te vaak vergist had in zijn trucs. Haar hand ging naar zijn gezicht, maar zakte ook weer weg. Centimeters vanwaar zijn wang de vochtige aarde raakte, streek ze met haar vingers over de grond.

'Leeft hij nog?' vroeg Irene.

Simone hield haar hand boven zijn open mond. Met uitgespreide vingers hing hij daar, om na te gaan of er nog een sprankje leven in hem zat. 'Bij het station is een ziekenhuis van Zwitserse nonnen,' fluisterde ze. 'Ze zijn erg discreet. Ik ben er geweest nadat ik de baby verloor.'

Een zweem van wat ergens ver weg als een briesje begonnen was bereikte de auto. Het kon de voorbode van afkoeling zijn. Maar Irene was nu lang genoeg in Shanghai om te weten dat een subtiele verandering van temperatuur een belofte inhield die meestal niet nagekomen werd. 'Wat zeggen we dan tegen ze?'

'Dat hij al gewond was,' antwoordde Simone, die onzeker klonk. 'We zagen hem niet op de grond liggen toen jij hem aanreed. Het was een ongeluk. We moeten opschieten. Het ziekenhuis is een halfuur rijden.'

Ze stond op. De dauw liet donkere plekken achter op haar rok. 'Ik heb een deken in de kofferbak. Die kunnen we gebruiken om hem te vervoeren.' Met haar gedachten bij dit plan rende ze naar de achterbak.

Irene knielde naast Roger en pakte zijn pols. Ze drukte haar vingers tegen zijn huid, zocht naar een hartslag tussen de slappe pezen. Ze hield hem vast alsof hij zijn arm uitgestoken had om haar te redden van de verdrinkingsdood in een koude, donkere zee. Wilde ze dat Roger Merlin bleef leven? Nee, niet per se. Maar dat was toch nog wat anders dan hem dood willen.

Ze kon zijn hart niet meer voelen kloppen.

7

De overkant

Het was nog steeds pikkedonker. Het was alsof de duisternis al jaren aanhield, alsof de zon nooit meer zou opkomen. Met behulp van een kaars vond Irene bij de achterdeur een pomp en een zinken emmer. Ze verwarmde het water op het fornuis in de kleine keuken, waarna ze haar handen in het water stak en die met een oude lap zo hard mogelijk schoon schrobde. Toen ze klaar was, gaf ze de lap door aan Simone. Die liet hem op de grond vallen. Als een kind stak ze haar handen naar voren. Irene nam er een in de hare. Hij voelde koud en stug aan. Ze dacht aan Roger, die nog steeds in het gras lag. Terwijl Simones tranen in het afkoelende water drupten, nam zij de briefopener uit haar zak en haalde hem onder Simones nagels langs om het bloed te verwijderen.

Irene lag op een ledikant achter in het huisje. Ze was niet echt wakker, maar sliep ook niet. Op de een of andere manier had ze het klaargespeeld om buiten zichzelf te treden. Ze had geen idee hoe lang ze weg was of waar ze zich bevond, maar ze wilde zo ver mogelijk bij de gebeurtenis van die avond vandaan. Ze deed dan ook haar best te blijven waar ze was, tot ze werd teruggeroepen door de geur van koffie. Haar maag knorde van de trek; haar lichaam liet haar in de steek. Ze stond op. Door de spanning was zowel haar nek als haar rug verkrampt. Irene rekte zich uit en liep op het kolenfornuis af, waarop een kan koffie stond te pruttelen. Ze schonk zichzelf een kop koffie in. Rondkijkend in de kamer zag ze op Rogers bureau de losse vellen van zijn memoires liggen. Zijn levenswerk was onderbroken, tot stilstand gebracht op een wijze die hij niet had kunnen voorzien. De koffie was zanderig en te sterk, maar toch kikkerde ze ervan op.

Simone zat op de bovenste trede naar de veranda. Voor het huis lag een verwaarloosd veld met aan weerszijden hoge, bladerrijke bomen, waarover een wazige ochtendmist hing. Aan de horizon werd een gedempt zonlicht zichtbaar. Simone staarde naar de voorkant van de auto, waar Roger nog lag, al was zijn lichaam onzichtbaar in het lange, natte gras.

Irene wilde haar troosten. Maar ze kon niets bemoedigends bedenken om te zeggen. Ze kon zich niet inleven in Simones situatie. Eerst jarenlang geterroriseerd worden, en nu dit. Uiteindelijk vroeg ze: 'Heb je nog wat kunnen slapen?'

'Ik wil het er niet over hebben.'

Irene ging zitten. 'Dat snap ik.'

'Wat doen we nu?'

'Het lijkt verdacht als ik ervandoor ga op de dag dat hij stierf.' Simone klonk verslagen. Was dat omdat Roger dood was, of omdat ze bang was dat ze nu helemaal nooit meer naar Cambodja terug kon?

'Niet als niemand het weet,' antwoordde Irene.

Simone voelde aan de zoom van haar rok. 'We moeten hem zeker hier laten liggen?'

De mist loste langzaam op, en de morgen brak aan. Irene bekeek Simones verwilderde uitdrukking. Ze was ervan overtuigd dat zij er net zo uitzag. Zelfs als ze hun modderige kleren uittrokken en zich opknapten, was het duidelijk dat ze betrokken waren bij Rogers dood.

'Als we naar de politie gaan, zal die vragen stellen,' zei ze. 'Je hebt reden genoeg om hem dood te willen. Stuk voor stuk goede redenen, maar dat doet er niet toe. Je staat boven aan de verdachtenlijst. Het zou tot een rechtszaak kunnen leiden. En je weet hoe het eraan toegaat in Shanghai. De autoriteiten zullen je met veel plezier het vuur na aan de schenen leggen. Roger heeft je al genoeg aangedaan. Bovendien, we hebben er geen tijd voor. Als we hem hier achterlaten, zal het dagen, misschien zelfs weken duren voor hij gevonden wordt.'

'Maar dan nog. Om nou een kaartje naar Cambodja te kopen op de dag van zijn verdwijning...'

De logica van Simone verbaasde Irene. Net zo goed als ze ervan stond te kijken hoe helder haar hoofd was. 'De Lumière vertrekt morgen. Ik heb al twee kaartjes.'

'Hoe kon je dat weten?'

'Ik wist het niet. Ik heb ze meteen gekocht toen ik aankwam. De Lumière was het eerstvolgende schip naar Saigon waarop ik meekon.' Terwijl ze het laatste opwekkende koffiedrab naar binnen werkte, merkte Irene op: 'We moeten wel een verhaal hebben waar we de hele nacht waren. Waarom ik bij jou was, en waarom we naar Saigon gaan. Anne zal ons daarbij helpen. Kom op, we moeten hier weg.'

Simone stond op. Ze was in één nacht tien jaar ouder geworden. 'Start de auto maar vast,' zei ze. 'Ik kom zo.' Toen ze even later het huisje uit kwam, had ze een map bij zich. Irene hoefde niet te vragen wat erin zat. Ze hoopte alleen wel dat Simone zo slim zou zijn Rogers memoires te verbranden voor ze Shanghai verlieten.

'Ze slaapt,' zei Anne, en ze legde het spuitje terug in de leren medicijnkoffer.

'Wat heb je haar gegeven?' vroeg Irene.

'Morfine.'

'Is dat niet wat sterk?'

'De meeste andere middelen werken bij haar al niet meer. Wil jij wat, liever? Song Yi heeft heerlijke hasjiesj meegenomen uit Peshawar.' Anne wierp een blik op haar jade opiumkit, die te midden van haar collectie Qingbai-porselein in de boekenkast stond. 'Of kan ik misschien een pijp voor je maken?'

Irene was te benauwd voor wat drugs nu bij haar teweeg zouden brengen. Ze zouden eerder ontnuchterend werken dan het tegendeel.

93

'Nee, dank je.'

'Een kopje thee dan?' vroeg Anne.

'Graag.' Ondanks de verpletterende hitte had Irene het koud. Ze had al de rillingen vanaf het moment dat ze bij Anne in de deuropening stond en verteld had dat Roger dood was. Anne had alleen maar geknikt, alsof dat te verwachten viel. En Simone was opnieuw in tranen uitgebarsten. Nu, nadat ze zich in Annes badkamer opgefrist had en een pyjama had aangetrokken, bemerkte Irene opeens de kou die door haar ledematen trok, net als op het moment dat Roger het pistool tegen haar wang gedrukt hield. Ze snakte naar warmte. Drukkende warmte, die haar kon ontdooien. Ze liep het balkon op, met de geur van vers gezette thee achter haar aan. Anne kwam met een gloeiend heet kopje, gewikkeld in een servet. Ze zette het warme pakketje op de balustrade.

'Het kost me erg veel moeite me in te denken hoe het was,' merkte Irene op. Ze sprak zachtjes om Simone niet wakker te maken, ook al lag die in de slaapkamer met de deur gesloten. 'Niet alleen vanwege gisteravond, maar ook door de afgelopen dagen in Shanghai, en de maanden daarvoor in Seattle. Ik probeer terug te denken aan de tijd daarvoor, snap je, nog voor ik mijn werk kwijtraakte en mijn vader verloor. Het zou moeten kunnen. Er moet een manier zijn om de gebeurtenissen te herleiden, maar ik vind hem niet. Het lukt me maar niet om het verband te leggen.' Ze sloeg haar handen voor haar gezicht, alsof ze zich zo kon afsluiten voor wat er gebeurd was. 'Hij hield een pistool tegen mijn hoofd.'

'Ik weet dat je er een diepere betekenis aan wilt geven. Maar die is er niet,' sprak Anne.

Het was gruwelijk stil in de stad, aangezien de soep- en mieverkopers in de straten beneden tussen het ontbijt en de lunch door niks te doen hadden. Daarboven hing drukkend en ongepolijst de vochtige lucht. 'Ik zou het vreselijk moeten vinden wat we met hem gedaan hebben,' zei Irene. 'Maar dat is niet zo. Wat voor mens maakt me dat?'

Anne hielp haar naar een rotan stoel. 'Je moet het van je af zetten.'

Het leek Irene onmogelijk dat je zoiets zomaar van je af kon zetten. Ze had het gevoel dat ze misselijk zou worden als ze er nog langer aan dacht. En dus vroeg ze: 'Waar was jij gisteravond?'

Anne keek vanaf het balkon voor zich uit naar beneden, een straatje in, waar een winkel overhelde naar de keet ernaast. Een dun straaltje zonlicht wierp rood licht op de flessen slangenwijn en potten met ingelegde eendeneieren. Ze zakte in de stoel naast Irene, trok haar benen onder de zitting en bedekte haar tenen met de onderkant van haar kamerjas.

'Zeg jij het maar.'

'Je was bij ons,' antwoordde Irene.

'En wat hebben we gedaan?'

Irene had een merkwaardig soort hoofdpijn, die ze nooit eerder ervaren had. Het was alsof er een strakke band om haar slapen zat, die tot achter haar ogen was aangetrokken. Ze kneep haar ogen dicht om de daken in focus te krijgen. Om haar gedachten op een rijtje te krijgen ademde ze diep in.

'We dronken een afscheidsborrel. Voor zover jij weet, ben ik naar Shanghai gekomen om Simone te interviewen over haar vaders werk aan de handelsroutes van de Khmer. Toen ik de archieven van het Brooke Museum doorspitte, ben ik op nieuwe informatie over het onderwerp gestuit.'

Dat laatste was tenminste waar. Toen ze alles wat ze met betrekking tot het dagboek van de dominee had analyseerde, was Irene een brief tegengekomen van een Zwitserse botanicus. Hij had terloops melding gemaakt van een serie stenen wegwijzers die hij was tegengekomen op een verkenningstocht in de provincie Ratanakiri. Simones vader was tot de conclusie gekomen dat er handelsroutes door Noordoost-Cambodja geweest waren, en de aanwezigheid van deze wegwijzers leek daar naadloos bij aan te sluiten. Aangezien je je door een flink aantal beperkende vergunningen en aanvraagformulieren heen moest werken om zelfs maar in de verre uithoeken van Frans Indochina te mogen reizen, was Simone met een dekmantel gekomen: een expeditie in het kader van wetenschappelijk onderzoek naar historische handelsroutes. Ze voegde eraan toe: 'Jij weet niet beter dan dat ik naar Shanghai gekomen ben om Simone te vragen of ik haar vaders aantekeningen in mag zien.'

'En dat is de reden waarom jullie samen naar Cambodja vertrekken?'

'Ja. Na de dood van haar ouders heeft ze zijn werk nagelaten aan het museum in Phnom Penh.'

Hier dacht Anne een tijdje over na. Toen vroeg ze: 'Waarom zou Roger Simone deze keer wel laten gaan?'

'Hij was bang dat ze in zou storten en iets zou doen wat de partij zou schaden. Hij moest haar tegemoetkomen, haar aan het lijntje houden.'

'Ik neem aan dat je wilt dat ik dit gerucht verspreid?'

'Roger heeft jou opgezocht.' Rusteloos kwam Irene overeind en pakte het theekopje op. Ze hield het stevig vast, warmde zich eraan. 'Het was jouw idee om haar naar Cambodja te sturen.'

'Nee,' zei Anne. 'Roger zou niemand om advies vragen over Simone. Zelfs mij niet. Ik ben naar hem toe gegaan, omdat ik me zorgen maakte dat als hij haar te veel onderdrukte, ze de zaak schade kon toebrengen.'

'Is het ongeloofwaardig?' vroeg Irene.

'Niet ongeloofwaardiger dan andere dingen die zich in deze stad afspelen.'

Irenes thee smaakte bitter, zelfs nadat Anne er suiker in had gedaan. Onafgebroken flitste het beeld van Roger in haar gedachten. Roger, die zo dicht bij haar stond dat ze de geur van zijn pijp kon ruiken, die verweven leek met de stof van zijn overhemd. 'Denk je dat hij me neergeschoten zou hebben?'

'Ja,' antwoordde Anne medelevend. 'Zonder scrupules.'

'Meneer Simms moet toch geweten hebben hoe gevaarlijk Roger was.'

'Dat lijkt me wel.'

'Ik begrijp het niet. Waarom is Simone zo belangrijk dat ik mijn leven voor haar in de waagschaal moet stellen?'

Anne keek om naar binnen. De slaapkamerdeur was nog steeds dicht. 'Heb je haar verteld dat je van plan bent de rollen mee Cambodja uit te nemen?'

Irene voelde zich ingesloten, zo op het balkon tussen de stoelen en de potten met planten in. 'Nee.'

'Vind je niet dat ze zo onderhand het recht heeft dat te horen? Ze heeft haar man omgebracht om jouw leven te redden.'

'Ze heeft haar man omgebracht om zichzelf te redden,' protesteerde Irene. 'Anne, ik moet ervoor zorgen dat we morgen op dat schip zitten. We moeten naar Cambodja zien te komen. Ik heb daarbij jouw hulp nodig, maar als jij voorwaarden gaat stellen...'

'Wat dan?'

'Dan hoop ik dat we dat alibi nooit nodig hebben.'

'Ik wil alleen dat je er nog eens goed over nadenkt of je die platen Cambodja wel uit moet smokkelen. Mocht je het geluk hebben ze te vinden, dan wil ik dat je alle mogelijke gevolgen overdacht hebt.'

Het irriteerde Irene dat Anne er maar niet over ophield.

'Ik kan betrapt worden. Ik zou in de gevangenis kunnen belanden. Dat heb ik allemaal al bedacht.'

'Daar heb ik het niet over,' hield Anne koppig vol. 'Hoe verklaar je straks dat die koperplaten naar Seattle gekomen zijn? Het moet jouw ontdekking worden. Je wilt dat iedereen weet dat jij de koperplaten gevonden hebt in een vergeten tempel in Cambodja. Maar als ze meegaan naar Amerika weet iedereen ook dat jij ze gestolen hebt. Misschien wordt het je vergeven. Misschien krijg je zelfs applaus. Maar als dat nu niet zo is? Door de oorlog zijn mensen anders gaan denken over wat acceptabel is. Dat weet je. Men heeft ineens oog voor ethiek; wetten worden aangepast. En in dat alles lopen de VS voorop. Dat heb je allemaal niet goed overdacht.'

Als Irene de platen eenmaal gevonden had, kon ze ze niet in

Cambodja achterlaten. Het was niet voldoende om haar doel te bereiken. Ze wilde ze in handen hebben. Een van de lessen die ze geleerd had van haar fouten in het museum, was dat ze bewijs moest hebben. Ze zou alleen opvallen als ze mét de rollen naar Amerika zou terugkeren. Dat was de enige manier om de commissarissen duidelijk te maken dat ze haar onderschat hadden.

'Ga me niet vertellen dat ik het niet goed overdacht heb. Dat is precies waar ik goed in ben,' reageerde Irene. Ze zette het kopje met zo'n bons op de balustrade, dat het brak in het servet. Uitdagend keek ze Anne aan.

'O, Irene.' Annes stem trilde. 'Ik wil niet dat je vertrekt terwijl je boos op me bent. Je weet dat ik alles zal doen om je te helpen. Ik heb mijn contacten en middelen. Maar ik kan je niet beschermen...'

'Tegen mezelf?' vroeg Irene.

'Ik kan je niet beschermen nadat je Shanghai verlaten hebt, hoe goed je smoes ook is.' Ze stak haar hand in de zak van haar kamerjas en haalde er een glinsterend voorwerp uit. Op haar open hand hield ze het Irene voor.

Irene sloot haar vingers eromheen. Het leek alsof ze er een kleine, metalen vogel in gevangenhield. Ze richtte het pistool met de koralen handgreep op de donkere Whangpoo-rivier verderop. Het voelde onschuldig aan in haar hand. Heel anders dan Rogers wapen; de gedachte daaraan alleen deed haar knieën al knikken. De lucht om haar heen was doordrongen van de industriële stank van kolen en rottende vis, die de rivier voortbracht. Aan de andere kant van het water zag ze de rookpluimen van de fabrieken in het Pootung-district. Ze vroeg zich af hoeveel daarvan van meneer Simms waren.

'Heb je ooit spijt gehad dat je hierheen gekomen bent?' vroeg ze.

Anne keek uit over de schuine daken onder hen. 'Toen ik net aankwam in Shanghai, was ik verrukt over hoe het hier vlak voor zonsopgang naar jasmijn rook. De eerste maanden heb ik amper geslapen, omdat ik bang was dat welriekende uurtje te missen. Tegelijkertijd was ik ervan overtuigd dat het de grootste fout van mijn leven was. Ik had er een fatsoenlijke man voor verlaten, een comfortabel huis. Ik was het respect van mijn familie kwijtgeraakt. Mijn vader heeft het me nooit vergeven. De laatste acht jaar voor zijn dood heeft hij niet tegen me gesproken.'

'Was dat het waard?'

'Elke dag weer ben ik dankbaar voor dat ene roekeloze moment. Hoe had ik anders ooit de overkant bereikt?'

'Hoe bedoel je, de overkant?'

'De plaats waar je voelt dat je leeft. Te veel mensen nemen genoegen met een veilige plek. Een plek waar je niets anders doet dan slapen, om te dromen over echt leven. Zelfs al vind je niet waarnaar je op zoek bent, toch is het belangrijk dat je erop uitgaat en het probeert te vinden, lieverd. Alleen dan weet je dat je geleefd hebt.'

Het lukte Irene de dag door te komen door bewust niet te denken aan wat er gebeurd was – en wat er had kunnen gebeuren – met Roger. Ze ging terug naar haar hotel, zocht haar spullen bij elkaar en betaalde. Met een sleutel die ze van Anne gekregen had verschafte ze zich toegang tot het appartement van Simone. Ze ging de slaapkamer in en probeerde te bedenken wat Simone nodig had en mee zou willen nemen. Achter een kamerscherm ontdekte ze twee koffers, die eruitzagen alsof ze in haast gepakt waren, en uitpuilden van het circusachtige soort kleding dat Simone droeg. Irene sloot de koffers, vroeg de huisbaas ze naar de haven te laten vervoeren, en overhandigde hem het adres van het hoofdpostkantoor in Saigon waarnaar hij de post door kon sturen. Het was van groot belang dat openlijk te doen. Ze wilde niet de indruk wekken dat Simone op de vlucht was.

Van Simones appartement ging ze door naar Marc Rafferty's club. Ze had bedacht dat Simone en zij een lijfwacht nodig hadden, en hij leek de aangewezen persoon om hen van advies te dienen. De nachtclub was gesloten. En pas toen ze van de Algerijnse uitsmijter van het bordeel aan de overkant hoorde dat Marc al vertrokken was naar Saigon, realiseerde ze zich dat ze niet om advies gekomen was. Ze wilde hem zien. Zelfs al kon ze hem niet vertellen wat Simone en zij gedaan hadden, ze had gerustgesteld willen worden, net als toen ze met hem in zijn bar zat.

Irene sliep die nacht met behulp van een bitter kruidje uit Annes juwelenkistje vol narcotica, waarvan elk laatje een ander soort roes bood. Op de dag van het vertrek van de Lumière werd ze 's morgens wakker met een erg duf hoofd. Het huisje, het Chinese platteland, het lichaam in het gras... Het was allemaal zo diep weggezakt dat ze het met de beste wil van de wereld niet naar boven had kunnen brengen.

Er hing een druilerige regenbui boven de stad, die tegen de verwachting in weinig verkoeling bracht die ochtend. Terwijl de hitte de vochtige lucht tot het stoompunt bracht, stond Irene met Simone en Anne in de rij bij de douane. Met moeite drong het tot haar door dat ze op het punt stond Shanghai te verlaten. Was het niet nog maar pasgeleden dat ze was aangekomen? Dat ze staand op het dek van de Tahoma de omvangrijke, ingetogen handelshuizen en kades van de Bund in ogenschouw had genomen? Wat was ze onder de indruk geweest van de indrukwekkende namen die langs de waterkant stonden: Jardine Matheson & Co., Asiatic Petroleum, de Bank van Hongkong en Shanghai. Dat was nog voor ze erachter kwam hoe weinig aanzien betekende in deze stad.

Simone, die tussen Anne en Irene in was gaan staan, had de belachelijkste hoed op die Irene ooit had gezien. De rand ervan flapte omhoog en omlaag over haar gezicht. Ze liet zich als een blinde vrouw aan Annes arm overal heen leiden. Af en toe tilde ze de rand op om steels rond te kijken en commentaar te geven op deze of gene.

'Hij kijkt naar me, zie je dat? Hij heeft het door. Ze hebben allemaal door hoe gevaarlijk ik ben.'

Rogers dood deed haar de das om. Natuurlijk keken de mensen naar haar, of liever gezegd naar die belachelijke hoed die ze droeg, met de veelkleurige linten eraan. Ze konden het niet helpen, de koelies met hun vrachten en de Britse soldaten die op wacht stonden. Zelfs bedelaars met ledematen gewikkeld in stroken okerkleurige katoen keken nog eens om. En hetzelfde gold voor echtgenoten die afscheid namen van vrouw en kinderen, die naar Singapore en Hongkong vertrokken om daar de nieuwste plaag in de stad uit te zitten: een reeks ontvoeringen waarvoor ook kinderen niet veilig waren.

Irene probeerde te bedenken wie van deze mannen gevaarlijk kon zijn. Maar het lukte haar niet, en ze wist dat dat haar zwakte was. Ze had de commissarissen van het Brooke Museum onderschat. Ze had Roger onderschat, zelfs nadat iedereen van de gravin tot Marc Rafferty haar gewaarschuwd had. Maar hier in de haven leek het veilig. Routinematig versleepten de dragers bagage. De geur van gepofte knoflook doorbrak hier en daar de zweem van natte waterplanten. Zelfs de Amerikaanse torpedojagers die er lagen om de westerse belangen te bewaken leken onbetekenend, even grauw als de lucht en omringd door sampans die eruitzagen alsof ze in een andere eeuw de rivier afgezakt waren. Zeilen met de kleur van vochtige theeblaadjes hingen los boven de huiselijke tafereeltjes van bamboe vogelkooitjes, slapende katten en slap, verschoten wasgoed.

Anne drukte Irene iets in de hand. 'Zorg dat ze hier wat van krijgt zodra ze in de hut is. Als ze het niet wil, moet je het oplossen in een drankje.'

Irene stak het sachet in haar zak.

Annes crèmekleurige bloes was doorweekt van het zweet, haar korte grijze haar ongekamd. Al maakte ze een ongebruikelijk nonchalante indruk, uit haar toon bleek het tegendeel. Haar handen op Simones schouders leggend, zei ze: 'Je gaat naar huis, schat.'

Plechtig, ondanks haar hoed, antwoordde Simone: 'Je zult trots op me zijn, daar zorg ik voor.'

'Als je hulp nodig hebt, wat dan ook, kun je altijd op me rekenen.' Anne leunde naar voren om haar wang te kussen. Simone gaf haar een knuffel. Knipperend om haar tranen in bedwang te houden, zei Anne: 'Wees voorzichtig. Ik moet er niet aan denken dat jullie iets overkomt. Dat jou of Simone iets overkomt.' Ze liet Simone los en trok Irene naar zich toe. Instinctief verkrampte Irene voor ze haar armen om Anne heen sloeg. Anne trok haar dicht tegen zich aan. Van dichtbij rook ze naar nootmuskaat. Irene bewoog zich niet. Ze wilde niet dat Anne haar losliet.

'Die man,' fluisterde Anne in Irenes haar. 'Daar bij het miekarretje. Zie je hem?'

'Ja.'

'Dat is Eduard Boisselier. Als er iemand gestuurd is om een oogje op Simone te houden, is hij het.'

Simone ging direct door naar haar hut en nam zonder protest het slaapmiddel. Er was nog genoeg over voor Irene, die dankbaar naar haar eigen hut vertrok om de rest van de dag te slapen. Toen ze wakker werd was de temperatuur flink gedaald. Op weg via Hongkong naar Saigon had het stoomschip open zee bereikt. Weg was het vervuilde, vettig grijze water van de Whangpoo, met de reclameborden voor tijgerbalsem en kauwgom. De lucht die door het open raam kwam, was schoon en rook naar koud water en zout.

Irene sloeg een wollen deken om haar schouders en ging aan dek. De alkalische kilte sloeg op haar keel. Golven beukten kapot tegen de zijkant van het schip. De grijze schim van een zeemeeuw dribbelde erdoorheen. Ze leunde tegen de reling.

Terwijl ze uitkeek over het water trok er een wolk weg, waardoor de uitgestrekte Chinese Zee plotseling baadde in het maanlicht. Aan de hemel tekenden zich sterrenbeelden af, die aan de horizon samensmolten met de aarde. Het was alsof Irene in de tijd dat ze sliep op onbekend terrein was beland, in een maagdelijk landschap, niet onderhevig aan het verval dat sluimerde onder de wierook en jasmijn van Shanghai. Ze hield de briefopener buiten de reling en liet hem vallen. Met een plons sneed hij door het water. Marc Rafferty had haar verteld dat je pas besefte wat zo'n plek met je deed als het te laat was. En Irene vroeg zich af hoe lang het zou duren voor ze wist wat Shanghai met haar gedaan had.

Deel 2

SAIGON

'Ons plan was eenvoudig geweest, en nogal vaag: we spraken er zo vaak over dat het vertrouwde vormen aannam.
Ver weg in Cambodja stonden gigantische bloemen ge-
duldig te wachten tot wij ze kwamen plukken. En plotseling was het alsof de lucht betrok, en nam het avontuur
heel andere vormen aan.'

– Clara Malraux, *Memoirs*

8

De Chinese Zee

Door een mahoniehouten deur met een rond raampje dat smerig was van alle jaren op zee liep Irene de volgende morgen de salon van de Lumière binnen. De steward begroette haar door te vragen of ze mee wilde doen aan de dagelijkse weddenschap op de snelheid van het schip. De salon kwam op haar over als de lobby van een voormalig luxueus hotel. De donkerrode fleurs de lis op het tapijt waren vervaagd. Hier en daar scheen het hout van de vloer erdoorheen. Het was nog voor achten, maar de tafeltjes waren nu al bezet door middelbare, gezette Europese zakenlieden en hun vrouwen, die er – ondanks de vochtige nevel – voortdurend oververhit uitzagen. Oude, uitgedroogde kolonialen zaten in hun eentje kranten te lezen die ze uit Shanghai hadden meegenomen. Een Chinese man in een net grijs pak, de enige oosterling in deze ruimte, zat alleen en had een plaatsje gekregen langs de kant. Aangezien ze de dag ervoor bijna niets gegeten had, was Irene met honger wakker geworden. Maar haar eetlust nam af toen ze de vettige geur van bacon en bakboter rook. Aan een tafeltje in de hoek zag ze Simone zitten, die naar buiten staarde, de zilte motregen in.

Anne had Irene genoeg pillen, poedertjes en ampullen met hennakleurige vloeistof meegegeven om Simone de hele weg van Saigon via Phnom Penh tot in de Cambodjaanse jungle te verdoven. Maar hoe aanlokkelijk dat idee ook was, Irene wist dat ze het gebeurde onder ogen moesten zien. Dat zou niet eenvoudig zijn. Want zelfs toen ze haar goedemorgen wenste, voelde ze nog de druk van Rogers koude wapen tegen haar gezicht.

Ze zag Simones handen voor zich, onder het bloed. Het leek wel alsof die nacht voor eeuwig op haar netvlies zou staan. Ze stak een sigaret op. En met de verlegenheid die in je opkomt als je een intens intiem moment gedeeld hebt, vroeg ze: 'Hoe voel je je?'

'Ik kan niet zeggen dat ik me op dit moment blij voel. Maar ik ben ook niet meer ongelukkig. Mag ik?' Ze zag er ongemakkelijk uit in haar lavendelkleurige bloes, die maar ingetogen leek vergeleken bij de uitzinnige kleding die ze in Shanghai gedragen had. Simone nam een sigaret aan van Irene. 'Van Roger mocht ik zoveel dingen niet,' zei ze, en ze inhaleerde zo gretig, dat het leek alsof ze in die rook een verloren deel van zichzelf zag, dat ze terugverlangde. 'Irene, ik denk dat je moet weten dat ik op het moment zelf aan de tempel dacht.'

Irene had verwacht dat Simone niet over Rogers dood zou willen praten. Zo'n openhartige opmerking verbaasde haar.

'Ik was het niet van plan, dat weet ik. Maar het zat in mijn achterhoofd,' zei Simone. 'Ik kan niet net doen alsof ik het niet wilde. Dat het geen opluchting gaf. Toen ik moest huilen, dacht ik eerst dat het spijt was. Maar toen realiseerde ik me dat ik vergeten was hoe het voelde om vrij te zijn. Zelfs al zou ik ervoor naar de gevangenis gaan, ik was eindelijk vrij.' Ze bekeek de grijze pluim die van het uiteinde van haar sigaret opsteeg. 'Ik heb er geen spijt van. Maar jij... Ik maak me zorgen over jou.'

'Over mij? Waarom?'

'Ik maak me zorgen om wat het schuldgevoel met je zal doen.'

'Waarom zou ik me schuldig voelen?' vroeg Irene, die nerveus werd omdat ze het gevoel had dat ze zich verdedigen moest.

'Als jij niet gekomen was, had ik hem niet gedood.'

'Probeer je me nu te vertellen dat het mijn schuld is?'

'Vind je dat jou niks te verwijten valt?'

Irene keek naar buiten. De mist aan dek vertoonde gaten,

waardoor ze de omtrek van een reddingsgordel aan de reling zag. Ze had zich zo druk gemaakt over Simones toestand dat ze voorbijgegaan was aan zichzelf.

'Het was niet mijn bedoeling hem aan te rijden,' protesteerde ze.

'En het was niet mijn bedoeling zijn keel open te rijten. Ik zwaaide maar wat om me heen in de hoop hem op afstand te houden.' De sigaret die Irene haar gegeven had was nog niet opgebrand. Toch opende ze Irenes sigarettenhouder en bekeek de inhoud. 'We hebben hem gedood zodat we die tempel konden vinden. Wij samen, Irene. En ik denk dat als we de keuze hadden, we het weer zouden doen. Daarom wil ik van je weten of je ermee kunt leven.'

'Maar we zijn er niet heen gegaan om hem te vermoorden,' hield Irene vol. 'Het was geen vooropgezet plan. Dat zeg je zelf.'

Terwijl de zon de laatste slierten nevel wegsmolt en er donkerblauwe plekken op zee opdoemden, zei Simone: 'Wees nou eens eerlijk. Jij wilde het net zo goed.'

Het eerste deel van de reis van Shanghai naar Saigon verliep in een pijnlijk langzaam tempo. Elke dag zat Irene op een canvas dekstoel te kijken naar de uitlopers van de Chinese kust in de verte. Ondertussen wandelde Simone rond aan dek. Als ze onder de balkons van de eersteklas passagiers op het bovendek door liep, sleepte ze de rug van haar hand achter zich over de reling. Boven hun hoofd bliezen de twee schoorstenen wolkjes rook uit, die als windveren bleven hangen voor ze oplosten in de koele lucht. De rook bracht de vieze lucht van brandende kool, waarvan het residu zich vermengde met het droge witte zoutlaagje dat Irene elke avond voor het naar bed gaan van haar gezicht waste.

Simone droeg bloemetjesjurken met een degelijk schulprandje langs de nek, van het soort waar ook andere jongedames aan boord in liepen. Deze transformatie was een overduidelijke poging om niet op te vallen. Irene vond het wel jammer, want ze had genoten van Simones eigenzinnige excentriciteit. Maar ze begreep de noodzaak. Op dit drijvende bastion van provinciale kortzichtigheid viel Simone sowieso al op. Iedereen wist wie ze was, en met wie ze getrouwd was. Voor de zakenmensen en militairen aan boord van de Lumière was Roger Merlin een natuurlijke vijand. Hun echtgenotes keken op Roger neer, omdat een huwelijk in de tropen nu eenmaal draait om trouw. Niet zozeer trouw tegenover de echtgenoot, maar vooral aan het idee van hun beschaving, die geregeld onder druk stond door ziektes als denge en waardeloze bedienden, om nog maar niet te spreken van politieke onrust. Door Simone, Rogers vrouw, werden ze er voortdurend aan herinnerd dat de koloniale privileges en de status die ze zich in het moederland nooit konden veroorloven of zouden bereiken, in gevaar waren.

Er was maar één passagier aan boord die Simone met enige hoffelijkheid tegemoet trad. En dat was Eduard Boisselier, de man die hen volgens Anne in de gaten moest houden.

Tijdens de lunch op de tweede dag kwam hij op hun tafeltje af. Hij boog op de galante wijze die gebruikelijk was in een vorige eeuw, en sprak Simone aan met: 'Bonjour, madame. Het spijt me dat ik u stoor, maar ik zou me graag willen voorstellen.' Vervolgens prees hij een redactioneel commentaar dat Simone voor de *Shanghai Chronicle* geschreven had over de zwakke kanten van de Comintern. 'U kwam met interessante ideeën over nieuwe wegen voor de partij,' merkte hij op. 'Nogal afwijkend ook, gezien wat de krant normaal gesproken uitdraagt.' Daarop vroeg hij of ze hem de eer wilde doen die middag een eindje met hem over het dek te wandelen.

De wijze waarop de oudere Fransman Simone op een voetstuk zette, deed Irene plezier, ook al wist ze dat hij een informant kon zijn. Hij bracht een lach op haar gezicht. Terwijl de dagen zich voortsleepten, was hij degene die haar gedachten afleidde van Roger. Simone was in Cambodja geboren, meneer

Boisselier in Senegal. Maar Irene hoorde de twee met heimwee verhalen over Frankrijk uitwisselen in het taaltje dat gebruikelijk was onder hen die in de tropen verbleven. Toch was het oppassen geblazen. Als ze het te goed konden vinden, zou Simone onbewust haar mond voorbij kunnen praten wat hun plannen of Rogers dood betrof. Daarom nam Irene haar op een ochtend, voor het ontbijt, apart. 'Weet je, Anne denkt dat hij gestuurd is om ons te observeren,' waarschuwde ze Simone.

'Mij. Hij volgt mij. Denk je nu echt dat ik dat niet wist?' antwoordde Simone kortaf.

Simones afstandelijkheid kwam niet uit de lucht vallen. Na het gesprek tussen hen die eerste morgen aan boord was er spanning ontstaan tussen de twee vrouwen, die beiden worstelden met het besef dat ze een tempel belangrijker vonden dan een mensenleven. Het duurde even voor ze deze keiharde waarheid onder ogen konden zien. Ze durfden er in gedachten al niet voor uit te komen, laat staan tegen een ander.

Dus in de tijd dat Simone en meneer Boisselier over het dek wandelden, wachtte Irene op het moment dat de beelden van Rogers dood vervaagden, op dezelfde wijze als het huisje kleiner werd in de achteruitkijkspiegel toen ze wegreden en zijn lichaam achterlieten in het gras. Ze kon wel tegen de muren op vliegen, dag in, dag uit alleen met haar zorgen op een schip dat in slakkengang voortstoomde. Ze zocht naar de rust die ze ervaren had toen ze met haar vader zeilde, en deed haar best zich op de zee te richten. Op de horizon, een vast punt tussen hemel en water. Op het appliquéwerk van schuimkoppen die zich over de oppervlakte plooiden, en je geest meetrokken naar de kalme diepten daaronder.

Maar ochtenden werden middagen, waarop Simone en meneer Boisselier op gezette tijden hun vaste rondjes maakten. En langzamerhand werd deze regelmaat, die gemakkelijk saai had kunnen worden, belangrijk. Elke keer dat Simone en haar begeleider hun rondje maakten – precies gelijk aan de keren daarvoor – stond voor een later tijdstip op de reis, en bracht Irene verder en verder uit de klemmende greep van de gebeurtenissen in Shanghai.

Op de ochtend dat het schip aankwam in Hongkong werd Irene midden in een droom wakker. Ze had op de junglegrond in het struikgewas een omgevallen zuil van een tempel gevonden. Ze kwam overeind, met in haar vingers het gevoel hoe ruw de steen geweest was toen ze hem aanraakte. Over een paar uur gingen ze deze haven verlaten, bedacht ze. En na hun vertrek zouden ze dichter bij Saigon dan bij Shanghai zijn. Saigon, de hoofdstad van Indochina, de poort naar Phnom Penh. Van dit idee kikkerde ze op. En misschien was dat met Simone net zo, want die was in een prima humeur toen ze aanschoven voor het ontbijt. Ze kwam met het plan hun vroegere huisbediende Touit te gaan opzoeken als ze in Cambodja waren. Touit was evenzeer een moeder voor haar geweest als de vrouw die ze *ma chère maman* noemde.

Het was voor het eerst dat Irene Simone op zo'n ontspannen manier over Cambodja hoorde praten. Ze prikte wat in de pannenkoek op haar bord en vertelde Irene ondertussen over Touit, die haar door de donkere ruïnes van de Bayon-tempel achternazat om haar te kunnen baden.

'Als ik daar speelde, wilde ik nooit weg. Ik herinner me dat ik me op een keer achter het terras met de olifanten verstopt heb, en luisterde naar Touit, die buiten adem over de stenen klauterde en mijn naam riep. Ik vond het grappig. Maar toen ze me gevonden had, zei ze het tegen mijn moeder, die haar toestond me de straf te geven die zij passend vond. Ik mocht een maand lang niet naar de tempels.'

Irene vouwde haar vingers om haar koffiekopje, en luisterde naar Simone zoals ze ooit naar haar moeder geluisterd had, of naar meneer Simms toen hij haar de mythen van de oude Khmer vertelde. Voor haar was het verhaal van een bediende genaamd Touit die een klein Frans meisje achternazat door de ruïnes net zo betoverend. Ze werden onderbroken door een steward die een rondje deed om de kranten uit te delen, die zojuist aan boord waren gebracht.

Irene had geen behoefte aan weken oud nieuws van thuis, maar Simone bladerde door de *New York Times*, de Engelse *Times*, en *Le Figaro*, greep een exemplaar van de *North-China Daily News* en kletste verder. 'Ik mocht zelfs niet eens naar buiten voor de viering van het nieuwe maanjaar. Ik heb gehuild tot ik er ziek van was.'

Simone glimlachte en pakte haar thee. Op dat moment zag Irene de Europese vrouw aan het tafeltje naast hen zitten: een jonge, buitenproportioneel dikke vrouw, ongetwijfeld het gevolg van de vijf kinderen die ze bij zich had. Ook zij had een exemplaar van de *North-China Daily* in handen en staarde Simone aan. Irene las de kop: COMMUNISTENLEIDER VERMOORD! Mensen keken hun kant op. Irene had het gevoeld dat te midden van de ontbijttafels het schandaal hun kant uit kroop. Met neergeslagen ogen bestudeerde Simone de voorpagina van de krant naast haar bord. Inmiddels was haar gezicht krijtwit. Rogers dood was niet werkelijk geweest tot het moment dat de wereld het wist en erover berichtte. Simone greep de sjaal die over de rugleuning van haar stoel hing. Terwijl ze de benen nam met de gekreukte krant in handen, mompelde de dikke vrouw: 'Dat werd tijd.'

Irene stond op. Iedereen in de ruimte keek naar haar om. Ze gluurde naar de dikke vrouw. 'Walgelijke zeug,' bitste ze, en op een holletje ging ze achter Simone aan. Maar Simone was haar te snel af. Nog voor Irene haar kon bereiken, zonderde ze zich af in haar hut.

De optimistische stemming die het gevolg was van Irenes droom werd tenietgedaan door het nieuws van Rogers dood. Nadat ze tevergeefs op Simones deur had staan bonzen, nam Irene een *North China Daily* mee naar de salon en ging onder het toeziend oog van ettelijke passagiers de mix van journalistieke feiten, meningen en creatieve speculaties zitten lezen.

Het lichaam van Roger Merlin was op het platteland ontdekt door een boer. Hij had een steekwond in de nek. Maar daarvoor was hij gemarteld op een wijze die veel weg had van de aframmelingen die tijdens de Opium Oorlog gemeengoed waren, en waren zijn arm en been gebroken. Er was een korte alinea gewijd aan zijn vrouw, die momenteel afwezig was. Afwezig. Daar werd niets verdachts in gezien. Simone werd op geen enkele wijze beschuldigd, ook al omschreef de journalist haar als 'een van de slachtoffers die het meest gebaat zijn bij deze ontwikkeling'.

Irene las dat drie lagere regeringsbeambten opgepakt waren voor verhoor, en dat de rellen doorgedrongen waren tot in de internationale districten. Ze probeerde zich de chaos daar voor te stellen. Toen ze opkeek, zag ze een tafel vol besnorde kolonialen haar aanstaren. Het deed haar niets. Alles wat zich nu afspeelde in Shanghai, alle leugens en waarheden in deze krant, alles wat die oude mannetjes aan de andere kant van de zaal meenden te weten maar niet wisten... dat alles hadden Simone en zij op gang gebracht.

De moessontijd was in aantocht. In de loop van de dag belandde de Lumière in een storm. Kroonluchters zwaaiden heen en weer. Daaronder wankelden de passagiers; de zee ging tekeer. Ook al was rond het avondeten het ergste voorbij, er kwamen maar weinig mensen hun hut uit om te eten. De enorme eetzaal leek een verlaten toneeldecor. In de eerste klas schoven er maar drie mensen rond de tafel van de kapitein aan. Het Wit-Russische orkest had vrijaf gekregen omdat de trombonist en de drummer zeeziek waren. En in het vacuüm dat ontstond bij het uitblijven van muziek ontstond er een troosteloze echo in de ruimte met de houten vloer. Dit, in combinatie met het gebrek aan gasten, maakte het Irene – die alleen in de deuropening verscheen – onmogelijk de zwaaiende meneer Boisselier te negeren.

Terwijl ze op hem af liep stond hij op, en trok een stoel naar achter voor haar. Ze zag de groeven die de tanden van zijn kam hadden achtergelaten in zijn dunne, grijsblonde haar. Het resultaat van een levenslang gebruik van haarcrème. Op zijn gezicht zaten ouderdomsvlekken. Hij had een scherpe neus, maar verder een verfijnd gezicht. Hij rook overweldigend naar kamfer, die hij misschien wel gebruikte tegen de artritis die zijn gewrichten zichtbaar had aangetast. Irene was blij toen hij weer naar zijn kant van de tafel ging.

'Hoe is het met haar?' vroeg hij.

Het was voor het eerst dat Irene hem alleen sprak. 'Overstuur, zoals te verwachten viel. Ze had het moeten horen voor de kranten arriveerden. Het was schokkend voor haar om daar zo mee geconfronteerd te worden.'

'Ik moet eerlijk toegeven dat Roger Merlin op mij altijd een onverwoestbare indruk maakte.'

Irene hield er niet van om ergens buiten gehouden te worden, en zag er geen been in meneer Boisselier te laten merken dat ze wist wat hij kwam doen.

'Verandert dit iets?' vroeg ze.

'Hoe bedoelt u?'

'Verandert dit iets aan de verwachting die men van haar heeft?'

Hij keek haar verwilderd aan, alsof hij zich een gesprek probeerde te herinneren dat Irene en hij eerder gevoerd hadden. 'Men?'

'De communisten, het gouvernement, wie u dan ook ingehuurd heeft om haar in de gaten te houden.'

'Interessant,' mompelde meneer Boisselier. Hij knikte naar de half verorberde kalfsoesters op zijn bord, die met een roomvermoutsaus waren overgoten. 'Heeft u trek? Zal ik de ober roepen?'

'Nee, dank u. Nog niet.' Vastbesloten een antwoord aan de oude man te ontlokken vroeg Irene: 'Heb ik gelijk? Bent u een privédetective?'

Hij lachte. 'Ik hou wel van Amerikanen. Recht op de man af. Mag ik vragen wat u daarmee te maken heeft?'

'Ik maak mij zorgen,' antwoordde Irene, zijn lachje negerend.

'Waarom?' Hij tilde de karaf naast zijn bord op om haar een glas bordeaux in te schenken.

'Mijn levenswerk.' Ze nam een slokje en probeerde zich in te leven in het verhaal dat ze bij het begin van haar reis verzonnen had. 'Handelsroutes van de Khmer. Ik ben er bijna uit wat de belangrijkste route tussen Angkor en Peking was. Dat gaat me niet lukken zonder Simone, zonder het onderzoek van haar vader.'

'Dan hoeft u zich verder over mij geen zorgen meer te maken. Mijn taak zit erop.'

'Dat begrijp ik niet.'

'Mijn opdrachtgever is vermoord.'

'Roger?'

'Nu lijkt ú geschokt.'

Hij klonk hooghartig. Ze voelde dat ze haar zelfbeheersing ging verliezen, en greep bij wijze van houvast haar glas steviger vast.

'Hoe kon hij weten dat we op dit schip zaten? Hij was...'

'Dood?'

'Volgens de krant was hij al een week dood toen hij gevonden werd.'

'Recht op de man af, maar wel naïef. U heeft op haar naam een kaartje gekocht op de dag dat u aankwam in Shanghai. Iedereen had hem dat kunnen vertellen. De halve stad rapporteerde aan hem.'

'U incluis.'

Hij nam een slok wijn. 'Ik had nooit moeten instemmen met de helft als een voorschot en de rest van de betaling achteraf. Ik ben te oud voor dit werk. Maar ik had het geld nodig. Ik heb bijna een huisje in Dakar afbetaald, pal aan de Atlantische kust. Ik hoopte hierna met pensioen te gaan,' zei hij mat.

Toen Irene en Simone naar Rogers huisje op het Chinese platteland gingen, wist hij dus al dat ze de overtocht op de Lumière geboekt had. Dat verontrustte Irene. Had hij deze oude man iets verteld over de tempel? Als dat zo was, kon meneer Boisselier in ruil voor die laatste som geld de informatie aan een ander doorsluizen.

'Als ik uw contract nou eens overneem?' stelde Irene voor.

'Hoe bedoelt u?'

'Ik betaal wat hij u schuldig is als u me vertelt waarom Roger Simone liet schaduwen.'

Hij schudde zijn hoofd over haar pretentie. 'U weet niet eens wat hij me schuldig is.'

Irene had een flinke buidel geld van meneer Simms meegekregen. Hoe durfde die man haar niet serieus te nemen! 'Dat doet er niet toe. Ik betaal wel.'

Meneer Boisselier keek Irene aan. Bedachtzaam zei hij: 'Ik kan u één ding verklappen: hij heeft mij niets verteld over Khmer-handelsroutes.'

Irene nipte van haar wijn. Toen nog eens. Ze bedwong haar neiging door te vragen, omdat ze voelde dat hij na één verkeerd woord van haar helemaal niets meer zou zeggen.

Uit zijn borstzak haalde hij een gouden sigarettenhouder, en hij bood Irene een sigaret aan. Ze weigerde, wachtte tot hij iets zou zeggen. Hij legde de sigarettenhouder naast zijn bord, maar bleef haar aankijken. Uiteindelijk zei hij: 'Hij dacht dat ze hem zou bedriegen.'

'Heeft ze een ander dan?'

'Hij heeft geen naam genoemd, als dat is wat u wilt weten. Maar hij heeft wel een hint gegeven. Hij zei op een keer: "Ik heb altijd wel geweten dat ze me zou verlaten voor haar eerste liefde."'

Toen Irene de eetzaal verliet, had ze er twee zorgen bij: het feit dat meneer Boisselier mogelijk van de tempel wist, en wat de autoriteiten aan Simone zouden vragen als ze aankwamen in Saigon, nu het bekend was dat Roger dood was. Zelfs als ze haar niet verdachten zou hun reis vertraging oplopen vanwege het onderzoek.

Irene besloot Simone niet te vertellen over haar gesprek met meneer Boisselier. Ze hadden nog niet overlegd wat er moest gebeuren als ze eenmaal aankwamen in Saigon, of wat hun in de jungle te wachten stond. En Irene wilde dat Simone zich daarop richtte. Ze zou meneer Boisselier zijn geld geven, in ruil voor zijn stilzwijgen; ze zou zijn huis in Dakar afbetalen en hem geven wat hij verder nog vroeg. En als ze eenmaal in Saigon waren, zou ze Marc Rafferty gaan zoeken, die haar verteld had dat hij op weg naar Amsterdam daar zijn tante ging bezoeken. Als hij echt zo goed was in het inwinnen van informatie als hij claimde, was hij degene die Irene kon helpen uitvinden of ze met meneer Boisselier een risico liep, en of er nog iemand anders achter Simone aan zat.

Terwijl Irene de gang naar haar hut in liep, zag ze Simone naast de deur op de grond zitten. Door de naweeën van de storm was het binnen guur geworden. Simone droeg een denim broek en een dikke kabeltrui met een ruime, wijde hals, waaronder een rafelig hemdje en een stel geprononceerde sleutelbeenderen zichtbaar waren. De wijde mouwen hingen tot over haar vingertoppen. Simone bracht haar dagen wandelend aan dek door, maar zag er toch slecht uit. In tegenstelling tot Irene, die een gebronsde huid gekregen had en lichte plekken in haar donkere haar, had Simone geen baat bij de zon.

'Ik vroeg me nog af of ik je vandaag zou zien.' Irene stak haar hand uit om Simone overeind te trekken. 'Ik was al bij je hut geweest om te kijken hoe het ging. Maar je deed niet open.'

'Ik probeerde te slapen.' Simone liep achter Irene aan naar binnen en ging naast de schrijftafel staan. Ze tikte nerveus op Pierre Loti's *Pilgrimage to Angkor*. Irene had het eerder die middag herlezen. Het gordijntje voor de patrijspoort ernaast was opengeschoven. De storm was gaan liggen en op wat aanhoudende windveren na was de lucht opgeklaard. Het wateroppervlak weerkaatste het maanlicht, dat zich door de dikke ruit perste en een cirkel van licht op de tegenoverliggende muur wierp.

'Ik wil slapen,' zei Simone. 'Maar hij laat me niet met rust.'

Irene staarde door de patrijspoort. Het was alsof ze door de lens van een enorme telescoop keek. In de verte zag ze het knipperen van een vuurtoren, een baken in de nacht, als een vallende ster. Ze voelde dat Simone aan het eind van haar Latijn was, en ze wilde haar helpen. 'Laten we het daar niet over hebben. Denk aan iets anders. Denk aan Cambodja. Vertel me nog eens iets, net als toen over Touit.'

Opnieuw ging Simone op de grond zitten, met haar rug tegen de muur. 'Wat valt er te zeggen? Ze hield ons huis schoon en kookte, zorgde geweldig voor me. Ze hield van me. En wat zetten mijn ouders daartegenover? Het zakgeld dat ik kreeg, simpelweg omdat ik hun kind was, was hoger dan haar loon. Soms is een revolutie noodzakelijk, Irene. Ik geloofde er niet uitsluitend in omdat dat van hem moest.' Ze balde haar vuisten. 'Het interesseert me niet wat de krant schrijft. Het is niet waar. Ik ben geen slachtoffer. Ik wist wat ik deed. Ik heb altijd geweten waar ik aan begon.'

'Wat maakt het uit wat een regeringssympathisant over je denkt. In de *North-China Daily* nog wel, sensatieblad bij uitstek.'

'Ik heb nooit iets gedaan waar ik niet achter stond. Ik zal nooit iets doen waar ik niet in geloof. Dat moet je van me aannemen, Irene.'

'Een verhaal,' fluisterde Irene. 'Vertel me wat.'

'Goed, best, een verhaal.' Simone zuchtte diep. 'Als de lessen van mijn privéleraar ten einde waren pakte Touit een lunch voor me in, een bundeltje rijst met kip gewikkeld in bananenbladeren. Dat nam ik mee naar de tempels voor het belangrijkste deel van mijn studie. Weet je wie meneer Commaille is?'

'Ja.' Jean Commaille was de eerste directeur van de Conservation d'Angkor, waar beelden en zuilen uit de tempels naartoe gebracht werden om bestudeerd en gerestaureerd te worden. Hij was ook degene die de jungle rond Angkor Wat en Angkor Thom liet wegkappen. Hij was omgekomen tijdens een anti-Franse boerenopstand in 1916.

'Ik was zijn hulpje,' vertelde Simone met een lachje. 'Hulpje, ja. Zo noemde monsieur mij vanaf de dag dat hij me voor het eerst zag. Ik was nog maar vier. Hij gaf me mijn eigen troffel en liet me zien hoe ik het mos van de reliëfs kon schrapen. Hij was als een chirurg, zo precies. Hij kon een hele dag doen over een meter steen. Dat is een belangrijke les voor een kind. Geduld. Niet dat ik ooit zo goed werd als hij. Ik ben nog steeds ellendig ongeduldig. Als het te heet werd, gingen we in de schaduw manggistans zitten eten. En aan de hand van de Ramayana en de Mahabharata leerde hij me Sanskriet, zodat ik de verhalen op de reliëfs van de tempels kon herkennen.

'Ik miste hem vreselijk na zijn dood. Monsieur Marchal, die hem opvolgde, was goed in zijn werk. Maar hij besteedde geen tijd aan kinderen. Al was ik tegen die tijd geen kind meer, ik was bijna vijftien.' Ze drukte haar hoofd naar achter tegen de muur, rustend in een blauw waas maanlicht. 'Het was geweldig om er vanaf het begin bij te zijn, Irene, toen alles ontdekt werd. Ik herinner me dat Frankrijk de tempels van Siam annexeerde. Mijn vader was zo door het dolle dat hij me een glas champagne gaf. Ik was zes en zo dronken als een tor. Mijn moeder was razend!'

Irene was in de stoel naast het bed gaan zitten. 'Ik benijd je,' zei ze. 'Ik heb mijn jeugd doorgebracht tussen vissers en totempalen.'

'En het museum dan?'

'Dat was geweldig, ja. Maar ik geloof niet dat het kan wedijveren met het origineel.'

'Het heeft je wel helemaal hierheen gebracht. Jouw interesse is opmerkelijker dan de mijne. Het verbaast niemand dat als een kind te midden van de tempels is grootgebracht, het erdoor betoverd wordt. Het is alsof je fantasie daar tot leven komt. Ook al geef ik niet graag toe dat ik voorspelbaar ben, zijn mijn dromen niet het logische gevolg van mijn kinderjaren? Maar hoe bestaat het dat een meisje uit Seattle verliefd wordt op de Khmer?'

Niemand had Irene dit ooit gevraagd. Niet één van de conservators of verzamelaars met wie ze in al die jaren gewerkt had. Zelfs de twee mannen die jaren geleden beweerd hadden verliefd op haar te zijn niet. Ze voelde zich vreemd verlegen toen ze bekende: 'Voor ik geboren werd, werkte mijn vader in de koopvaardij. De meeste vrouwen van collega's bleven thuis, maar mijn ouders vonden het vreselijk om lang gescheiden te zijn. Dus begeleidde mijn moeder hem op zijn reizen naar de Oriënt. En ze vond het er zo heerlijk dat ze bleef.'

'In Cambodja?' vroeg Simone.

'Nee, in Manila.'

'Wat hebben de Filippijnen met de Khmer te maken?' vroeg Simone geïnteresseerd, met haar hoofd schuin.

Vastbesloten Simone niet weer aan Roger te laten denken, antwoordde Irene: 'Dat is waar mijn ouders zich vestigden. Mijn moeder hield van reizen. En mijn vader nam haar overal mee naartoe: Java, Malaya, Formosa, Cambodja. Hij heeft haar zelfs meegenomen naar Angkor Wat. Ik heb wat aquarellen die ze gemaakt heeft van de tempels. Ze zijn prachtig. Ik zal ze je wel eens laten zien, als je wilt. Toen mijn ouders in Phnom Penh waren, hoorden ze van de paleisdanseressen die de elegantste dansvoorstellingen van de hele Oriënt opvoerden. Maar de koning bleek op reis en had de danseressen meegenomen. Mijn moeder was teleurgesteld. Toen ik negen was, las ze dat de groep naar San Francisco kwam voor een optreden. Dat was een jaar voor de expositie in Marseille. Men doet nu net of hun voostelling in Frankrijk de eerste was, maar dat is niet waar. Ik kan het weten. Toen ze voor het eerst in de westerse wereld optraden, was ik erbij.

We gingen met z'n drieën met de trein. In San Francisco was het een herrie vergeleken bij Seattle. En schreeuwerig. Ik heb nog nooit zoveel gekleurde lichtjes bij elkaar gezien, overal waar ik keek. Ik had ook nog nooit in een hotel gelogeerd, was nooit naar een theater geweest. En van woorden als "opium" en "bordeel" had ik al helemaal nooit gehoord.' Ze lachte, dacht eraan terug hoe haar vader en moeder – als ze meenden dat zij sliep – van hun 'roomservice-cocktails' nipten, zoals ze de drankjes uit haar vaders draagbare leren cocktailkit noemden.

'Die danseressen,' fluisterde Irene. 'Ik weet nog hoe ze over het toneel zweefden, hun lichamen een stroom in een rivier. Er was muziek bij, het geluid van schelpen die rondwentelden in een glazen pot. Je kreeg de indruk dat het hele theater vibreerde.'

'En al dat zilver op die kostuums,' vulde Simone zachtjes aan.

Deze herinnering was belangrijk voor Irene, en aan Simones gezicht kon ze zien dat dat voor haar ook gold. Dat deed Irene wat. 'Ik voel het hier nog.' Ze legde haar hand op haar borstbeen. 'Mijn moeder vertelde me dat de danseressen de geesten waren van de apsara's in het Brooke Museum. Ze vormden de link tussen de mensen- en de godenwereld. Ik geloofde haar zonder meer. Een week nadat we terugkwamen uit San Francisco, barstte haar blinde darm. De buurman vond haar op de veranda achter. Tegen de tijd dat ik uit school kwam, was ze al afgevoerd.'

Simone boog naar voren, en sloeg haar armen om haar knieën. 'Mijn ouders zijn omgekomen bij een auto-ongeluk.'

De maan was nog duidelijker zichtbaar: een cirkel van licht uitvloeiend in een diffuus schijnsel. Schaduwen liepen niet meer gelijk op met de weerkaatsing op het water. 'Hoe oud was je toen?'

'Zestien. Ik had een tante in Parijs. Zij wilde dat ik bij haar kwam wonen, maar mijn ouders zijn begraven in Siem Reap. Elke keer dat het in me opkwam te vertrekken, dacht ik aan de tempels. Aan wat er zou gebeuren als de stenen aan de jungle overgeleverd werden. Dat ze dan vergeten werden en zouden verdwijnen. Dus in plaats daarvan ging ik naar een kostschool in Saigon, en kort daarop ontmoette ik Roger. Hij zag me toen hij op een dag in een café zat. Ik was m'n lessen ontvlucht. Daar was ik goed in, de benen nemen en op eigen houtje in de stad rondzwerven. Ik had geen vriendinnen. Ik was een vreemd meisje. Ik was me al opvallend gaan kleden. Ik trok een sol-datenjasje aan over mijn schooluniform, of zette een bolhoed op die ik van een vies, oud mannetje op de trolleybus gekregen had. Het irriteerde de nonnen. Mijn klasgenoten vonden het gênant. Maar voor mij was het een vorm van camouflage. Ik weet dat het gek is, omdat ik er juist mee opviel. Maar op de een of andere manier had ik er steun aan,' bekende ze, en ze keek omlaag naar haar wijde trui en broek.

'Het was overigens niet alleen mijn uiterlijk wat Roger intri-geerde,' ging Simone verder. 'Hij vertelde me dat hij nog nooit zo'n somber meisje had meegemaakt. Hij had de pest aan uit-bundige vrouwen. En hij vond me geweldig slim. Dat had nie-mand meer tegen me gezegd sinds mijn ouders stierven. De nonnen vonden me arrogant en remden me af. Terwijl Roger, die briljant was en zich niet schaamde voor wat hij dacht, tegen me zei dat ik ook briljant was.' Simone trok haar mou-wen over haar vingers en zette haar ingepakte knuisten onder haar kin. 'Hij schreeuwde de hele tijd over alles, Irene. Ik was intens verdrietig over de dood van mijn ouders, maar ik kon niet eens om ze huilen. Ik was bang voor wat er zou gebeuren als ik me liet gaan, dat ik niet meer zou kunnen stoppen. Maar als Roger begon te schreeuwen en tegen deuren en muren trap-te, zelfs als hij mij sloeg, dan kreeg ik het gevoel dat de woede die ik in me had naar buiten kwam.

'Het ging allemaal zo snel. Toen ik achttien werd, was ik al van school en gingen we trouwen. En toen hij het besluit nam naar Shanghai te gaan, realiseerde ik me dat ik niets gewonnen had met in de buurt van mijn ouders blijven. Ik had hun gra-ven niet één keer bezocht. En om na al die tijd de tempels nog te gaan bezoeken deed te veel pijn. Nadat we vertrokken zette ik me zo in voor de partij dat ik niet eens meer aan ze dacht, de eerste tijd tenminste. Maar de partij veranderde. Of mis-schien veranderde ik. Stukje bij beetje kwam ik tot het inzicht dat Roger nooit gewild had wat mij voor Cambodja voor ogen stond. Nadat ik mijn dochtertje verloor – en door de wijze waarop ik mijn dochtertje verloor – kon ik aan niets anders meer denken dan terugkeren naar mijn geboortegrond. En toen kwam jij,' zei ze.

Nu was de tijd rijp. Irene kon van Simone opaan. Ze leken op elkaar. Beiden verborgen ze hun verdriet en pijn onder een passie voor de Khmer. Ze liep naar de kast aan de andere kant van de hut, en knipte de lamp aan die ernaast stond. Ze deed de kast open. Daarna het kistje dat erin stond.

'Ik wil je iets laten zien,' zei ze. Ze pakte de kaart die dominee Garland gemaakt had uit het kistje. Ze vouwde hem open en gebaarde dat Simone dichterbij moest komen. Terwijl ze zich samen over de kaart bogen, volgde Irene met haar vinger de kronkelige loop van de Mekong-rivier, van Phnom Penh tot aan Stung Treng en verder de jungle van Noordoost-Cambodja in. 'Daar gaan we naartoe. Naar dat dorpje daar, Kha Seng. Daar gaan we de tempel vinden.'

9

Een hooggewaardeerde collega

Op de derde dag na hun vertrek uit Hongkong zag Irene voor het eerst de bergachtige en dunbevolkte kust van Vietnam. Als de steward het haar niet had verteld zou ze nooit gemerkt hebben dat het schip China achter zich gelaten had. Ze zat op het voordek met in haar hand de kop koffie die hij haar gebracht had, en probeerde het verschil tussen het ene en het andere land te zien. Van een afstandje leken ze even grimmig.

Om de woeste bergen hing een bedrieglijk waas, dat het deed voorkomen of het een koele herfstmiddag was. Maar de zeewind was zo warm en straf, dat zeemeeuwen mijlen van de kust in de lucht bleven hangen. Het water oogde vlak en ondoorzichtig, alsof er inkt in zat. Ze zetten koers naar Saigon, maar bleven Vietnam zien, overdag als een onafgebroken band malachiet en 's nachts in de vorm van flikkerende vuurtorens. Tot Irene op een morgen aan dek kwam en zag dat de Lumière zich uit de omhelzing van de Zuid-Chinese Zee had weten los te maken.

Het stoomschip was de vloedstroom van de Saigon-rivier op gevaren, die zich met een netwerk van zijarmen uitstrekte als een *naga*, de mythische veelkoppige slang die door de Khmer aanbeden werd. Het water van de riviermond was bespikkeld met vaalpaarse bloemetjes. Op de moerassige oevers begon de jungle. Het was nu al heet. Hoewel de beweging van het schip een vaag briesje voortbracht, liep het Irene in straaltjes langs haar rug, en plakte haar linnen jurk. Rijstvelden, pagodes en waterbuffels maakten langzaam plaats voor fabrieken met walmende schoorstenen die de lucht zwart kleurden. Verstopt tussen de pakhuizen stonden dorpshuizen op dunne palen, die amper sterk genoeg leken om het gewicht van de gevlochten muren te houden, laat staan dat van de mannen en vrouwen die nu de schaduw eronder zochten. Blote kinderen spetterden in het water, wuifden zonder een spoor van schaamte naar het voorbijvarende schip. *'Vive la France!'* gilde een jongen, die rondspartelde in het water.

Uren gingen voorbij. De rivier kronkelde en kronkelde, en boog zich weer terug. Het leek één reeks bochten tot aan Saigon. Torens die wazig waren van de hitte leken verder weg te dwalen en weer dichterbij te komen, en glinsterden bij iedere nieuwe wending vanuit een nieuw perspectief. Soms leek het wel of ze terug naar zee koersten. Dan draaide het schip ineens weer om op de stad aan te tuffen. Toen Saigon in zicht kwam, dacht Irene na over het gevoel van saamhorigheid dat de laatste dagen tussen Simone en haar ontstaan was.

Door Simone de kaart van de dominee te laten zien, had Irene een overeenkomst tot stand gebracht, voelde ze. Ze waren woordeloos overeengekomen niet over Roger te praten, zelfs niet aan hem te denken. Eindelijk leverden ze zich volledig over aan de expeditie. Simone taalde niet meer naar afleiding van de kant van meneer Boisselier. De twee vrouwen piekerden zich suf over mogelijke fouten in het dagboek van de dominee, zonder iets te vinden. Ze zetten hun plannen op een rijtje: hoe ze in Saigon een auto zouden huren om hen naar Phnom Penh te brengen; en hoe ze, als ze eenmaal in Phnom Penh waren, de voorraden zouden oppikken die Irene vanuit Seattle daarheen gestuurd had, en achter de vergunningen en kaartjes aan zouden gaan voor hun reis naar Stung Treng over de Mekong. Ze bespraken de risico's op malaria, groefkopadders en tijgers, en bedachten hoe het zou voelen om de koperplaten voor het eerst in handen te hebben.

Irene had legio expeditieverslagen doorgenomen. En ze had een gedetailleerde lijst van benodigdheden opgesteld. Daar stonden niet alleen voor de hand liggende zaken als tenten, klamboes en kininetabletten op, maar ook dingen die hun reis wat comfortabeler konden maken, zoals een emmerdouche en een aardenwerken pot die je ook als kampfornuis kon gebruiken. Ze liet Simone haar exemplaar van Galtons *The Art of Travel* zien. Het was een presentje van haar vader geweest. Ze was blij geweest met de rijkdom aan informatie die het verschafte. Er stond van alles en nog wat in. Van middeltjes tegen blaren en slangenbeten tot aan de manier om de richting te bepalen aan de hand van de groeiwijze van bomen of mierenhopen. Simone luisterde naar Irenes beschrijvingen, en reageerde met: '*Très impressive*. Verrassend ook nog, dat moet ik toegeven. Ja, Irene, je blijft me verbazen.'

Het enige punt aan haar gedegen voorbereiding dat Irene niet prijsgaf, was dat wat ze met de meeste trots bekeek: een onopvallende leren klerenkoffer die ze door de kleermaker van meneer Simms had laten aanpassen. Hij had er een dubbele bodem in gezet, groot genoeg om tien koperplaten te bevatten. Al een paar keer had ze op het punt gestaan Simone dit te tonen, om haar deelgenoot te maken van die vernuftige constructie. Maar ook al deelden ze de droom de geschiedenis van de Khmer boven water te halen, en wilden ze allebei die geschiedenis aangrijpen om het leven te herwinnen dat hun ontnomen was, na al die tijd aan boord vermoedde Irene dat Simone haar zou proberen te dwarsbomen bij haar poging de platen mee Cambodja uit te nemen. Irene probeerde daar niet aan te denken. Ze voelde zich er schuldig over dat ze loog tegen Simone.

Terwijl een sleepboot de Lumière naar haar ligplaats begeleidde, kreeg Irene aan dek gezelschap van meneer Boisselier. Hij leunde naast haar tegen de reling en zei: 'Ik heb mevrouw Merlin de hele morgen al niet gezien. Ik hoopte op een gelegenheid *au revoir* te zeggen.

Irene tikte de as van haar sigaret de vochtige lucht in. 'Ik betwijfel of ze staat te popelen om van boord te gaan.' Ze knikte in de richting van de kade, waar een groep kolonialen voor de douane stond te wachten, bijna allemaal gekleed in het wit. Witte jasjes, broeken en kurkhelmen, die het zonlicht weerkaatsten. Om hen heen doolden wat Annamieten rond. Midden tussen de riksja-lopers op hun blote voeten stond een Franse politieman in een saai bruin uniform. En op de achtergrond lagen twee Europeanen met zwarte camera's op de loer, wachtend op een kans op een beter plekje. 'Ik heb gehoord dat de verslaggevers en de gendarme al vanaf zonsopkomst staan te wachten.'

'Ik neem aan dat dat inhoudt dat de hele wereld haar in de gaten houdt.'

Irene had met meneer Boisselier te doen. Hij stond aan zijn horloge te friemelen in afwachting van het geld dat ze hem had toegezegd. Maar het feit dat hij zich zo overduidelijk zorgen maakte, gaf haar het vertrouwen dat Roger hem niets over de tempel verteld had. Als hij daarvan op de hoogte was geweest, zou hij haar geld niet zo hard nodig hebben. Uit haar tas pakte ze een van de twee enveloppen die ze die ochtend had klaargemaakt, en waarin vijfhonderd dollar zat. Die overhandigde ze hem. 'Is dat voldoende?' vroeg ze.

Hij telde het geld. Zijn gezicht verried dat het meer was dan waar hij op gerekend had.

'Kunt u me nog iets nieuws vertellen?' vroeg ze. 'Maakt niet uit wat.'

Hij staarde naar de okerkleurige gebouwen langs het water, waarvoor het uitsteeksel van een stoomkraan tot in de witte middaglucht reikte. 'Het is natuurlijk maar een ingeving,' zei hij. 'Maar toen Roger het over de eerste liefde van zijn vrouw had, kreeg ik de indruk dat hij het niet over een man had.'

'Hoe bedoelt u?'

Meneer Boisselier boog zijn hoofd. Misschien was hij bang dat ze hem een gekke oude man zou vinden. 'Dat is moeilijk uit te leggen.' Hij stak de envelop met geld in de zak van zijn jas voor ze zich kon bedenken en het terug zou pakken. Maar bijna alsof hij haar nog iets verschuldigd was, zei hij toen: 'Weet u wie Marc Rafferty is? Ik heb begrepen dat hij hier in Saigon is. Als u informatie wilt, moet u bij hem zijn. Misschien kan hij u vertellen waarom monsieur Merlin mij zijn vrouw liet observeren.'

Zo gauw als Irene Simone op zich af zag lopen – sigaret in haar hand, witte orchidee in haar opgestoken haar – wist ze hoe ze dit zou aanpakken. Ze gingen zich niet verschuilen in Saigon. Ze hadden niets te verbergen. Toen ze het dek over liep, waren alle ogen op Simone gericht. Het Chinese gewaad dat ze over haar zwarte bloes heen droeg, gaf haar iets koninklijks. Het was bijna onmogelijk om haar niet op te merken. Het kobaltblauw van haar outfit stak fel af tegen de witte, beige en kaki reiskleding van de overige passagiers. Maar ze trok niet alleen de blikken vanwege haar uiterlijk. Men wilde weten wat er zou gebeuren op het moment dat ze voet op Vietnamese bodem zette. Zou ze door journalisten worden aangeklampt met de vraag waarop iedereen een antwoord wilde horen: *Weet u wie uw man vermoord heeft?* Zou de politie haar inrekenen? Ze wilden hun eigen sleur bij aankomst doorbreken, en er als het even kon getuige van zijn dat Simone gedwongen werd een toontje lager te zingen.

In de douanekeet zat een rij beambten achter een balie papieren te controleren. De compacte, overweldigende hitte droop van het golfplaten dak. De mannen baadden in het zweet. Hun handen waren zo vochtig dat ze hun vingers aan een lap katoen moesten afvegen voor ze een pen oppakten of een stempel zetten. Terwijl de oosterse passagiers – zelfs die eersteklas gereisd hadden – uit de rij werden gepikt om de havenarts hun vaccinatiebewijzen te tonen, boog de oudste beambte zich over Simones papieren. Hij had diepe rimpels om zijn ogen, alsof hij zijn hele leven niets anders gedaan had dan op visa turen. Irene keek naar hem over Simones schouder. De man leek er uitzonderlijk lang over te doen. Het was bijna of hij het erom deed. Ten slotte zei hij: 'Zo, daar bent u dan. Madame Merlin. Een journalist heeft me al smeergeld geboden als ik u hier vast zou houden, zodat hij u kon interviewen. En ik heb begrepen dat de *commissaire* maar liefst een dag voor u heeft vrijgemaakt. Maar leidt u daar vooral niet uit af dat u hier welkom bent.'

Simone keek onthutst, alsof ze dat wel degelijk verwacht had.

'Per slot van rekening bent u een verraadster.'

Het was een openlijke belediging. Irene keek naar de douanebeambten die aan weerszijden met paspoorten in de weer waren. Die deden alsof ze niets hoorden. De passagiers die in hun buurt stonden, staken hun belangstelling echter niet onder stoelen of banken. Dit gesprek zou vanavond in de nachtclub onder het genot van absinthe frappés uit den treure worden doorgenomen.

'En u,' bitste Simone op een toontje dat voor iedereen verstaanbaar was, 'bent een onbeduidend laag ambtenaartje.'

Achter Irene in de rij barstte een statige koloniaal in lachen uit.

De ambtenaar was op zijn beurt onthutst. Hij had niet verwacht dat ze tegengas zou geven. 'Ik heb anders genoeg autoriteit om u het land uit te zetten.'

Simone staarde de ambtenaar aan. 'Mensen als u zijn de reden waarom ik me aansloot bij de Communistische Partij. Om mensen als u raken de Fransen Indochina kwijt. Ik zal met genoegen toekijken hoe u, met uw staart tussen de benen, afdruipt naar Europa.'

Irene had bewondering voor Simones lef. Maar moedig zijn was één ding, dit gedrag leek niet verstandig. Ze deed dus een stap naar voren. 'U kunt denken wat u wilt over Roger Merlin, monsieur. Maar hij was wel haar man, en hij is vermoord. Op uiterst gewelddadige wijze aan zijn einde gekomen. Ze is van slag. En een heer als u kan toch wel...'

'Van slag?' krijste Simone. 'Ik ben niet van slag. Ik ben bele-

digd. Hoe durft-ie me als uitschot te behandelen. Zo'n miezerig mannetje!'

De ambtenaar was ziedend. Hij vouwde Simones papieren in
elkaar en schoof ze terug in haar richting. 'Aangezien ik maar
een min ambtenaartje ben, kan ik u misschien beter aan de inspecteur overdragen. Loopt u maar mee.'

'U kunt ons hier niet vasthouden,' protesteerde Simone, en
ze weigerde hem te volgen. 'Ik ben hier geboren.'

De vrouw die door Irene voor walgelijke zeug was uitgemaakt,
nam Simones tegenslag grijnzend in ogenschouw. Ondertussen
zette een van de ambtenaren een stempel in haar paspoort.

'Waar kijk je naar? Dit is geen voorstelling. Dit is mijn leven.' Er kwam een vervaarlijke trilling in Simones stem. Irene
zag dat ze niet strijdlustig meer was. Ze raakte in paniek, was
als de dood dat ze het land niet meer in kwam en terug naar
Shanghai gestuurd zou worden. Irene nam haar bij de elleboog
en duwde haar achter de ambtenaar aan een heet hokje in, waar
alleen een bank langs de muur stond. De ambtenaar bleef in
het midden staan, met zijn armen gekruist. 'Ik zal het u laten
weten als de inspecteur is gearriveerd. Dat zou niet langer dan
een uur of twee moeten duren,' zei hij.

Irene raakte geïrriteerd. Roger was dood. Simone en zij hadden daar de tol voor betaald. Zonder verdere pogingen de man
om te praten, stak ze de tweede envelop die ze klaar had uit.

'Ik heb vandaag al een poging tot omkoping afgewimpeld,'
zei hij.

'Even kijken kan geen kwaad.'

Hij weigerde door zijn kin in de lucht te steken.

Daarop maakte Irene de envelop zelf open. Terwijl ze de
bankbiljetten uitwaaierde, liet de beambte zijn belangstelling
doorschemeren. Dit was een klein kapitaal, het bedrag dat ze
aan meneer Boisselier gegeven zou hebben als hij erom gevraagd had. Ze zag dat de man in dubio stond. Ze vouwde het
geld terug in de envelop, liep op hem af en stak de envelop in
zijn jaszak. Zonder een woord te zeggen verliet hij de kamer.

'En als het nu te laat is?' vroeg Simone, frunnikend aan een biesje van haar gewaad. 'Wat als dit hem boven zijn pet gaat?'

Het verontrustte Irene dat Simone zo snel over haar toeren raakte. Maar ze had geen tijd om haar te kalmeren of te vragen wie ze met 'hij' bedoelde. Hoe lang zouden ze hier anders wel niet opgesloten zitten voor de woede van de ambtenaar bekoeld was?

'Kom nu maar mee,' zei Irene.

'Waarheen?'

'Naar Saigon.'

Irene trok Simone aan haar arm mee naar de balie. Daar lachte ze beleefd naar een Engels stel vooraan in de rij. 'Neemt u me niet kwalijk, maar wij waren nog niet helemaal klaar.' Ze legde Simones *Union Française Indochine*-paspoort met het donkerrode omslag neer voor de neus van de ambtenaar in kwestie.

De man sloeg zijn ogen neer. Een druppel zweet parelde langs zijn wang en viel op het papier, waardoor de inkt uitliep. In de ruimte achter de balie wemelde het van de koelies, die kreunend bagage tilden en opstapelden. Het rook er naar zweet en rundleer. Met afgepaste bewegingen drukte de ambtenaar zijn zwarte stempel zo hard op het papier dat het resultaat onleesbaar was.

Voor hij zich kon bedenken, griste Irene het paspoort weg en gaf het aan Simone. Ze wachtte tot ze haar eigen stempel had en ging toen achter de rode Phoenix aan die op de achterkant van Simones gewaad stond. Haar ogen prikten van het zweet. Ze zag Simone in het zonlicht stappen dat door de deuropening viel en voelde de vochtige hitte op haar huid prikken. Als een snel opkomende koorts vlak voor je flauwvalt.

Dit is het. Dit is het moment dat ik de stad in trek. Cambodja is op minder dan een dag afstand.

Simone liep op een holletje langs de bergen met tassen, valiezen en Louis Vuitton-hutkoffers. Ze koerste op het hek af dat het douaneterrein scheidde van de drommen wachtenden. Haar vingers om de houten spijlen klemmend, tuurde ze de straat in. Opgelucht merkte ze op: 'Daar is-ie.'

Ze zei het op een toon alsof Irene wel wist over wie ze het had. Systematisch zocht Irene met haar ogen de massa af. Achter de groep kolonialen rukten de half geklede riksja-lopers op, azend op klanten. Nog verder weg stonden chauffeurs van Peugeots en Chevrolets al rokend met elkaar te praten. Irene herkende niemand. 'Wie bedoel je?' informeerde ze.

'Daar, bij die vrouw met die rode hoed.'

Naast een gezette dame leunde een man tegen de stam van een boom. Hij was nog jong, tegen de dertig, en zag er slank uit in het typische tropenkostuum. Hij stond op een afstandje van de meute. Irene zag zware laarzen onder zijn broekspijpen uitsteken, met dikke zolen die eerder geschikt leken voor de jungle dan voor de stad.

'Wie is dat?'

Simone kreeg een kleur. 'Louis Lafont.'

'Echt?'

Simone lachte. 'Ja, echt.'

Louis Lafont was assistent-conservator van de Conservation d'Angkor en een expert op het gebied van anastolyse, het proces waarbij een bouwwerk afgebroken wordt voor studie en vervolgens weer in oude staat wordt hersteld. Zonder zijn studies had Irene niets geweten over de bouwkundige technieken van de Khmer.

'Wel verdraaid, wat doet die hier?'

'Ik heb hem gevraagd hierheen te komen.'

De hitte rees op uit de stoep. Op sommige plekken scheen de zon zo fel op de stenen, dat Irene verwachtte het te horen sissen.

'Waarom heb je me dat niet verteld?'

'En als hij niet was komen opdagen? Dat had ik knap vervelend gevonden, Irene. Dan had je me voor gek verklaard.'

'Hoezo?' Op het moment dat ze het vroeg, herinnerde Irene

zich de uitspraak van meneer Boisselier over Simones eerste liefde. Maar onmiddellijk dacht ze: nee, dat is te simpel. Als ze iets geleerd had in de afgelopen weken, was het dat wat Simone betrof niets simpel was.

Zonder acht te slaan op Irenes vraag liep Simone het douane-terrein af. Op het moment dat ze met haar blauwe bollende ge-waad naar buiten stapte, stortten de twee Franse journalisten zich boven op haar. Louis, die haar zag, werkte zich door de wirwar van auto's en riksja's naar haar toe. Nog voor hij haar bereikte, stak hij zijn armen al uit. De camera's klikten toen ze zich erin wierp.

'Lafont! Hé, Lafont!' riep de langste journalist, een donkere man, op een toon die net zo uitdagend was als de wijze waarop hij zijn hoed droeg. 'Klopt het dat je gedreigd hebt Roger Mer-lin te vermoorden toen madame jullie verloving verbrak?'

Simone had met geen woord over een verloving gerept, net zomin als ze het over Louis Lafont gehad had, die avond aan boord van de Lumière dat zij en Irene elkaar verteld hadden over het verleden.

'Madame Merlin,' riep de andere journalist. Hij gebruikte zijn stevige bouw om zich langs de ander te duwen. 'Niemand minder dan Chiang Kai-shek heeft verteld dat u ooit aan zijn vrouw bekend hebt een huurmoordenaar te willen inschakelen om van uw man af te komen.' En op een toon die even verzoe-nend was als die van de ander brutaal, informeerde hij: 'Wilt u daar een reactie op geven?'

'Noem mij eens iemand die zich niet op enig moment met de hulp van een huurmoordenaar van mijn man wilde ontdoen, jij irritant tweederangs...' Simone zocht even naar de juiste om-schrijving. '... krantenmannetje!' snauwde ze fel. Ze bleef schel-den, maar het geluid werd gedempt doordat Louis haar achter in een zilver-zwarte sedan duwde.

Het was nu een gedrang van jewelste om de auto. Irene, die ontstemd was dat Simone zich door de journalisten uit haar tent had laten lokken, had moeite erdoorheen te komen. In haar poging zich erlangs te wurmen raakte ze verzeild in een groep zeelui met accenten van over de hele wereld. Zij haastten zich naar de schepen die bij de kazernes verderop aan het water lagen, en hadden uniformmutsen op waarvan de rode pompons op en neer dansten. Met haar ellebogen baande ze zich een weg, en ze hoopte dat ze eerder bij de auto zou aankomen dan de gendarme die ze gezien had. Toen die de journalisten opzijschoof, raakte Irene in paniek. Hoe konden ze ooit wegglippen de jungle in als er zoveel mensen op hen letten?

Irene zag dat de gendarme – aan de andere kant van een groep nieuwsgierige toeschouwers – Louis een vel papier toestak. En ze hoorde Lafont daarop duidelijk zeggen: 'De commissaire kan wel tot morgen wachten. Madame Merlin moet eerst rusten.'

Het lukte Irene de auto te bereiken. Ze kroop voorin naast de chauffeur, een Annamiet die de motor draaiende hield. Terwijl ze het portier dichtsloeg, zei Louis: 'Tuan, rij ons naar het hotel.'

De donkere reporter met de hoed had Irene gezien. 'Mademoiselle,' gilde hij door het gesloten raampje, een van de zijspiegels vastgrijpend. Hij zwaaide met een vuist vol piasterbiljetten. 'Dit is voor u, in ruil voor een exclusief interview over uw tijd aan boord met de weduwe van Roger Merlin.'

'Niet op die lamzak letten! Ik bied ongezien het dubbele,' marchandeerde de kortste nu een stuk agressiever.

'Ik maak u beroemd,' beloofde zijn rivaal. De auto scheurde weg en trok de spiegel uit zijn hand.

Er was geen ontkomen geweest aan de nieuwsgierigheid van de passagiers op de Lumière. Maar desondanks had Irene zich veilig gevoeld aan boord. Hier aan land was het alsof ze te kijk stonden, gevangen en tentoongesteld waren. De kleine triomf op de douanebeambte was ze al weer vergeten. Een gendarme die met een bevel van de commissaire zwaaide, de reporters met hun eeuwige beschuldigingen, het mysterie van Simones 'eerste liefde' gevolgd door de onverwachte verschijning van Louis Lafont, die uiteraard zou willen weten wat ze in de jungle gingen doen... Ze wilde dat het nu allemaal ophield. Het zou nog een hele toer worden om Louis te overtuigen van haar verhaal over die oude handelsroutes van de Khmer, maar ze had niet de energie om daar nu aan te denken.

Toen de kades uit het zicht verdwenen, draaide Irene haar raampje naar beneden. De binnenstromende lucht voelde alsof die uit een oven kwam. Het was dat genadeloze uurtje evenaarhitte die als een roofvogel boven het middaguur cirkelde, wanneer niets – zelfs niet je in een donkere kamer met een elektrische ventilator verbergen – de verlichting bracht waar je naar snakte. Een verlichting die doordrong tot in je ziel.

Onder de zonovergoten boog van tamarindetakken die een tunnel vormden tot aan de kathedraal, lag de Rue Catinat er verlaten bij. In Seattle waren de uren van middernacht tot zonsopgang de stille uurtjes. In de tropen leek het wel alsof dag en nacht omgekeerd waren. Irene staarde naar de contouren van hangmatten, die de indruk van een muurschildering maakten in de schaduw van portieken. Je zag geen Europeaan op straat. En de oosterlingen leken neergeploft op de plek waar ze stonden toen de zon het hoogste punt bereikte. In een winkeltje met een open front zat een hindoe naast een stapel ruwe zijde op zijn hurken te slapen. Onder een raam met vensterglas met daarachter een gewaad van zwarte kralen lag een bloot kind op de stoep, met zijn gezicht naar beneden. Hij lag nog niet eens op een matje. Als Irene in Shanghai niet gewend geraakt was aan dit soort tafereeltjes, had ze vast gedacht dat hij dood was.

De auto passeerde de riante ambtswoning van de gouverneur-generaal en reed de wijk Cirque Sportif in, wist Irene doordat ze de kaart van de stad bestudeerd had. Hier stonden de villa's een eindje van de boulevard af, zoals overal bij de huizen van de rijken het geval is. De chauffeur stopte voor het Petit Hotel du Cap-Ferrat. Als een school amethistkleurige vissen waaierde de bougainville uit over de muur. De takken van een mangoboom verstrengelden zich met een van de lagere balkons. Irene kon zich voorstellen hoe beschut de kamer erachter zou zijn.

Bij het hek zat een soepventer te slapen in de schaduw. Een gevlochten hoed beschutte zijn gezicht. Naast hem op de grond lag een palmbladwaaier. Uit de aardewerken pot aan zijn voeten kwam stoom. Na meer dan een week aan boord van de Lumière zonder de geuren van het oosterse straatleven, had Irene de behoefte zich te omringen met de geur van kruiden. Terwijl Louis Simone uit de auto hielp, liep Irene op de venter af. In een wolk van vis drijvend op citroengras en steranijs, voelde ze haar kracht terugkomen. Ze verbaasde zich erover dat ze door dit deel van de wereld niet alleen werd uitgeput, maar tegelijkertijd ook gesterkt. Gewoon door erin te staan, beschermd tegen de zon door de vlammende blaadjes van een koraalboom.

De bagage van Irene en Simone werd in het hotel afgegeven. En Louis verontschuldigde zich. Hij legde uit dat hij aanwezig moest zijn bij een vergadering plus diner met een van de geldschieters van de Conservation. Nadat hij vertrokken was, liet Irene er geen gras over groeien. Ze vroeg Simone direct waarom hij hier in Saigon op haar had staan wachten. Simone keek hem na terwijl hij wegreed, en zei niets. Het grootste deel van de middag zat ze op het bankje bij Irenes raam te piekeren, terwijl Irene haar best deed niet te denken aan de volgende hindernis: Simones verhoor door de politie.

Na een poos kwam Simone in de benen en zei dat ze Irene de theehuizen en goktenten in de Chinese wijk Cholon wilde laten zien. Naar dat soort plekken ging ze toen ze als meisje het internaat ontvluchtte. Maar terwijl hun elektrische trolleybus langs autobussen, riksja's en de boten vol rijst die de stinkende kanalen bevoeren sjeesde, mopperde ze aan één stuk door op Murat Stanić, die een dag eerder onverwacht in Saigon was aangekomen.

'Die man. Ach, zo irritant!' klaagde ze. Ze stapte vanuit de trolleybus op een houten vlondertje waar handelaren met een rode fez op in open hokjes geld incasseerden. 'Dat hij nu net moet opduiken op de dag dat ik Louis weer zie. Hij is altijd al een lastpak geweest. Een pedofiel ook nog eens. Hij haalt zijn meisjes uit de plaatselijke weeshuizen.'

'Ik weet het. Iedereen weet het,' zei Irene, die net als Simone de pest had aan Stanić.

Stanić was een Serviër en hij behoorde tot dezelfde exclusieve groep mannen waar ook Henry Simms deel van uitmaakte. Mannen van wie elke archeoloog of conservator zich afvroeg wat ze zouden gaan stelen, terwijl ze tegelijkertijd onmisbaar waren vanwege hun bereidheid ergens geld in te steken. Stanić was de man met wie Irene namens Anne had moeten onderhandelen over de ring van de keizerin. Hij financierde ook twee van Louis' belangrijkste restauratieprojecten. Irene wist dat Louis zich niet kon veroorloven een uitnodiging voor een etentje met Stanić af te slaan. 'Vergeet niet dat Louis dankzij hem zijn werk kan doen, Simone,' zei ze.

Simone liep om een vrouw heen die varkensvlees opdiende uit bamboemandjes die aan de uiteinden van een bamboe lat hingen, net als bij een weegschaal. Verontwaardigd merkte ze op: 'Er is een tijd geweest dat Louis me onder geen enkele voorwaarde zou laten zitten, zelfs al had God zelf hem voor een etentje uitgenodigd.'

'Je hebt nog steeds mijn vraag niet beantwoord. Waarom heb je niet tot na het ontdekken van de tempel gewacht om Louis te zien?'

'In dat restaurant heb ik mijn eerste kom haaienvinnensoep gegeten.' Simone wees naar de overkant, de vraag ontwijkend. 'En in het pand ernaast heb ik mahjong leren spelen.' Ze hield stil voor een winkel midden in een rij gebouwen met balkons in Franse stijl. Op een houten uithangbord stond OPIUMHANDE-LAAR in wel zes talen. De geur die door de open deur naar buiten dreef was zoet, bedwelmend. Door de rookwolken heen zag Irene een oude man, die met zijn hoofd op een majolica hoofdsteun lag te wachten. Zijn skeletachtige bovenlijf was bloot. Een jongen niet ouder dan een jaar of tien maakte boven een open vuur een ivoren pijp voor hem klaar. Simone keek er vol verlangen naar en zei: 'Misschien moeten we even rusten.'

'Geef nou eens antwoord.'

Koppig hield Simone haar mond en ze liep een straatje in dat smaller leek vanwege al het volk. Mannen, vrouwen, kinderen en hun grootouders kwamen er bij zonsondergang hun huizen uit. De geur van wierook, vermengd met die van nog meer opiumtenten en van gevogelte geroosterd boven een houtskoolvuurtje, hing in de lucht. Simone ging een apotheek binnen waar stapels donkerbruine peulen en zwaluwnestjes opgestapeld voor de ramen lagen, met in het midden de kaak van een tijger. Irene ging achter Simone aan naar binnen. De onmiskenbare molmgeur van oude paddenstoelen en nat gras die uit de manden opdreef, deed haar naar adem happen.

Simone deed een greep in een van de potten en haalde er een schilferige knol uit die op gember leek. 'Geelwortel,' zei ze. 'Een papje hiervan is goed voor je huid. Helpt tegen geelzucht.'

Irene pakte de knol aan en stopte hem terug in de pot. 'Je kunt me niet negeren.'

Het tegendeel bewijzend begroette Simone de winkeleigenaar in het Mandarijn. Hij beantwoordde haar groet door zijn bebaarde kin lichtjes te laten zakken. Op het feit dat zij zijn taal sprak, reageerde hij niet, noch op haar merkwaardige zwarte kostuum, haar magenta das en broek met kachelpijpen, die onderaan in een paar Victoriaanse knooplaarsjes gesnoerd waren. Terwijl zij het woord voerde, nam hij twijgjes en blaadjes uit potten en schalen tot er een tiental bergjes op de toonbank lagen. Het had wel wat van de buit van een knulletje na een dag lang spullen verzamelen in het bos.

Simone wees op een van de stapeltjes. 'Dit is tegen insectenbeten, tegen jeuk. En het is ook ontstekingsremmend. Die daar is tegen schimmel. Na een paar dagen in de jungle ken je je eigen voeten niet meer terug, en dit helpt beter dan welke zalf van een westerse arts dan ook.' Ze pakte een gedroogd blad op. Het leek op een varen. 'Zoete alsem, tegen malaria. Louis heeft malaria gehad. Hij neemt er kinine tegen, aangezien hij niet zoveel vertrouwen in Chinese medicijnen heeft als ik. Maar ik neem het toch maar mee. Hij hoeft niet te weten wat ik in zijn thee doe.'

Irene liet Simones opmerking tot zich doordringen. 'Waar heb je het over?'

Simone keek toe terwijl de winkelier elk bergje apart in bruin papier verpakte. 'Als je eenmaal malaria hebt, gaat het niet meer over. Maar je kunt voorzorgsmaatregelen...'

'Gaat Louis met ons mee dan?'

'Ja.'

'Absoluut niet! Nee!'

'Hoe bedoel je, nee?' vroeg Simone verbolgen. 'We hebben hem nodig.'

'Wat heb je in godsnaam gedaan?'

Met haar rug naar de winkelier zei Simone: 'Ik dacht dat je blij zou zijn. Jij hebt geen enkele praktijkervaring. Hij kan het ons een stuk makkelijker maken.'

'Ik weet wat ik doe.'

'Er komt wel meer bij kijken dan lijstjes maken, Irene.'

Irene voelde zich in het nauw gedreven, en wilde Simone laten zien dat er geen reden was om denigrerend te doen. 'Je hebt toch gezien dat ik met Roger sprak? Hij geloofde me, Simone. Hij geloofde het verhaal dat ik hem opdiste.'

'En toen trok hij zijn pistool.'

'En die douanebeambte dan? Hij nam mijn geld aan. Het was een makkie. Ik heb genoeg bij me om elke ambtenaar in Indochina om te kunnen kopen. Ik kan je zo een envelop voor de commissaire geven als je dat wilt.'

Simone stak de winkelier een bankbiljet toe. Ze mompelde 'xie xie' en stopte haar aankopen in haar leren schoudertas. Ze trok Irene aan haar mouw en snelde naar buiten. 'Dat soort dingen kun je beter niet in het openbaar zeggen. Veel mensen hier doen maar alsof ze geen Engels spreken, en een groot deel daarvan werkt voor het gouvernement. Iedereen houdt iedereen in de gaten. En neem van mij aan, Irene, dat je elke keer dat je iemand geld toeschuift achterdocht wekt. Als je te pas en te onpas met geld strooit, betekent dat dat je wat te verbergen hebt. Louis geeft onze reis een legitieme reden, begrijp je dat dan niet?'

Irene trok zich los en stapte opzij voor een plas bloed op de drempel van een slagerswinkel. Ze dook onder de karkassen van gelakte eenden door, die aan haken aan de dakrand hingen. Bij de misselijkmakende aanblik van glimmende speenvarkens, die op een toonbank buiten lagen uitgestald als kinderspeeltjes in een griezelverhaal, draaide ze zich af.

'Mannen nemen meteen alles over,' zei ze. 'Ze confisqueren alles, alsof het hun recht is. Maar nu niet. Dat gaat dit keer niet gebeuren! Ik laat Louis me niet afnemen wat van mij is.'

Ze doken een volgende winkel binnen, vol met plankladingen tulbanden en bamboekalenders. Simone haalde haar Gitanes uit haar zak. Ze stak Irene het blauwe pakje toe. Maar Irenes ogen brandden. Haar keel was schor van alle rook die ze al had ingeademd.

'Je hebt het me niet eens gevraagd,' zei ze, en ze schudde haar hoofd.

'Ik vraag het je nu. Ik vraag je om redelijk te zijn. Om na te denken over onze positie. Twee vrouwen, van wie één met een man die net vermoord is, samen op stap in de jungle. Wat kan dat anders betekenen dan een vlucht? Irene, Louis is gerespecteerd hier in Indochina. Hij is een hooggewaardeerd collega. Hij mag zich in alle uithoeken van Cambodja ophouden. Hij kan doen en laten wat hij wil, en iedereen die hij met zich wil meenemen. Ik begrijp je bezwaren niet. Dacht je nu echt dat we dit zonder hulp voor elkaar zouden krijgen?'

'Ja,' antwoordde Irene. 'Dat dacht ik.'

'Waar baseer je dat op?'

'Op jou.'

'Mij?' Simone klonk oprecht verbaasd. 'Waarom?'

Nu sloeg de twijfel bij Irene toe. Ze werd er onrustig van. Ze hoestte vanwege de rook om hen heen, maar wist de onzekerheid in haar stem niet te verbergen.

'Jij bent een expert.'

'Ik ben een expert op het gebied van bouwkundige afwateringsconstructies, van Sanskriet, van de Ramayana en Mahabharata en Marxisme en vakbonden. Ik ben ontegenzeggelijk een expert op het gebied van mislukte huwelijken. Maar van het vinden van schatten? Roger en ik hebben één keer een reliëf gepikt om de schulden van onze krant te kunnen afbetalen.' Simone draaide zich om en bekeek de waren die op de planken waren uitgestald. 'Allemaal nep. De Chinezen kunnen werkelijk alles namaken. Koop nooit een Waterman-pen in Cholon.' Ze stak haar hand in een teil met muiltjes, en trok er een paar uit met een bosje rode klaprozen geborduurd op blauwe zijde. 'We hebben Louis hard nodig. Ik had je dit niet willen vertellen, maar ik denk dat meneer Boisselier door Roger gestuurd was. En Roger zou hem over de tempel verteld kunnen hebben.'

'Dat weet ik.'

Simone klemde haar hand om de muiltjes. 'Hoe?'

'Ik heb gevraagd voor wie hij werkte.'

Simone begon te lachen. 'Jij hebt echt geen idee hoe je dingen hier moet aanpakken. Niemand stelt zulke vragen.'

Langzaam kwam Irene tot zichzelf. 'Ik wel. En hij vertelde me dat Roger hem had ingehuurd.'

'Je denkt dat je erg slim bent, nietwaar? In dat geval zou je moeten begrijpen dat we Louis nodig hebben.'

Tot haar spijt zag Irene er inderdaad de logica van in. Ze begreep zelfs waarom het noodzakelijk was hem erbij te betrekken. Maar met hem erbij zou het nog moeilijker worden om de koperplaten Cambodja uit te krijgen.

'Ik had je die kaart nooit moeten laten zien,' zei ze. Het vertrouwen dat ze aan boord in Simone gehad had, vertoonde scheurtjes. 'Nu je weet waar de tempel is, heb ik geen keus.'

Ze wachtte of Simone dit zou ontkennen. Maar Simones aandacht werd afgeleid door een drietal langslopende hoertjes. De oude vrouw die de waren bewaakte klakte misprijzend met haar tong vanwege hun gekleurde kousen, satijnen muiltjes en zwart satijnen kuitbroeken. Simone betaalde de vrouw een paar munten voor de muiltjes die ze had uitgezocht.

'Hier, voor jou,' zei ze, en zonder te kijken overhandigde ze ze aan Irene. Snel liep ze terug in de richting van de trolleybus.

10

De juiste jurk

De volgende morgen zat Irene in restaurant Brodard op de Rue Catinat koffie te drinken en in een gepocheerd eitje te prikken. Simone was naar het politiebureau. Ze wilde er per se alleen heen. Het stond nog te bezien hoe ze zou reageren of wat ze zou zeggen als ze onder druk stond. En alsof dat niet zorgwekkend genoeg was, ging Irene aan het eind van deze verloren dag ook nog eens met Louis Lafont dineren.

Geïrriteerd dacht ze terug aan de avond ervoor. Eenmaal uit de Chinese wijk had ze in de buurt van Simone willen blijven, in de hoop dat ze Simone kon uithoren over de werkelijke reden waarom ze Irene niet verteld had dat ze Louis zouden ontmoeten. Ze had echter niet kunnen verhinderen dat Simone zich terugtrok in haar kamer. Irene had zich met de krant in de salon van het hotel geïnstalleerd, en op een gegeven moment Louis zien terugkomen van zijn etentje met Murat Stanić. Even later was hij Simones kamer in gegaan. Dat werd haar tenminste duidelijk toen ze boven op de gang liep en ze Simone hem hoorde toeschreeuwen dat hij haar nooit alleen had mogen laten. Dat zij er nu voor opdraaide om alles aan Irene uit te leggen.

Toen ze haar naam hoorde, hield Irene haar adem in. Maar het was bijna alsof Simone aanvoelde dat ze in de buurt was. Ze sprak meteen een stuk zachter, waardoor Irene niets meer kon verstaan. Ongerust was ze haar kamer in gegaan. Ze kon alleen maar gissen wat Simone en Louis voor elkaar voelden. Ze waren een stel geweest, als wat die journalist riep tenminste de waarheid was. Maar dan nog, wat betekende dat? Het enige wat Irene met zekerheid wist, was dat ze beiden uit Siem Reap kwamen en rond Angkor waren opgegroeid. Toen ze later in bed lag, kostte het haar geen enkele moeite zich voor te stellen hoe Louis, op het moment dat Simone hem erover vertelde, zich de tempel toegeëigend had.

En nu raakte ze al van slag door de ochtendlucht, schraal van het papaverwaas afkomstig uit de opiumfabriekjes aan de rivier. Irene keek naar hindoes die hun kraampjes opzetten om ook vandaag weer hun tabak te verkopen. Aan tafeltjes om haar heen zaten tientallen Europeanen, allemaal in het wit gekleed alsof ze meespeelden in een koloniale Griekse tragedie. Na alle heisa op de kade de dag ervoor had ze er zich mentaal op voorbereid dat de brutaalste van de journalisten een nieuwe poging zou doen, of dat er een gendarme gestuurd kon worden om haar in de gaten te houden. Maar in plaats daarvan zat ze onbespied buiten, iets waar ze erg onrustig van werd, omdat ze er het gevoel van kreeg dat alles zich achter haar rug op het politiebureau afspeelde.

Irene wist dat ze te achterdochtig was, maar de afgelopen vierentwintig uur hadden haar van haar stuk gebracht. Ze had al met Simone op weg naar Cambodja moeten zijn. In plaats daarvan had ze vandaag niks te doen. Ze kon proberen om Marc Rafferty te vinden, maar ze had nog niet bedacht wat de reden was waarom ze hem wilde zien. Wilde ze uitvinden tegen wie ze het moest opnemen, of was het omdat ze die avond in Shanghai van hem gecharmeerd was geraakt? Als het om dat laatste ging, dan kon ze zich dat niet permitteren. Het ergerde haar dat haar emoties de praktische kant van de zaak in de weg stonden. Dus nadat ze haar ontbijt had weggewerkt, hield ze het erop dat er op dit moment niets nuttigers voor haar te doen was dan winkelen. Ze had haar hele reisgarderobe doorgespit en niets aangetroffen wat geschikt was voor een etentje met Louis. Ze moest hem duidelijk maken dat alleen zíj de leiding had, en daarmee uit. En ze had al lang geleden uitgevonden dat een vrouw met de juiste jurk haar omgeving imponeerde.

De Rue Catinat, wist ze, was de Rue de la Paix van Saigon, dé winkelwijk van Parijs. Wandelend onder de takken van tamarindebomen, die zwaar waren van de bruine peulen, bekeek ze de etalages met Delphos-middagjaponnen, kettingen van Venetiaanse kralen en goudlamé operacapes. Maar niets deugde. Het was kleding bedoeld om afstand te nemen van de Oriënt, waar tussen de marmeren puien van juweliers- en bontzaken straatjes met koperen godenbeelden en Tonkinees borduurwerk te vinden waren. Die donkere steegjes hingen vol rode papieren lantaarns, zodat ze wel kleine tempels leken. Het was niet Irenes bedoeling zich te distantiëren van dit authentieke Indochina. Ze wilde de indruk maken dat ze er hoorde, dat ze aanspraak kon maken op dat deel dat ze binnenkort zou krijgen. Na een poosje stapte ze een winkel binnen in de hoop dat de eigenaresse begreep wat haar voor ogen stond.

De aanmatigende Française met hangboezem die de leiding had over de winkel, had niet het flauwste idee. Ze drong erop aan dat Irene zich in het obligatoire wit van de tropen zou steken: wijde rokken tot op de grond, gewaagde rokken met een golvende zoom op de knie. Ze gaven haar de indruk dat ze iemand uit een kinderrijmpje was, en dat ze schapen moest gaan hoeden. Daarna toverde madame elke kleur van de regenboog tevoorschijn. Stuk voor stuk stonden ze Irene tegen, vooral het smaragdgroen dat zo in de mode was.

'Ik lijk wel een rijke kabouter zo,' reageerde ze gefrustreerd. 'Mevrouw, u luistert niet. Ik wil iets Aziatisch. Als u dat niet in huis heeft, zeg het dan, zodat ik het ergens anders kan proberen.'

De vrouw, die net zo gefrustreerd was maar niet van plan haar omzet zonder slag of stoot prijs te geven, riep haar Chinese winkelassistente naar de ruimte achter de winkel. Het meisje kwam tevoorschijn met een bundeltje pikzwarte zijde, dat ze over de toonbank uitspreidde. Irene wierp één blik op de ijsblauwe, facetgeslepen glazen kralen in exact de kleur van haar ogen die op de opstaande kraag gestikt waren, en ze wist dat ze gevonden had wat ze zocht.

'Het is gemaakt voor een *fête costumée*, wat u een gekostumeerd bal noemt,' zei de vrouw afkeurend, toen Irene het gordijn van de paskamer dichttrok. 'De klant bedacht zich nadat ze hem gepast had. Zoals u ziet is het niets voor een Europeaan.'

Het was geen jurk, ook al konden de tuniek en broek er wel voor aangezien worden, zeker 's avonds. Het was een variant op de traditionele kleding die gedragen werd door vrouwelijke Annamieten. De mouwen waren niet lang en strak, maar bolden over Irenes schouders als de knoppen van een lotusbloem. De tuniek viel tot op haar kuiten en had opzij een split tot aan de heupen, getooid met een paar Chinese knopen. Bij elke stap zag je de vloeiende lijn van de broek. Irene draaide zich van de spiegel weg, en stapte de pasruimte uit. Op het gezicht van de vrouw viel de afkeuring te lezen die Irene gehoopt had te zien.

Dit ensemble was absoluut ongeschikt voor de gezette westerse clientèle van deze winkel. Dit was iets voor een oosterse vrouw. Of voor iemand die slank en soepel was als Irene. Wie dit gracieus wist te dragen, stak iedereen de loef af. Irene kon dat. Ze had nu al een streepje voor op Louis Lafont.

'Het is perfect,' zei ze.

'Het past u tenminste wel,' gaf de vrouw onwillig toe.

Irene liet de kleding afgeven bij haar hotel. Toen ze de winkel uit liep negeerde ze het geroep van de riksjarijders, en liep de Rue Catinat af in de richting van de Boulevard Norodom. Ze liep in stevige pas tegen een zwiepende tropische wind. Zo hoopte ze de zenuwen die opliepen naarmate de afspraak met Louis dichterbij kwam, te onderdrukken. Boven haar bogen de takken van platanen in de wind. Bougainvilleblaadjes wapperden tegen omheiningen. En de lucht begon te betrekken. Het werd pikkedonker, iets wat overdag alleen gebeurde als er onweer op komst was. Toen ze tegenover het postkantoor op het Notre Dameplein aankwam, zag ze rond de torenspitsen van de kathedraal zwermen libellen, die in drommen onder de hoog geheven kruizen door vlogen.

Ineens ging de wind liggen. Het werd windstil onder de zware bewolking. De eerste regendruppel viel op haar onderarm, een druppel die zo zwaar was dat ze dacht dat hij een blauwe plek zou achterlaten. Ze zette het op een rennen in de richting van het postkantoor. Ze hoefde maar een meter of tien, maar tegen de tijd dat ze de luifel boven het bordes bereikt had, was ze kletsnat. Onder het afdak stond ze te wachten tot de regenbui voorbij was. Ze rook de geur in de lucht, een mengeling van natte bladeren en carbolineum. Het was alsof ze de glibberige plukken schimmel onder de dakrand kon voelen, die pluizige vorm van bederf die de fundering van de stad aantastte. Uitgerekend Louis Lafont ging zich ermee bemoeien! Wat zou het gemakkelijk voor hem zijn om een spaak in het wiel te steken.

Irene kwam om acht uur bij het Continental Hotel aan. Simone en Louis waren er nog niet. Achter de ober aan liep ze het buitenterras over. Een koloniaal met een rood gezicht knikte haar goedkeurend toe. Zijn vrouw, gekleed in een opbollende satijnen jurk, deed alsof ze het niet merkte. Dit was het bewijs dat haar ensemble een succes was. Dat deed Irenes wankele zelfvertrouwen goed.

Aan een tafeltje bij het smeedijzeren hek dat het terras scheidde van de straat, bestelde ze een dubbele whisky om zich moed in te drinken. Op de stoep liet een groep riksja-lopers hun ledematen over de opgerichte staken van hun riksja bungelen. Inheemse jongens stonden op de straathoeken, en zwaaiden met kranten naar de Europeanen die bij de restaurants arriveerden. Knokige, in het zwart geklede oude mannetjes liepen voorbij en deden een heilloze poging om stenen Boeddhabeelden te verpatsen. De avondwind had de stad van de ergste hitte verlost. De lucht was glashelder, bijna koel nu. Onder de potten met palmen werd in ondiepe aardewerken schaaltjes wierook gebrand. De subtiele geur deed Irene denken aan de

Khmer-afdeling van het Brooke Museum. Bij deze gedachte betrapte ze zich op een lichte nostalgie; ooit was haar leven zo simpel geweest. Op het moment dat ze Louis over het plein aan zag komen lopen, pakte ze haar glas en dronk het leeg.

Met lange, doelbewuste passen kwam hij op haar af. Hij zag er verzorgd uit, droeg een op maat gemaakt linnen avondkostuum, dat keurig geperst was voor een wetenschapper, die doorgaans wel wat belangrijkere zaken aan zijn hoofd had, vond Irene.

'Goede avond, mademoiselle Blum,' zei hij.

'Noemt u me vooral Irene.'

Hij zocht het terras af. 'Is Simone er niet?'

'Ik dacht dat ze met jou mee kwam.'

Afwezig greep Louis een stoel. 'Je hebt haar dus vandaag niet gezien?'

'Denk je dat er iets fout is gegaan op het politiebureau?' vroeg ze, terwijl de angst dat Simone uit de school geklapt had tegen de autoriteiten opnieuw toesloeg. 'We zouden het toch wel gehoord hebben als ze gearresteerd was?'

Louis had geprononceerde gelaatstrekken die hem een intense uitdrukking gaven, waar Irene wat schichtig van werd. Zijn ogen dwaalden van de blauwe kralen op haar kraag naar de ernstige trek om haar mond. Ze realiseerde zich dat haar kledingkeuze op hem geen uitwerking had. En net zomin werd hij afgeleid door haar haar, dat ze opgestoken had om haar hoge jukbeenderen te laten uitkomen, of door de zwartkristallen oorringen die ze gekozen had omdat ze de lijnen van haar nek benadrukten.

'Is er een reden om haar te arresteren?' vroeg hij.

Irene moest het hem nageven. Zelfs op meneer Simms kreeg ze nog wel eens vat met een fraaie jurk. Ze bestudeerde Louis' hoekige gezicht om uit te vinden of hij de ware toedracht rond Rogers dood kende. Maar hij was niet te peilen. Hij stak zijn hand op om de ober te roepen, en bestelde een Dubon-net voor zichzelf en nog een whisky voor Irene. Toen ze niet reageerde, vroeg hij: 'Zou je ongerustheid iets te maken kunnen hebben met een tempel die volgens jou verborgen ligt in de jungle van Stung Treng?'

Irenes voorgevoel klopte dus. Simone hád Irenes geheim prijsgegeven, zonder rekening te houden met wat zij wilde.

'Opmerkelijk dat ze jou over de tempel verteld heeft, maar mij niet op de hoogte bracht dat jij je in Saigon bij ons zou voegen.' Irene wachtte even, omdat op dat moment de drankjes geserveerd werden door een man met een open tulband waaruit zijn glimmende zwarte haar in een simpel knotje omhoogstak. 'Waarom is dat, denk je?'

'Ik denk dat ze wel wist hoe je zou reageren.'

'Wat bedoel je daarmee?'

'Ze heeft me verteld hoe boos je was, gister in Cholon. Je wilt niet dat ik meega. Dat begrijp ik natuurlijk wel. Als het mijn ontdekking was, zou ik die ook niet willen delen. Maar daar is het nu te laat voor, want Simone heeft het me al verteld. En ik wil erbij zijn als jullie die tempel ontdekken.'

Zijn pretentie was om woest van te worden.

'De koperplaten zijn niet...'

'Koperplaten?' Louis was perplex.

'Heeft ze niet...'

'Welke koperplaten?'

'Ik nam aan...' Zenuwachtig keek Irene om zich heen; achter het theater vandaan zag ze Simone het Garnierplein op lopen, met aan elke arm een matroos. Strengen kristallen kralen brachten haar jurk tot leven. Een met stenen bezette haarband lag als een halo om haar hoofd, en de gepoetste gespen op haar laarzen blonken je tegemoet. Ze liet de matrozen los.

Louis boog zich naar haar toe, alsof hij erheen getrokken werd. Hij verloor Simone geen moment uit het oog, maar zei wel tegen Irene: 'Voor de avond om is wil ik alles horen over die koperplaten van je.'

Simone had niet het voorkomen van een vrouw die de hele dag op het politiebureau vragen over de moord op haar man had moeten beantwoorden. Ze blikte hooghartig rond naar de mensen op het terras, keek toen Louis aan en verklaarde: 'Aan de goktafels heb ik een geweldig Joegoslavisch echtpaar ontmoet, uit Shanghai. Ze hebben me uitgenodigd straks mee te gaan dansen in de Cascades. Ik zou maar mijn beste beentje voorzetten als ik jou was, anders ga ik met ze mee.'

Louis sprong op en bood haar een stoel aan. 'Ik heb net een fles Moët besteld.'

'Dat is een hoopvol begin.' Simone glimlachte.

Met de vanzelfsprekendheid die het gevolg is van een lange relatie, stak hij zijn hand uit om een sliert haar in te stoppen, die losgeraakt was uit haar haarband. Maar ze dook weg en bitste tegen Irene: 'Weet je wat die commissaire presteerde om tegen me te zeggen? "Zonder zijn giftanden is een slang machteloos." Alsof ik geen enkele bijdrage aan de strijd geleverd heb! Alsof ik een marionet was. Alsof ik niet net zo goed als Roger – nee, beter dan Roger – de revolutie aan kon sturen.'

'Zet het van je af,' zei Louis. 'Dat is nu voorbij. Simone, waarom heb je me niks gezegd over koperplaten?'

'Heb je hem dat verteld?' vroeg Simone verbijsterd aan Irene.

Irene werd er misselijk van dat ze zo onzorgvuldig geweest was om te denken dat Louis er al van wist. 'Ik dacht dat jij...'

'Natuurlijk niet,' reageerde Simone beledigd. 'Die eer had ik aan jou gelaten.'

'Wat is er allemaal aan de hand?' vroeg Louis.

Simone greep de fles champagne, schonk haar glas vol, en hief het. 'We gaan de loop van de geschiedenis veranderen,' zei ze lachend. 'We gaan geschiedenis schrijven.'

Louis keek naar Irene, wachtend op een verklaring. Waren de omstandigheden anders geweest, dan zou ze het geweldig hebben gevonden om Louis Lafont, assistent-conservator van de Conservation d'Angkor, informatie te kunnen verschaffen over de locatie van de geschiedenis van de Khmer. Zij zou degene moeten zijn die haar glas champagne hief voor een toost. Maar het enige wat ze kon denken, was: het is twee tegen één. Ik tegen hen.

'Ik heb me aan alle kanten moeten beheersen om je niet alles te vertellen, Louis. En je weet hoe weinig zelfbeheersing ik heb. Maar nu! O Irene, ik wist wel dat je het uiteindelijk van mijn kant zou zien.' Enthousiast vertelde Simone Louis: 'De vader van Irene heeft een dagboek gevonden dat aan een missionaris toebehoorde. Het bevat een kaart, Louis. Een die leidt naar een tempel nabij Stung Treng. Hij heeft die tempel gezien...'

'Je vader?' vroeg Louis aan Irene.

Irene schudde haar hoofd. Ze probeerde haar gedachten op een rijtje te krijgen, maar kon zich niet concentreren met het bestekgekletter op de achtergrond, en de kreten van een verslaafde die aan de andere kant van het hek een tijgerhuid probeerde te slijten. In de tussentijd speelde het restaurantorkest ook nog eens een opzwepende tango, die meer geschikt leek voor later op de avond.

'De missionaris heeft de tempel gezien,' corrigeerde Simone Louis. 'Hij zag een rol, een koperplaat! En je kent de geruchten over de geschiedenis. Dat is exact het woord dat hij gebruikte in zijn dagboek. Geschiedenis.'

'Heb jij dat dagboek gezien?' vroeg Louis haar.

Ze knikte.

'En die kaart?'

'Ja, o ja, fantastisch.' Simones ogen straalden. Ze nam een slok en morste champagne. Irene vroeg zich af of ze iets geslikt had. Simones enthousiasme kwam wat onnatuurlijk over. 'Het klopt, Louis. Het is echt waar,' verklaarde ze.

Louis leek nog steeds niet onder de indruk. 'Niet direct een gebied dat met de Khmer geassocieerd wordt,' zei hij. 'Kaart of geen kaart, het is nogal een aanname om daar iets van betekenis te verwachten.'

Irene dacht aan alle keren dat ze haar kwaliteiten verzwegen had, en hoe dat haar ten slotte noodlottig geworden was. Het was een risico, maar ze was niet van plan Louis Lafont in de waan te laten dat ze een amateur was.

'Heb jij de onderzoeken van Simones vader naar de handels-routes van de Khmer bestudeerd?' vroeg ze. 'Als je de lijnen die hij heeft uitgezet volgt in de richting Laos, kom je bij een net-werk van wegen die abrupt eindigen bij de rivier ten noorden van Kratie. In het museum heb ik brieven gezien van een bota-nicus die stenen wegwijzers vond in de provincie Ratanakiri. Ik heb zijn vondsten gekoppeld aan die van Simones vader én de zuilen die door de Garnier-expeditie aan het licht zijn ge-bracht. Deze weg leidde rechtstreeks naar de plaats waar de missionaris beweert de koperplaten gevonden te hebben.'

Nu had Irene Louis' volle aandacht. Aan zijn gezicht af te lezen realiseerde hij zich dat ze wel eens kennis van zaken kon hebben.

'Truffaut heeft maanden in dat gebied doorgebracht,' merkte hij op. 'En die heeft geen tempel gevonden.'

'Ik heb zijn kaarten bestudeerd. Hij is nooit in Kha Seng ge-weest. En dat is waar de tempel moet staan.'

'Mijn hele carrière is afgestemd op deze ontdekking,' zei Louis tegen Irene terwijl hij een Gauloise opstak. 'Jij bent nog nooit in Cambodja geweest, en toch beweer je het beter te weten. Hoe zou dat kunnen?'

'De hebzucht van Henry Simms,' antwoordde Simone. 'Die maakt het mogelijk.'

'Henry Simms? Hoe bedoel je?' vroeg Louis.

'Hij financiert mijn expeditie,' legde Irene uit. Er was geen enkele reden dit feit te verzwijgen.

Louis fronste. 'Dus daarom is hij in Phnom Penh.'

Het was alsof er een bom afging. Irene hoorde alleen nog het gesuis in haar oren. 'Waar heb je het over?' vroeg ze, toen er weer wat geluiden binnendrongen van het orkest, de schreeu-wende krantenjongens, en de conversatie aan de andere tafeltjes.

'Hij is hier twee weken geleden aangekomen.'

Boven de tafels vermengde de kringelende sigarettenlucht zich met de geur van verschaalde drank en overgaar vlees. 'Wel-nee, dat kan niet,' zei ze.

Dat bracht Louis van zijn stuk.

'Ik heb hem gezien.'

'Ik wist het wel, Irene.' Simone, die eerst opgetogen geweest was, was onrustbarend snel kwaad geworden. 'Ik wist wel dat Simms en jij samen iets van plan waren,' siste ze.

'Had je geen idee dat hij hier was?' vroeg Louis aan Irene.

'Hij is ziek,' zei Irene, en ze staarde door haar lege glas alsof het een loep was waaronder ze de dag van haar vertrek naar Shanghai kon bestuderen. Ze zag meneer Simms in zijn auto op de kade voor zich, op een moment dat hij niet wist dat ze naar hem keek. Zijn uitdrukking was ongekunsteld geweest. Grimmig vanwege de slopende ziekte. 'Hij is te ziek om te reizen. Hij zou niet hierheen gekomen zijn als er niet iets aan de hand was.'

'Wat zou er aan de hand kunnen zijn?' vroeg Louis.

'Wie heb je het allemaal nog meer verteld?' wilde Irene van Simone weten. 'Je hebt het Louis verteld, en wie nog meer? Dit is jouw schuld, dat weet ik zeker.'

'Irene, kalm een beetje,' zei Louis. 'Weet er buiten wij drieën en Henry Simms nog iemand van de tempel?'

Irene zag een menigte het Municipal Theater uit stromen. Mannen in witte pakken en vrouwen in witte jurken kwam als geesten de trappen af. Ze zag een glimmertje blauw, een groenige flits: pauwenveren in het haar van een jonge vrouw met een café au lait-kleurige huid. Ze herinnerde zich die avond in Shanghai, de avond dat ze zich zo alleen gevoeld had. En terwijl ze opstond zei ze: 'Ja, nog iemand weet ervan.'

11

De vlindertuin

Achter een hoog smeedijzeren hek zag Irene een bewaker in een hangmat die tussen twee magnoliabomen hing. Ze lichtte de klink op en opende langzaam het hek. Ook al was ze nog zo voorzichtig, het hek kraakte. Maar de man bewoog niet. Behoedzaam schoot ze langs hem heen en ze klopte zachtjes op de deur van de bungalow van Marc Rafferty's tante.

Er deed niemand open. Ze klopte nog wat harder. Nog steeds kwam er niemand. Ze had de bewaker kunnen wekken om Marc te gaan halen, maar ze was bang dat hij haar op dit late uur de deur zou wijzen. Dat hij zou zeggen dat ze de volgende ochtend terug moest komen. Ze voelde aan de deur. Die was open.

De voorkamer was ingericht met olieverfschilderijen, Delfts aardewerk en kant. Herinneringen aan een Europa van vroeger. Irene snoof en rook de dezelfde muffe geur die aanwezig was in alle gebouwen in Shanghai en Saigon waar zij binnen geweest was. Ze stapte de hal in en gluurde langs de gesloten deuren het huis in. Verderop brandde een lichtje. Ze liep door naar achteren, naar een gesloten veranda waarover een web gespannen leek vanwege het gazen muskietennet. Uit een donker paadje dook Marc op. In het licht van de lantaarns in de bomen zag ze dat hij gekleed was als een Indiër, met een wijde, witte broek en een kraagloze *kurta*.

Als hij verbaasd was haar te zien, dan liet hij dat niet merken. Hij bleef staan aan het eind van het paadje, gehuld in de rook afkomstig van een bamboe fakkel. Irene was in een opwelling gekomen. Ze was binnengelopen zonder uitnodiging. Staand in de deuropening van de veranda dacht ze maar aan één ding: schuilen bij deze onbekende. Ze wilde niets liever. Het beviel haar niks dat ze zichzelf moest voorhouden waarom ze hier was.

'De lokale kledingstijl staat je,' merkte Marc op. 'Je ziet er prachtig uit.'

Voor ze haar gedachten verder liet afdwalen, vroeg ze: 'Wist je dat meneer Simms in Phnom Penh is?'

'Ja.'

'Hoe dan?'

Peinzend nam hij een zelf gerolde sigaret uit zijn zak en stak die aan. 'Als Henry Simms in Indochina is, blijft dat niet geheim.'

'Wel voor mij.'

'Hoe bedoel je?'

'Ik hoorde het pas vanavond van Louis Lafont.'

'Ik nam aan dat je het al wist op het moment dat we elkaar spraken in Shanghai. Ik dacht dat het de bedoeling was dat je hem in Cambodja zou ontmoeten. Wat is er? Kom eens hier, en vertel me wat er aan de hand is.'

Irene hield wat afstand. Maar toen ze de onderste trede van het verandatrapje bereikt had, was ze hem toch dicht genoeg genaderd om de donkere spikkels in Marcs groene ogen op te merken, die glinsterden in het lantaarnlicht. Hij was nog knapper dan ze zich hem herinnerde. Nu hij Shanghai achter zich had gelaten, leek hij ontspannen. Ze moest zichzelf dwingen zich tot het onderwerp te beperken.

'Zit jij achter de koperplaten aan?'

Hij lachte. 'Waarom vraag je me dat?'

'Er moeten kapers op de kust zijn. Anders was meneer Simms niet helemaal hierheen gekomen. Niet in zijn toestand. Jij kent de Oriënt als geen ander. Wie denk jij dat een gevaar kan vormen voor de expeditie?'

Marc nam een trekje van zijn sigaret. 'Ik moet toegeven dat

het vreemd is dat Murat Stanić ineens opduikt in Saigon. Het laatste wat ik over hem hoorde, was dat hij zich in Zuid-Amerika ophield. Hij zou wel eens een risico kunnen vormen. Maar als ik iemand aan zou moeten wijzen, zou dat Simone zijn.'

Irene had het absurde gevoel dat hij haar iets vertelde wat ze al gezien had moeten hebben. 'En waarom?'

Er kwam een verdwaald palmblad over de dakrand van de veranda omlaag, dat een zijden paneel van een Japanse lantaarn raakte. Onmiddellijk draaide Marc zich in de richting van het geluid. Uit zijn snelle reactie bleek dat Marc voortdurend op zijn hoede was. Hij gooide zijn sigaret op de grond en liep de wollige schaduwen van de tuin in. Terwijl Irene hem langs een paadje met golvende bestrating volgde, zei hij: 'Het eerst wat Simone deed de dag nadat ze je op Annes feestje ontmoet had, was een telegram naar Lafont sturen.'

'Met welke tekst?'

'Dat ze binnenkort naar Cambodja kwam. Dat haar tijd gekomen was. Dat ze de geschiedenis naar haar hand ging zetten.'

Irene kreeg een wegtrekker van Simones ondoordachtzaamheid.

'Noemde ze de tempel?'

'Niet direct. Maar nadat ik jou gesproken had, ging ik ervan uit dat ze daarop doelde.'

'Marc, hoe kwam jij aan haar telegrammen?'

'Dat was waar ik me mee bezighield in Shanghai. Ik observeerde, ik luisterde, ik hield alles bij: brieven, telegrammen, telefoontjes. Wie kwam of vertrok. Daar kun je uitsluitend in de Oriënt carrière mee maken, en er nog respect door krijgen ook. In Shanghai gebeurde niets zonder dat ik het wist. Als ik eropuit geweest was levens van anderen te ruïneren, had ik m'n brood kunnen verdienen met alleen al de liefdesaffaires. Maar ik hield me vooral bezig met politiek, met deals in achterkamertjes. Met de wijze waarop de communisten het gezag infiltreerden. En hoe het gezag de communisten infiltreerde. Dat idee.'

'En wat deed je met al die kennis?'

'Ik handelde erin. Meestal verkocht ik de informatie.'

Marc bleef staan, en staarde naar de donkere contouren achter in de tuin. Het viel Irene in hoeveel ze gemeen hadden. Ze hadden alle twee een bestaan opgebouwd door heimelijk verworven informatie als ruilmiddel te gebruiken. Maar hij had erkenning en respect gekregen voor zijn talent, en haar had het niets opgeleverd.

'Waarom zou Simone iets wat haar de das om kon doen in een telegram aan haar vroegere minnaar zetten? Roger liet haar toch in de gaten houden?'

'Daar had hij mij voor ingehuurd.'

'Ook al?'

'Ik begrijp dat je Boisselier ontmoet hebt aan boord?'

Irene knikte.

'Waarom heb je Roger niet verteld over dat telegram?'

'Roger Merlin verdiende het niet dit op een presenteerblaadje aangereikt te krijgen. Om heel eerlijk te zijn heb ik Simone jarenlang beschermd, omdat ze me inzicht in de partij gaf. Ik maakte er zelden gebruik van, aangezien iedereen zou weten dat zij de bron moest zijn. Maar ik was er wel van afhankelijk. Ik moest van alles op de hoogte blijven, om te zorgen dat de informatie die ik leverde niet verouderd was. En het ging ook om meer dan één telegram. De week dat ze jou ontmoette heeft ze er wel vier gestuurd. Ze was door het dolle heen. Er was één zin in het bijzonder die me bijbleef. *We moeten wat van ons is in veiligheid brengen.* Ik denk dat ze wel beseft dat je de platen mee wilt nemen naar Amerika.'

'En dus heeft ze Louis' hulp ingeroepen om me dat te beletten.' Irene wierp een blik op een houten werkbank vol bosjes gesnoeide blauweregen. 'Dat neem ik ze niet kwalijk. Ik zou precies hetzelfde doen.' Ze pakte een tak op, drukte eerst haar duimnagel in de zachte bast en trok toen de bladeren eraf. 'Denk je dat meneer Simms van die telegrammen afweet? Is dat de reden waarom hij hier is?'

'Je hebt Simone nog geen drie weken geleden over de tempel

verteld. Hij moet daarvoor al uit Seattle vertrokken zijn. Anders was hij nu niet in Cambodja.' Hij pakte Irene de kale tak uit haar handen en legde die terug op de werkbank. 'Je zet me wel voor een raadsel.'

'Hij is om mij helemaal hierheen gekomen. Hij zou alles doen om me te helpen. Hij weet wat dit voor me betekent.'

'Je vertrouwt hem volledig, hè? Je gaat ervan uit dat hij niks met die koperplaten voorheeft wat jij niet kunt voorzien.'

De onzekerheden bleven zich opstapelen, en dat deed pijn.

'Ik zou wel gek zijn om op dit moment te beweren dat ik ook maar iets zeker weet.'

'Je komt op mij niet gek over.'

'Kan ik het tegen Simone en Louis opnemen, denk je?'

Hij pakte haar pols en legde die op zijn open handpalm, alsof hij haar kracht testte. Hij drukte er zachtjes op, zocht haar hartslag met zijn duim. 'Dat weet ik niet.'

Ze sloot haar vingers om de zijne, liet haar blik veilig afdwalen naar de glinsterende lantaarns in de bomen. 'Vraag me vannacht bij je te blijven.'

Hij deed een stap achteruit. 'Ik zal doen wat ik kan om je te helpen dit op te helderen, maar je kunt niet blijven.'

Geschokt door de afwijzing stamelde ze: 'Ik was niet... Ik dacht...'

'Ik wil niet dat je er spijt van krijgt. En als je blijft...'

Ze voelde hoe zwaar haar handen zonder de zijne leken, zo bungelend aan haar zijde. 'Ik ben geen meisje meer. Ik verwacht niets van je.'

'Was het maar zo simpel.'

Die avond probeerde Irene in slaap te komen. Het dikke katoenen laken voelde als ruw canvas. Toen ze het wegtrapte, streek de tochtstroom van de ventilator als duizend fladderende motjes over haar lijf. Ze stommelde haar bed uit om hem af te zetten. Het werd steeds benauwder. Het leek alsof ze steeds verder wegzakte in de matras, klam verstrikt raakte in een web van uitputting. Nu en dan zakte ze dankbaar weg, om meteen weer op te schrikken op het moment dat haar ene been het andere raakte. Toen bij het krieken van de dag de eerste riksja's voorbijkwamen, voelde ze zich vernederd. Niet alleen was ze door Marc afgewezen, ze kon er ook niet langer omheen dat ze niet zo slim was als ze altijd had gedacht.

Ze zou Simone naar de telegrammen vragen. Maar niet meteen. Bovendien moest ze eerst wat anders doen. Marc had gelijk. Murat Stanić hoorde in Bolivia te zijn. Hij aasde met dezelfde gretigheid op pre-columbiaanse voorwerpen als op die van de Khmer. En op het moment dat er bij de opgraving van de Akapana-piramide een reeks stenen beelden opdook, was Stanić onmiddellijk naar het zuidelijk halfrond afgereisd, wist Irene. Als iemand daar er met de buit vandoor zou gaan, was hij het. En toch was hij nu in Indochina, precies op het moment dat meneer Simms er aankwam. Het was een klein wereldje, dat van de schattenjagers. Toeval bestond niet. Ze had nattigheid moeten voelen op het moment dat ze hoorde dat Stanić in Saigon was. Die misser moest ze nu rechtzetten. Ze wilde met hem praten voor ze met Simone en Louis naar Cambodja vertrok. Niet dat ze hem op de man af zou vragen of hij van de tempel afwist. Zo dom was ze nu ook weer niet. Maar ze kon hem wel uitdagen en tussen de regels door lezen.

Irene liep het kippeneindje terug naar het terras van het Continental, waar de prominenten van Saigon achter hun koffie en krant zaten. Geheel volgens verwachting was ook Stanić daar. Hij zat met zijn ronde, kalende hoofd over de editie van *Le Courrier Saigonnais* gebogen. Met haar naïefste glimlach ging ze bij zijn tafel staan. Op het moment dat hij haar in de gaten kreeg, zei ze: 'Misschien herinnert u zich dat niet, maar we hebben elkaar al eens ontmoet.'

'Pasadena,' zei hij. 'Het landgoed van Huntington. De avond dat Isadora Duncan op het gras danste.' Ook al had hij een voorkeur voor zeer jonge oosterse meisjes, haar mouwloze jurk liet hem niet onberoerd. Dat had ze juist ingeschat. Ze had de rechte jurk gekozen om haar slanke figuur te benadrukken. Ze droeg haar haar in een vlecht, als een jong meisje. En ze had geen lippenstift op.

'Zou ik ooit Henry Simms' geheime wapen kunnen vergeten?' vroeg hij.

'Hoe bedoelt u?'

Hij grijnsde, en toonde de gouden kronen op zijn kiezen.

'De ring die u wilde hebben. Die ring van de weduwe van de keizer die u van mij gekregen hebt in ruil voor de locatie van Caesars robijn. U zei dat u namens iemand anders handelde. Ik let op iedereen. Ik ken uw werk aan het Brooke.'

Ondanks haar afkeer van Stanić was Irene gevleid.

'Komt u erbij zitten,' zei hij.

Stanić was een walgelijke man met een perverse afwijking. Maar dat mocht op dit moment geen rol spelen. Irene ging zitten. Trek had ze niet, maar ze bestelde toch koffie en een croissant. Gelukkig was het nog niet bloedheet, al had de nachtelijke aanblik van amber terraslicht plaatsgemaakt voor een stralende ochtendzon.

'Dus...' zei hij. 'Laat me raden. Simone Merlin is op zoek naar iets. En Henry Simms en jij willen het hebben.'

Het verbaasde Irene niet dat hij de eerste zet deed. Het kwam eropaan de tegenstander te verrassen, en ze was blij dat hij haar als een tegenstander beschouwde. Hiermee gaf hij aan wat hij van plan was, of althans dat hij een plan had. Ze kon ontkennen of meespelen. Ontkennen was het makkelijkst, maar wel amateuristisch. Was dit niet dé gelegenheid haar verhaal te perfectioneren? Het had haar voldoening gegeven de degens te kruisen met meneer Boisselier, maar Stanić een rad voor ogen draaien was pas echt een prestatie.

'Simone en ik hebben de koppen bijeengestoken wat betreft de handelsroutes van de Khmer,' zei ze. 'We hopen een weg te vinden die via Tonkin naar China leidde, een directe verbinding tussen Angkor en de Verboden Stad. Maar een paar maanden geleden begon ik te vermoeden dat ze onze studie inzet voor iets anders. Een paar van haar routes liggen buiten het gebied dat voor ons in aanmerking komt.' Irene hield het met opzet vaag. 'Het lijkt wel of ze naar nog iets op zoek is.' Ze hoopte dat deze hint hem een reactie zou ontlokken waaruit zij kon afleiden wat hij van plan was, en vervolgde: 'Ik heb gehoord dat u in Saigon bent om een deal met Simone te sluiten.'

Zijn hand schokte. Hij fronste en vroeg: 'Een deal waarover?'

De koffie deed haar goed, pepte haar op na haar slapeloze nacht. 'Dat probeer ik juist te weten te komen.'

In het wereldje van Stanić was het essentieel je gezicht effen te houden. Hij had het zijne dan ook direct weer in de plooi. 'Waarom denkt u dat ik geïnteresseerd zou kunnen zijn in iets van Simone Merlin?'

Irene keek naar de exercitie van de Annamitische soldaten op blote voeten voor het theater.

'Iets heeft u doen besluiten hierheen te komen. Anders was u nu nog in Bolivia.'

Met berekenende eerlijkheid verklaarde Stanić: 'Jij was nog nooit in het buitenland geweest, Irene. Toen ik van mijn mensen hoorde dat én jij én Henry Simms op weg naar Indochina waren, kon ik dat niet naast me neerleggen. Dat moest iets betekenen.'

Vernederend dat zelfs Stanić geweten had van meneer Simms' reisplannen. Irene voelde dat dit op remise ging uitlopen, en gooide het daarom over een andere boeg.

'Omdat u nogal wat over me schijnt te weten, zult u ook gehoord hebben dat ze bij het Brooke vinden dat ze me niet meer nodig hebben. Dat ik vervangen kan worden, om het simpele feit dat ik geen academische titel heb. Ik wil dat ze daar spijt van krijgen, en om dat te bewerkstelligen moet ik een ontdekking doen die respect afdwingt. Als Simone toevallig iets mocht ontdekken wat mij daarbij kan helpen, dan heb ik daar flink wat geld voor over. Ik hoop dat u dat beseft.'

'Waarom onderhandelt u niet rechtstreeks met haar?'

Hij leek haar verhaal te slikken. Maar Irene wist dat je je nooit zeker kon voelen bij dit soort mannen, voor wie alles draaide om bedrog. Het kon een onschuldige vraag van hem zijn. Maar het kon net zo goed een poging zijn haar erin te luizen. En ze had deze reis al te veel steken laten vallen.

'Dat ga ik ook wel doen, maar ik weet zeker dat ze alleen verkoopt aan de hoogstbiedende,' antwoordde ze bedachtzaam.

'En u kunt mij niet overbieden, denkt u?'

'Waarschijnlijk niet in contanten. Maar ik heb wel andere dingen die u mogelijk interesseren.'

Uit de wellustige wijze waarmee hij haar opnam, begreep Irene hoe hij aan zijn reputatie gekomen was.

'En waar denken we dan aan?'

Het interesseerde haar niet wat hij van haar mocht denken, en ze zette door. Maar ze moest zich verbijten toen ze zei: 'Henry Simms is erg ziek. Binnenkort erf ik al zijn bezittingen.' Stanić kon onmogelijk weten dat dit gelogen was. Ze had de inventaris opgemaakt van al meneer Simms' schatten, die naar musea, galerieën en collega-verzamelaars over de hele wereld zouden gaan. Het was zijn meesterzet vanuit gene zijde, waarmee hij aangaf wat de enorme omvang van zijn clandestiene collectie geweest was. 'Ik zou de mooiste dingen uit zijn collectie aan u kunnen verkopen.'

'Zoals?' informeerde Stanić; hij klonk bijna verveeld. Het was werkelijk indrukwekkend hoe weinig het naderende einde van een van zijn grootste rivalen hem deed.

'De schatten van de tsaar,' zei Irene.

'Van dezelfde bron die ook Caesars robijn leverde?'

Na de nationalisering van de paleizen van de Romanovs door Lenin doken er overal bezittingen uit de tsarenfamilie op in de illegale kunstwereld. Daarna begonnen de Sovjets met het plunderen van kerken, musea en woonhuizen. Om de kritiek te onderdrukken beweerde Trotski dat ze dat alleen deden om de honger te lenigen. Irene had deze historische wending met interesse gevolgd. Ze kon het niet laten de Romanov-dynastie te vergelijken met het oude koninkrijk van de Khmer. Dit was dus hoe de complete schat van een beschaving in een oogwenk kon verdwijnen.

'Wat zou u het liefste hebben?' vroeg ze. 'Raphaels *Alba madonna*? Het Wedgwood-servies dat gemaakt is voor Catharina de Grote? Mocht u een voorproefje willen, dan moet u bij Hervé Sanchez in Caïro zijn. Vraag hem naar het bronzen paasei dat ooit als staatsgeschenk voor Keizer Paul I diende.'

'Zou hij het toegeven als hij het bezat?'

'Onderteken uw brief maar met I.B., namens H. Simms.'

'Gezien wat u verteld heeft over zijn gezondheid kan ik daar maar beter haast mee maken.'

Stanić vroeg om de rekening. Onder het afrekenen vroeg hij: 'Vertel eens, waarom komt Henry Simms hiernaartoe om te sterven?'

Die vraag bracht Irene van haar stuk. Ze richtte haar blik naar de straat, waar de gebruikelijke ochtendhandel op gang was gekomen. Venters van rijst, vissaus en eieren deden hun ronden, met mandjes op het hoofd en aardewerken potten aan bamboestokken over hun schouder. Aan de tafeltjes om haar heen vouwden de zakenlieden hun kranten op, en maakten zich langzaam op voor de aankomende werkdag. Irene zocht naar een antwoord. Maar ze kon niets uitbrengen zonder een snik in haar stem. Daarom hield ze haar mond.

'Kennelijk ben ik te ver gegaan,' merkte Stanić op, zonder enig berouw. Hij stond op en stak zijn portemonnee terug in zijn jaszak. Opnieuw keek hij Irene scherp aan, dit keer zonder lust. Was ze niet op haar hoede geweest, had ze niet geweten met wat voor ego ze hier van doen had, dan had ze zichzelf wijs kunnen maken dat hij haar als zijn gelijke beschouwde. Hij knikte naar de auto die stopte bij het terras, en zei: 'Ik ga naar Phnom Penh. Het zou toch niet netjes zijn als ik niet even bij Henry langsging nu ik in de buurt ben. Hou me op de hoogte, Irene.'

Ze stond op. 'Natuurlijk.'

'En, lieve kind, na Henry's dood kun je altijd voor mij komen werken.' Hij nam haar van top tot teen op. 'Ik ben namelijk niet zo'n sukkel als die kerels in het Brooke. Ik ben me er heel goed van bewust waartoe jij in staat bent.'

Ook al was Irene niets concreets van Stanić te weten gekomen, ze had toch het gevoel dat het nuttig geweest was dat ze hem had opgezocht. Het was belangrijk dat hij wist dat ze op de hoogte was van zijn aanwezigheid, en dat ze hem in de gaten hield. Net zo goed als hij haar in de gaten hield. Ze maakte zich zorgen over wat hij wist, maar niet liet doorschemeren. Voorlopig moest ze die zorgen echter van zich af zetten.

Terug in het hotel vroeg ze de conciërge of Louis en Simone al beneden waren voor het ontbijt. De potige Française keek haar dreigend aan. Ze stond achter de balie, waarop ze haar vlezige onderarmen liet rusten, alsof ze ze daar uitgeput had achtergelaten.

'Ze hebben gisteravond heftig ruziegemaakt,' rapporteerde ze met het boosaardige genoegen dat sommige mensen aan roddel beleven. 'Heeft u het niet gehoord? Ik had bijna de politie gebeld. Maar toen is madame Merlin vertrokken, en ze is nog steeds niet terug.'

'Heeft ze haar bagage meegenomen?'

De conciërge schudde haar hoofd.

Met twee treden tegelijk liep Irene de trap op. Ze rende de gang door naar haar kamer. Het dagboek en haar kaarten lagen nog altijd in het afgesloten bureau waar ze ze had achtergelaten. De beddenlakens, die ze na haar rusteloze nacht op de grond had getrapt, lagen er nog net zo bij. Haar nieuwe kleding lag in een bergje op de leunstoel. Opgelucht duwde ze de luiken open om wat lucht binnen te laten, die naar de nectar van tropische bloemen geurde. Ze stapte het balkon op. Beneden tussen de rozenstruiken in de tuin zag ze Louis ineengezakt op een stenen bankje zitten. Hij kneep zijn ogen dicht tegen de zon die boven het dak van het hotel stond, en leek haar niet te zien.

Nog sneller dan ze boven gekomen was, was ze beneden in de tuin. Toen ze naast hem stond, vroeg ze: 'Wat is er?'

'Ze slaapt.' Zijn stem klonk schor. 'De dokter heeft haar iets kalmerends gegeven, nadat ze haar maag leeggepompt hebben.'

'Haar maag leeggepompt?'

Op het moment dat Irene dit vroeg, realiseerde ze zich dat Louis nog steeds het kostuum van de avond tevoren droeg, zonder het jasje. Zijn ogen waren bloeddoorlopen; het overhemd hing uit zijn broek. Hij leek nog maar weinig op de man met wie ze wat gedronken had in het Continental. Met duim en wijsvinger masseerde hij zijn neusrug.

'Simone heeft gisteravond een overdosis kalmeringsmiddelen genomen,' bracht hij met moeite uit.

Overdosis? 'Wat... Hoe?' stamelde Irene, die eigenlijk niet wilde horen wat hij te zeggen had. 'Komt het weer goed met haar?'

Louis pakte Irenes hand. Of dat was om haar te troosten of dat hij een houvast nodig had, wist ze niet.

'De dokter verzekerde me dat het weer in orde komt.'

De grond rond een struik lag bezaaid met rozenblaadjes. Het leek wel roze sneeuw. Daarboven zwollen de magnolia's in de warmte en het licht.

'Iemand die een overdosis pillen neemt is niet in orde.'

'Dat weet ik.' De tranen schoten in zijn ogen. Hij probeerde het niet eens te verbergen, zoals Irene in zijn plaats gedaan zou hebben.

Ze liet zijn hand los en ging naast hem op het bankje zitten. Hun schouders raakten elkaar. Terwijl hij tot zichzelf kwam, voelde ze een rilling door hem heen trekken.

'Wat is er gebeurd?' vroeg ze.

'We hadden ruzie.'

'Waarover?'

'Vroeger wilden we altijd dezelfde dingen, maar nu... Ik realiseerde me niet hoe erg ze veranderd is, hoeveel het allemaal voor haar betekent.'

'Wat bedoel je? De tempel?'

Louis schudde zijn hoofd. 'We kregen ruzie. En toen ging ze ervandoor. Ze moet regelrecht naar het Majestic gegaan zijn. Midden in de nacht zag een portier water onder haar deur door komen. Ze hebben haar in de badkuip gevonden. Ze was buiten bewustzijn. Ze had kunnen verdrinken.' Zijn woorden stierven weg.

Irene werd er misselijk van. 'Maar zover is het niet gekomen.' Ze klonk alsof ze het afdwong. Ze stak een sigaret op. 'Denk je dat het een ongeluk was?'

'Denk jij dat het haar bedoeling was?' zei Louis geschrokken.

Irene dacht aan de Luminal die ze in Shanghai in het bureau van Simone had zien liggen.

'Ik weet het niet.'

'Er was een tijd dat ze hoe dan ook die geschiedenis van de Khmer had willen vinden. Dat alleen zou voldoende geweest zijn. We hadden het er eindeloos over toen we jong waren. De geschiedenis van de Khmer was het grootste mysterie dat ons ter ore kwam. Sherlock Holmes viel erbij in het niet. Maar het was een verhaal zonder ontknoping. Stamde het kamermeisje in de residentie van de gouverneur-generaal af van een prinses? Was de opgewekte oude man die op de markt schoenen repareerde een afstammeling van de laatste koning? Ze moesten onder ons zijn, dat kon niet anders. Onze wereld draaide om die van hen. Ik weet niet of je dit kunt begrijpen, Irene, maar...'

'Dat kan ik.' Ze werd er jaloers van. Wat moest het heerlijk zijn om iemand te hebben om herinneringen mee op te halen! 'Ik begrijp het.'

'Heeft Simone je verteld wanneer ik verliefd op haar werd?'

'Nee.'

'Ik was negen, en zij nog maar zes.'

Hij staarde recht vooruit. Irene bestudeerde de lijn van zijn smalle neus, de lichtbruine schaduw van stoppels op zijn aangespannen kaak.

'We waren met Monsieur Commaille meegegaan naar Ta

167

Prohm. En dolend tussen de ruïnes ontdekten we een bosje met veelkleurige vlinders. Honderden vlogen er rond. Als je stil bleef staan, streken ze op je neer. Ik zie nog hoe Simone daar stond; haar hele lichaam fladderde van het blauw en groen. Zelfs Monsieur Commaille had nog nooit zoiets gezien. *Extraordinaire*, noemde hij het. Iemand die zijn hele leven rond Khmer-tempels doorbracht zei zoiets niet zomaar. Een week later gaf ze me dat bosje voor mijn verjaardag. Gewoon, alsof zij erover kon beschikken. Denk je eens in, zes jaar oud. Ze had zelfs een bord gemaakt: VLINDERTUIN LOUIS LAFONT. Op momenten dat ik haar miste, reed ik erheen en bracht ik de nacht door in dat bosje.'

'Ben je nog steeds verliefd op haar?'

'Het stond voor ons vast dat we zouden gaan trouwen. En toen stierven haar ouders.' Hij trok zijn schouders op, schudde de herinnering van zich af. 'Het was voor iedereen vreselijk. Ze deed het enige wat op dat moment zin had voor haar.'

'Dat is ruimhartig.'

'Ik ben een realist. Dat moet ik wel. Ik weet dat ik alleen haar niet gelukkig kan maken. Ik weet dat als jij niet met je tempel op de proppen was gekomen, ze hem nooit verlaten zou hebben. Dat had ze niet opgebracht. Maar ik had nooit kunnen bedenken dat ze bij hem weg wilde om...'

'Wat?' vroeg Irene. Ze dacht terug aan Monsieur Boisseliers cryptische opmerking met betrekking tot Simones eerste liefde. Als dat niet op Louis sloeg, wist ze het ook niet meer. 'Zeg me wat ze wil.'

Opnieuw begon Louis te huilen, niet onbeheerst als een vrouw, maar met het verstikte, hardnekkige verdriet dat mannen kunnen hebben. Toen hij opnieuw haar hand greep, liet Irene hem begaan. Ze liet hem dichtbij komen in de hoop dat hij haar zou blijven vertrouwen. De tuin spon een cocon van klamme hitte om hen heen.

12

De kompasroos

Het pad vanaf de weg naar het hospitaal werd geflankeerd door platanen. Hun takken grepen in de lucht in elkaar en vormden een zeegroene, bewegende boog.

Door een donkere gang liepen Irene en Louis achter Simones arts aan, de grijze dokter Kessler. De zon was fel, net als anders midden op de ochtend. Maar de gang kwam uit op een beschutte binnenplaats omringd door een galerij met patio's, die met rasterwerk van elkaar gescheiden waren. Voorzichtig stapte Irene over de uitstekende wortels tussen twee kamferbomen.

Al lopend zei dokter Kessler: 'Ze heeft naar je gevraagd.' Tegen wie van hen beiden hij het had, was niet duidelijk. Kessler knikte in de richting van de verste patio. Terwijl ze erheen liepen, legde hij een hand op Louis' schouder. 'Kan ik je even spreken?

Met tegenzin hield Louis in. Irene was ook benieuwd naar wat de dokter te zeggen had, maar vanaf het moment dat ze voet in het ziekenhuis gezet had, was het goed tot haar doorgedrongen wat er bijna gebeurd was. Opgelucht dat Simone nog in leven was, liet ze Louis bij de dokter achter en haastte ze zich de binnenplaats over, naar de openstaande deur van Simones kamer.

Voor de hoge ramen zaten glimmende groene luiken. Boven het bed hing een rozenhouten kruis uit het lood, en op een ladekastje stond een tinnen Boeddhabeeld op een palmhouten altaartje. Simone zat overeind in bed. Haar smalle schouders zakten weg in de kussens. Ze had een nachthemd aan met een gehaakte kraag in dezelfde beige tint als de muren. Over haar benen lag een dunne deken. Haar huid was nog bleker dan anders en er stonden diepe rimpels van vermoeidheid om haar mond.

Ze schrok toen ze Irene zag. Irene staarde effen terug, maar durfde niets te zeggen. Ze begreep niet waar de woede die in haar opborrelde vandaan kwam.

'Ik mag mijn dokter wel,' merkte Simone op. 'Het is een Duitser. Fransen draaien altijd overal omheen, maar Duitsers zijn direct.'

'Hoe waag je het... We hebben je man gedood.' Verbijsterd constateerde Irene dat ze niet meer kon stoppen. 'Ik heb je niet gered, je uit Shanghai helpen ontsnappen, om met zoiets opgezadeld te worden. Ik heb geen flauw idee waar dit op slaat.'

'Heb je genoeg van me?'

'Waar heb je het over?'

'Nu Henry Simms er is.' Simone bracht alleen nog een klagelijk gefluister voort. 'Nu heb je me niet meer nodig, toch?'

'Je bent niet wijs. Na al die tijd dat ik bezig geweest ben je Shanghai uit te krijgen. Na alle tijd die ik verloren heb om jou. Grote god, Simone, ik heb je toch al gezegd dat ik niet wist dat hij er was.'

'Hou op met tegen me te schreeuwen. Dit was gruwelijk. Erger dan ik me voorgesteld had.'

Er kwam een nieuwe angst bij Irene boven. Die paradox van Simone had ooit interessant geleken. Zo kwetsbaar zijn en toch zoveel overwinnen. Nu leek het alleen maar gevaarlijk.

'Wie bedenkt dit nu?'

'Het was een ongeluk, Simone. Een ongeluk. Ik kon niet slapen. Ik heb amper geslapen sinds we uit Shanghai vertrokken. En we hadden ruzie, Louis en ik. Hij is zo egoïstisch. Ik nam wat te drinken en wat pillen. Vervolgens kon ik me niet meer herinneren of ik wel pillen genomen had. Ik was klaarwakker. Ik werd er gek van, van al die gedachten. Vreselijke gedachten. Toen nam ik er nog maar twee. Twee maar, dat zweer ik je. Ik ben niet onverantwoord te werk gegaan, echt niet.'

De ventilator woei hun van boven lucht toe. Toch droop Simones gezicht van het zweet. Zelfs haar haarwortels waren kletsnat.

Irenes blik dwaalde langs de muur naar het plafond, waar donkere schimmelplekken de kamer een geblakerde aanblik gaven. Na alles wat Simone doorstaan had, deed Irene haar best medelijden voor haar op te brengen. Ze wilde geloven dat het geen toneelstukje was toen ze het aan boord zo goed met elkaar konden vinden. Maar ze kon er nu eenmaal niet van opaan dat Simones wanhoop echt was, en niet gespeeld.

'Ga je het me deze reis zo moeilijk mogelijk maken?' vroeg ze.

'Volgens dokter Kessler waren de flessen leeg. Het pillenflesje, maar ook de wijnfles. Ik kan me niet eens herinneren dat ik wijn gedronken heb. Waarom zou ik? Zelfs toen Roger zich als een beest gedroeg, had ik geen plannen er een einde aan te maken.'

Misschien was Simone wel nooit van plan geweest om het te doen, en lag het gevaar in het feit dat ze dingen ondoordacht deed.

'Je hebt me net verteld dat je erover nagedacht had.'

'Dat is nog iets anders dan het door willen zetten. Je weet niet hoe het voelt om niet te kunnen slapen.'

Irene dacht terug aan de slapeloze uren. Eerst was het twee uur geworden, toen drie, toen vier. Langzaamaan was er licht door haar raam gevallen. 'Ga me niet vertellen wat ik niet weet. Hou op te doen alsof ik geen idee heb wie er achter ons aan zit, en wat voor gevaar we lopen. Dat ik ook niets afweet van de telegrammen die je aan Louis gestuurd heb.'

'Waar heb je het over?'

'Meteen toen ik je over de tempel vertelde, besloot jij dat je een manier moest vinden om bij Roger weg te komen. Waarschijnlijk wist je toen al dat je hem zou doden. Vanaf het moment dat ik je aansprak op Annes feestje, was jij aan het plannen hoe je, met hulp van Louis, de koperplaten voor jezelf kon houden.'

'Dat is helemaal niet waar. Dat is totaal niet waar ik op uit-ben.'

'Waarom heb je me dan niet in Shanghai al over Louis verteld?'

'Wat als de rollen al gevonden zijn?' Simones ogen leken van glas. Haar gezicht was nog bleker dan toen Irene er net was. 'Misschien is Simms daarom wel hier. Of Stanić. Wat als die samen iets afgesproken hebben? Ze kunnen allebei die rollen achteroverdrukken, en zo alles verpesten. Die koperplaten zijn onze enige hoop. Ik kon toch niet laten gebeuren dat jij ze mee-neemt naar Amerika? Snap je dat dan niet, Irene?'

Simone had het kennelijk van het begin af aan geweten.

'Natuurlijk niet. Maar dat was ik ook niet van plan,' loog Irene, en ze ging op de rand van het bed zitten. 'Bovendien doet meneer Simms geen zaken met Stanić. Hij heeft een afspraak met mij. Basta.'

'Ik ben niet altijd zo geweest,' mompelde Simone. 'Ik was niet altijd wanhopig. Het stond me meteen al voor ogen wat er moest gebeuren. En ik wilde je wel vertrouwen, Irene, echt wel. Ik wilde geloven dat je uiteindelijk in zou zien dat we het-zelfde wilden als het om de koperplaten gaat. Maar nu is Henry Simms er. Dat snap je toch?'

'Nee,' antwoordde Irene ongerust. 'Dat snap ik niet.'

'Ik had het kunnen weten.' Simone draaide haar gezicht af.

Die namiddag waakten Irene en Louis bij Simones bed. Het zon-licht zwol, nam de overvloedige gouden kleur van honing aan. Daarna werd het donker en viel de nacht over Saigon. Met het wegvallen van het daglicht leek de ziekenkamer te krimpen.

Om zes uur – een tijdstip dat op de evenaar niet ongemerkt voorbijgaat – kwam er een jonge verpleegster wat rijst en bouil-lon brengen. Irene nam haar witte, gesteven jurk en platte blote voeten in zich op. In dit deel van de wereld was niets, echt niets, in balans. Dokter Kessler kwam erachteraan met een kalmerend middel, en zei: 'Madame Merlin zal de hele nacht lekker doorslapen.'

'Ik blijf bij haar,' kondigde Louis aan.

'Dat is niet toegestaan.'

'Toch blijf ik.'

Dokter Kessler ging er niet verder op door. Hij had de regels van het ziekenhuis overgebracht. Blijkbaar was het niet zijn taak de naleving af te dwingen. Hij wenste hun goedenacht.

'Ik kom morgenochtend vroeg terug,' liet Irene Louis weten. Aan de ene kant wilde ze ook een oogje op Simone houden, maar aan de andere kant kon ze het niet meer opbrengen in die kamer te blijven, met de frustratie dat ze door Simones onverantwoordelijke gedrag opnieuw een dag verloren had. Dat Simone en Louis amper tegen elkaar spraken, maakte het er niet gemakkelijker op voor Irene. Ze leed onder hun wens de ruzie op deze wijze voort te zetten. Als ze het nou bijlegden, had Irene misschien wat wijzer kunnen worden van Louis. Nog een keer bij Simone aankloppen leek haar geen optie.

'Ik ga naar het hotel,' zei ze tegen hem.

Op de verlaten binnenplaats ontspande Irene. Boven ruisende bomen hing de hemel aan een raster van sterren. Toen ze het trottoir bereikte, zag ze dat Marc tegen een straatlantaarn geleund stond. Ze had niet verwacht hem nog te zien na de avond ervoor. Ze snelde op hem af.

'Je bent er,' flapte ze eruit. Alsof hij de Himalaya beklommen had om haar te vinden. Ze sloeg haar ogen neer, en zag een stuk of tien uitgetrapte sigarettenpeuken liggen.

'Toen ik het nieuws hoorde, dacht ik eerst dat het om jou ging,' zei hij. 'Ik dacht dat die twee je iets aangedaan hadden.'

Het deed Irene veel plezier dat dat hem wat kon schelen.

'Maar nee, het was Simone die zich aanstelde,' antwoordde ze.

'Gaat het?'

Ze knikte, keek langs hem heen naar de straat, waar een groep riksja-lopers in een halve kring dobbelstenen tegen de stoeprand wierp.

'Hoe heb je het gehoord?'

'Het nieuws gaat rond in elk café in de Rue Catinat.' Hij stapte weg van de lantaarn, stak zijn hand uit en greep de hare. 'Het spijt me dat ik je gister gevraagd heb te vertrekken.'

'Je hoeft niet...'

'Ik weet nooit zo goed wat ik aan moet met onzekerheden.' Hij draaide zich om en trok haar een smal, overdekt laantje in.

Irene liep langs ruwhouten muren. Gaandeweg nam het licht van de straat af tot het volledig verdween, en maakte het plaats voor een geluid: het geluid van hun voetstappen op de ongelijke ondergrond. Als ze in deze duisternis iets zou zeggen, zouden haar woorden vervliegen op het moment dat ze met de stille buitenlucht in aanraking kwamen. Alsof ze nooit meer herroepen konden worden, en op kwetsbare momenten tegen haar zouden pleiten.

'Er was anders niets onzekers aan de vraag of ik bij je kon blijven.'

'Ik heb nog nooit iemand ontmoet als jij. Geen vrouw die zo duidelijk weet wat ze wil. Die niet bang is toe te geven aan haar gevoelens.'

De hitte van de dag echode door in de afgesloten ruimten van de stad, en had bezit genomen van dit vergeten laantje.

Ze kwamen op de met lampen verlichte boulevard bij het Petit Hotel du Cap-Ferrat. De hoge luiken van Irenes kamer waren open. Door de takken van een mangoboom heen zag ze het muskietengaas van haar hemelbed omlaag hangen. Marcs gezicht stak verhit boven zijn lichte linnen overhemd uit. Met haar lippen raakte ze het uiteinde van een litteken op zijn jukbeen.

'Ook hier hoef je niet aan te twijfelen,' zei ze. Ze liet haar mond naar zijn gesloten oogleden afdwalen. Hij trok haar dichter naar zich toe. Zijn wimpers raakten haar slaap. Ze bracht haar hand naar zijn gezicht, om dat onbekende terrein te verkennen. Toen haar lippen de zijne raakten, was het alsof ze na een lange reis een veilige haven binnenliep.

Irene werd wakker van het tikken van de regen op het schuine dak. Haar huid glansde in het gouden licht van bijna uitgebrande kaarsen, die stalactieten van was op de vensterbank achterlieten. Marc lag op zijn buik. Zijn rug was ontbloot; zijn lange benen staken onder een kluwen van wit laken uit. Irenes aandacht werd getrokken door een donkere cirkel op zijn schouder. Ze bekeek de tatoeage, een duidelijke afbeelding van een kompasroos. De smaragdgroene naald leek dwars door zijn huid te steken en wees naar het noorden.

'Waar staat dat voor?' vroeg ze.

Hij werd wakker van haar gefluisterde vraag.

'Ik heb de man gedood die mijn vrouw vermoordde.'

'Je hebt een nachtmerrie,' zei ze.

Maar hij draaide zich op zijn zij. En zijn stem had de alertheid van iemand die klaarwakker was.

'Ik kon de hele dag niets anders meer dan in de tuin zitten en door de ramen van ons huis zitten staren. Het had wel wat van een verlaten toneel. Ik kon de gevlochten wieg zien staan. Lara's ochtendjas hing over een stoel. Daarom heb ik hem vermoord. Voor mijn dochter, die nooit in die wieg geslapen heeft. Voor mijn vrouw, die haar ochtendjas nooit meer droeg. Voor mijn leven. Een nieuw leven dat van start zou gaan op het moment waarop mijn dochter geboren werd. De zon bleef maar opkomen, en toch werd het niet warmer. Het witte winterlicht van Shanghai hield aan. En het bleef net zo koud als op de avond dat ik die klootzak een pijp zag roken in een opiumkot aan Soochow Creek.'

Irene legde haar hand op zijn hart, dat ongelijkmatig klopte, alsof ze daarmee zijn verdriet kon aanraken en gladstrijken. Maar zelfs op het moment dat hij zijn vingers om de hare klemde om haar gebaar van troost te accepteren, liet hij haar niet toe tot zijn verdriet. Zij begreep dat beter dan wie dan ook.

'Ik weet dat ik op de verkeerde weg was,' zei hij. Elk woord was een met bitterheid gepolijste kei. 'Niet op het moment dat ik de trekker overhaalde. Daar schepte ik genoegen in. Nee, lang daarvoor moet ik de weg al zijn kwijtgeraakt om in een situatie terecht te komen waarbij zoiets hardvochtigs me genoegen kon doen. Naderhand heb ik me bezat. Op een dag kwam ik bij kennis, en realiseerde me dat ik al meer dan een jaar dronken was. Ik begreep dat ik óf dood moest zijn, óf nuchter. Aangezien ik me er niet toe kon zetten ze te vergeten, stopte ik met drinken en ontdekte hoe leeg het bestaan kan zijn. Op een nacht kwam ik langs een tent in Blood Alley waar je een tatoeage kon laten zetten. En ik dacht: er moet een manier zijn om je van het gif in je lijf te ontdoen. Ik koos een kompas uit om me op koers te houden. Ik mag blij zijn dat ik niet vol zit met tatoeages. De pijn was duidelijk. Ik wilde het tot in de eeuwigheid blijven voelen.'

Hij ging overeind zitten. Irene leunde tegen hem aan, met haar voorhoofd tegen het zijne.

'Is dit de reden waarom ik hier spijt van krijg? Dat je een man vermoord hebt?'

'Nee,' antwoorde hij zacht. 'Irene, Henry Simms is mijn vader.'

Ze opende haar mond om te zeggen dat ze het niet begreep, maar dat was niet waar.

'Als hij niet in Shanghai was, stuurde hij brieven,' vervolgde Marc. 'En was hij in Seattle, dan schreef hij over een meisje dat daar in het museum woonde. Ze sloop zijn huis door op zoek naar verloren schatten en danste als een godinnetje als ze dacht dat niemand keek. Ik was jong en dacht dat hij maar wat zei. Ik besefte niet dat het meisje echt bestond. Natuurlijk wist ik later wel van je, maar toen we elkaar ontmoetten bracht het me van m'n stuk. Het was alsof er een fabel uit mijn jeugd tot leven kwam. En toen je me vertelde dat hij van je hield omdat hij zelf geen kinderen had, was het alsof ik te horen kreeg dat ik nooit bestaan had. Jij had nog nooit van mij gehoord, terwijl ik juist zoveel van jou wist. Ik probeer maar te bedenken waarom dat zo was.'

Irene liet haar benen over de rand van het bed glijden en staarde naar de bewegende schaduw van Marcs lichaam op de muur. Het leek alsof de duisternis hem met deze bekentenis ontglipt was en een geheel eigen vorm had aangenomen.

'En ben je er al uit?'

'Nee. We hebben nooit een hechte band gehad. Maar waarom zou hij mijn bestaan geheimhouden?'

'Hij heeft ook kunstwerken van onschatbare waarde waar niemand van weet.'

'Jij wel. Hij vertelt je alles. Behalve over mij.'

Toen ze de wrok in zijn toon hoorde, begon Irene zich ongerust te maken.

'Is dat waarom je me kwam halen? Wil je hem raken door mij te kwetsen?'

Hij schudde zijn hoofd.

'Toen ik van de overdosis hoorde en dacht dat het om jou ging, realiseerde ik me dat ik je beter wil leren kennen.' Hij trok haar naar zich toe. Ze voelde zijn hart kloppen tegen haar rug. 'Je bent een deel van me.' Hij kuste de boog van haar schouder. 'Om de een of andere reden heeft hij ervoor gezorgd dat je altijd een deel van me geweest bent.'

In het karige middernachtelijke licht liet Irene de slapende Marc achter in bed, en trok haar ochtendjas aan. Ze ging op de grond zitten, opende haar schoudertas en legde haar kaarten van Cambodja op een stapel naast zich. Allemaal, behalve die van dominee Garland. Elke kaart was uniek. Niet vanwege de wijze waarop cartografen het land opgetekend hadden, of vanwege de locatie van dorpen, bergen en rivieren. Maar vanwege de richting die zij er als kind mee gekozen had. Ze had ze meegenomen omdat ze gedacht had dat ze de ontdekkingstochten van haar jeugd kon gebruiken bij het zoeken naar de juiste weg. Maar ze had het mis gehad! De ontelbare reizen die ze lang geleden gemaakt had, hadden niets gemeen met deze nieuwe ontdekkingstocht.

Ze pakte de bovenste kaart van de stapel. De namen in het vale platteland waren nauwelijks meer leesbaar. De kleinste steden kon ze alleen nog zien doordat ze zich hun ligging al had ingeprent, lang voordat de inkt vervaagd was. Dit was de kaart die ze van haar vader kreeg vlak nadat haar moeder was overleden. Ze veegde met haar duim langs de streepdunne grens die Cambodja scheidde van de Golf van Siam.

Ze streek een lucifer af, die opvlamde. Ze keek toe hoe hij opbrandde tot aan haar duim en wijsvinger. Toen blies ze naar het vlammetje, dat uitging, maar als een fleur-de-lis van rook verder leefde. Naast haar bewoog Marc. Ze streek nog een lucifer af, die sputterend uitging. Ze stak een derde aan.

In een cirkel bewoog ze de vlam onder de kaart. Het papier scheen door. Toen hield ze het vlammetje stil tot er een bruine vlek onder Siem Reap kwam. Ze rook de stoffige cichoreilucht van het papier. Haar hand trilde, waardoor de kaart gevaarlijk dicht naar het vuur boog en langs de weg naar Angkor in twee delen uiteenviel. Ze doofde de lucifer en liet hem op de grond vallen.

Marc ging naast haar zitten. Zijn vingers streelden de blote huid tussen haar nek en schouder, waar de kraag van haar ochtendjas af was gegleden.

'Wat doe je?' vroeg hij.

'Dit is mijn verleden,' zei ze, en ze bewoog de vlam van nog een lucifer langs de rand van de kaart. De bovenkant van de bladzijde vlamde op. Steeds meer papier verkoolde. 'Ik klamp me er zo aan vast dat ik niet eens kan zien waar ik heen ga. Ik kan me niet voorstellen dat er nog een andere weg is dan die ik ooit ingeslagen ben.'

Ze bekeek hoe de oranje rivier koers zette naar Stung Treng. Het grijze platteland van Cambodja glinsterde onder het vuur.

'Ik dacht tenminste dat dit mijn verleden was. Nu lijkt het er eerder op dat ik deel uitmaakte van een verleden waar ik niets van wist.'

Ze nam het brandende papier mee naar de waskom naast haar bed en liet het in het water vallen. Het siste, en liet een krul zwarte as achter.

'Had je liever dat ik het je niet verteld had?'

'Ik wou dat hij het me jaren geleden verteld had. Dan had ik al die tijd van jou geweten, zoals jij van mij wist.' Bedroefd over deze gemiste kans, pakte ze de volgende kaart en ging door met het cremeren van wat haar jeugd haar opgelegd had. Ze verbrandde er nog een, en nog een, tot alle kaarten op waren en de kamer naar geblakerd papier rook.

Irene begon met pakken toen de ochtend over Saigon viel. Ze haalde haar kaartenmap uit de verstopplek in het bureau. Het omslag viel open, en het dagboek van dominee Garland, haar moeders aquarelblok en Annes pistool kwamen tevoorschijn. De koralen handgreep verdween compleet in Marcs vuist.

'Ik hield je niet voor het type dat een wapen draagt.'

Sinds ze de kaarten vernietigd had, hadden ze nog maar een paar woorden gewisseld. Ze voelde zich verdoofd.

'Ik weet niet eens hoe je het ding moet afvuren,' zei ze. 'Anne heeft het me gegeven nadat ik Roger gedood had.'

'Ik had al zo'n vermoeden dat jullie twee daar de hand in hadden.'

'Hij wilde me doodschieten. En toen heeft Simone hem neergestoken. Daarna heb ik hem met de auto aangereden.'

De kamer stonk naar de rook. Irene opende het raam. Er viel regen naar binnen, een verademing in die plakkerige, verzengende hitte.

'We waren het niet van plan,' zei ze, en ze genoot van de druppels die neervielen op haar huid. 'Of misschien ook wel.'

Na de vorige avond leken de moord en de redenen die ze daarvoor hadden verder weg dan ooit.

'Waarom is die expeditie zo belangrijk voor je, Irene? Je zegt dat het vanwege je reputatie is, maar ik heb eens even rondgevraagd. Je mag dan bij het Brooke uitgerangeerd zijn, maar je wordt alom gerespecteerd. Je hebt alles mee om een nieuwe positie, een goede positie zelfs, te veroveren in de kunstwereld. Je hebt die koperplaten niet nodig.'

Ze draaide zich naar hem om. 'Hoe bedoel je?'

'Noem me de werkelijke reden. Een die zowel voor jou als voor Simone geldt.'

'Een gemeenschappelijke reden?' Ze raapte de kleren op die ze gekocht had om indruk op Louis te maken. Ze haalde haar vingers over de blauwe knopen.

'Het heeft te maken met vroeger,' zei ze. 'Het is datgene wat ons gevormd heeft. Als we de geschiedenis van de Khmer ontdekken, is het alsof we een deel van onze eigen geschiedenis terugvinden. Het is een manier om te helen.'

'Laat je haar daarom niet achter?'

'Ik wou dat ik dat kon, ook al druist het in tegen de wens van meneer Simms. Ze heeft er een puinhoop van gemaakt.' De situatie was zo absurd dat Irene erom moest lachen. 'Maar daar gaat het niet om. Ik was zo dom de kaart aan haar te laten zien. Ze weet waar de koperplaten zijn. Als ze Louis bij zich heeft, kan ik haar nooit te snel af zijn. Zij zouden de tempel veel eerder bereiken dan ik. Of ze kunnen een telegram sturen, zodat ik het hele politieapparaat achter me aan krijg.'

Marc dacht hierover na. Ondertussen ging hij onder de lakens op zoek naar zijn overhemd. Donker en genadeloos stond de tatoeage in zijn schouder geëtst. 'Het lijkt me dat jij ook een steuntje kunt gebruiken.'

'Ben je... Wil je mee naar Cambodja?'

'Wil jij dat?' vroeg hij.

Ze zocht naar iets van de passie die ze gedeeld hadden bij hem, maar pikte niets dan behoedzaamheid op. Ze keek toe terwijl hij zich aankleedde. Hij was lang en blond. Na de dood van meneer Simms zou Marc degene zijn die het dichtst bij familie kwam voor Irene. Zonder uit te leggen wie ze was en waar ze vandaan kwam, zou verder niemand haar kennen. Met haar vingers trok ze een spoor in de as in de waskom. Ze zag de resten van haar geblakerde land, de smeerboel van een verschroeid dorp dat uit de omgeving was gerukt.

'Ja,' zei ze daarop. 'Dat wil ik.'

Deel 3

CAMBODJA

'Ik weet niet of veel andere mannen van jongs af aan hun leven voorvoeld hebben, zoals ik. Er is me werkelijk niets overkomen wat ik niet al in mijn jongste jaren heb voorzien.'

– Pierre Loti, *Un pèlerin d'Angkor*

13

Geen luchtspiegeling

Irene zat naast Marc voor in de Pierce-Arrow sedan die hij van zijn tante te leen had. Ze had haar voeten op haar stoel getrokken en liet haar blote tenen tegen zijn been rusten. Ze keek hoe de zonsopgang de ochtenddauw van de bladeren van de rubberbomen streek. Die stonden in keurige rijen aan weerskanten van de pas bestrate snelweg naar het westen, in de richting van Cambodja. Aan de horizon doemde licht op. Af en toe scheen het stralende groen van een rijstveld door een wit waas heen. Irene draaide haar raampje open om de koele wind te voelen op haar gezicht. Het was nog verhit van Marcs strelingen in het hotel.

Simone zat met Louis achterin. Tegen het advies van de dokter in hadden ze haar meegenomen uit het ziekenhuis. En al was ze nog slaperig en stil, het ontging haar niet dat Marc zijn hand van het stuur haalde en met een vinger over Irenes enkel streek, zag Irene.

Normaal was Irene nogal terughoudend. Ze herkende zichzelf bijna niet terug toen ze haar hand over de zijne legde zonder het erg te vinden dat iemand het zag. Ondertussen werd het landschap om hen heen lichter en weidser. De kokos- en rubberplantages maakten plaats voor de opeenvolgende rijstvelden van het vlakke, open platteland. Op dit moment kon Irene aan niets anders denken dan de avond ervoor, en de roodachtige snelweg die haar naar de bakermat van de Khmer-civilisatie voerde.

Elke keer dat Irene naar Marc keek, zag ze iets nieuws aan hem: een spikkeltje goud in zijn groene ogen; hoe hij er helemaal niet mee zat als hij zag dat ze naar hem keek. En net als de helblauwe ijsvogels die geschrokken opvlogen toen de auto langskwam, nam zijn aantrekkingskracht op naar een hoge vlucht. Ze dacht na over wat de Khmer voor haar betekenden. Over hoe vlijtig ze zich aan hen gewijd had al die jaren. Het was haar ontgaan dat passie ook wortel kon schieten zonder gezaaid te worden. Die ontdekking bedwelmde haar. Ze legde haar hoofd tegen de rugleuning en keek naar een groep zilverreigers die met hun zijdeachtige vleugels gevederde schaduwen op de velden achterlieten. De zon brandde op haar pols, die open en bloot naar buiten hing. Ze wist dat ze haar hand beter naar binnen kon trekken, maar ze was gefascineerd door de wijze waarop hij van kleur wisselde. Alsof ze een homp klei was die ter plekke vorm kreeg.

'Op dit moment had ik met een pernod met ijs op het terras van het Manolis kunnen zitten,' liet Simone weten. Ze had een Gitane in de ene hand, en een waaier in de andere om de rook uit de auto wuiven.

IJs. Voor in de auto keek Irene naar Marc, die bij een atapstalletje onder repen gedroogde inktvis koffie stond te drinken. Het water liep haar in de mond. Ze hadden al bijna een uur oponthoud bij de lage oever van een zijarm in de delta van de rivier. Ze wachtten er op de veerboot. Het was bijna twaalf uur, en de zon was een horizontale witte sluier die het bleke aanzicht van de hemel deed gloeien. Het was een risico om eerlijk te zijn tegen Simone, wist Irene, maar ze wilde over haar gevoelens voor Marc praten en kon zich niet bedwingen. Juist Simone zou haar niet veroordelen om wat ze ging zeggen.

'Ik weet niet hoe het komt, maar ik heb altijd gekozen voor mannen die me niet veel deden. Mannen die ik niet zou missen als ze weggingen. Ik ben ooit verloofd geweest,' bekende ze. 'Toen hij naar de Somme vertrokken was, schreef hij me dat hij verliefd geworden was op een meisje in Parijs. En ik was opgelucht dat niet ík de verloving hoefde te verbreken.'

Simone had nog niet gevraagd waarom Marc met hen mee-

gekomen was. Maar ze knikte, en zei: 'Als je te zeer naar iemand verlangt, kun je er kapot aan gaan.'

In de hoop een briesje te vangen stonden de portieren van de
auto open. Maar het was windstil. De modderrivier lag er net
zo roerloos bij als het landschap. Irene dacht aan de tedere manier waarop Louis Simone van het ziekenhuis naar de auto begeleid had, en hoe Simone een poosje met haar hoofd op zijn
schouder geslapen had. Maar het ging allemaal niet van harte
tussen hen. Hadden ze het in het ziekenhuis bijgelegd, dan was
dat maar halfslachtig gebeurd. Irene maakte zich zorgen wat
voor effect dit op de expeditie kon hebben.

'Is dat wat je voor Louis voelt?' vroeg ze.

Simone staarde naar de weg, waar hij voor een stalletje met
zon gewarmde cola stond.

'Zo was het met Roger.'

'Hield je van hem meer dan van Louis?'

'Het was anders. Roger kwam op een moment dat ik hem
nodig had. Hij heeft me gered van het verdriet over de dood van
mijn ouders. Hij gaf vorm aan mijn verlangen. Hij leerde me op
een totaal nieuwe manier naar mijn land te kijken.'

'Hij sloeg je.'

'Ja, dat ook. Maar hij was sterk. Hij had overtuiging. Hij had
me nooit laten gaan. Louis deed dat wel. Ik weet niet of ik hem
dat ooit kan vergeven.'

Irene zag er weinig nut in tegen Simones logica in te gaan. Ze
keek naar Marc. Ze zat dicht genoeg bij hem om de kruimels
van de baguette die hij bij zijn koffie at op zijn overhemd te
zien liggen. Maar vanwege haar nieuw verworven verlangen
naar hem vond ze toch dat hij nog te veraf was.

'Was er ooit een moment dat je je bij Roger niet kwetsbaar
voelde?' informeerde ze.

'Geen moment. En om eerlijk te zijn, Irene, heb ik ook nooit
intenser geleefd dan toen.' Simone kneep haar ogen halfdicht
en staarde de rivier af. '*Merde*, als die veerboot niet snel komt,
kruip ik uit mijn huid.'

Hier bij de aanlegplaats van de veerboot kon Irene Marc niet strelen zoals ze wilde. Ze kon zelfs niet naar hem kijken zoals ze wilde, en met Louis en Simone in de buurt kon ze hem al helemaal niet de dingen vragen die ze zou willen. Dat maakte haar kribbig.

'Het is hier gruwelijk heet. En ik moet iets anders te doen hebben dan roken. Leer me hoe je met een pistool schiet.'

'Op iemand in het bijzonder?' Hij wierp een piastermunt naast zijn lege koffiekopje. Hij nam de omgeving in zich op, keek langs de plakken varkensvet vol vliegen, langs halfslapende vrouwen die hun bamboestaken, waaraan een stel lusteloze kippen vastgebonden hingen, in de steek gelaten hadden. Hij leidde haar langs deze obstakels naar een smalle strook gedroogde modder die langs de steile oever boven de rivier liep. Zijn ruimvallende shirt en broek, misschien wel afkomstig uit de Chinese wijk van Shanghai, leken zo weinig op de maatpakken die meneer Simms droeg, dat ze zich afvroeg of dit opzettelijk was, of dat hij gewoon weinig op zijn vader leek. *Zijn vader*. Bizar, hoe makkelijk ze dat accepteerde.

Ze raakten uit het zicht van de voedselstalletjes, met hun frisdranken en mandjes met verschrompelde groente op de toonbank. Marc draaide zijn rug naar de rivier en wierp een blik op de uitgedroogde zee van taaie boompjes en plukken wollig struikgewas. Hij liet zijn oog vallen op een alleenstaande bananenboom een eindje verderop.

'Daar moet je op mikken. Geef me je pistool. Zie je die bloem?' Hij wees er met het wapen naar, alsof ze alleen bij de anderen waren weggelopen om te schieten.

Irene had niet verwacht dat hij haar in zijn armen zou nemen. Maar ze had wel gehoopt dat hij iets over de afgelopen nacht zou zeggen als ze eenmaal buiten het gehoor waren. Al kwam hij, als bevestiging, er maar met één woord op terug deze morgen. Ze zag de bloem die hij bedoelde, hij bungelde als een paarse hanger aan de gegolfde stam. Tegelijkertijd merkte ze dat ze zich afsloot voor zijn nonchalante houding. Ze probeerde dat tegen te gaan, ze wilde geen afstand tussen hen. Het was erg heet, ze waren allebei moe, en ze hadden elkaar al een hoop toegezegd door Saigon samen te verlaten. Ze nam het pistool van hem over en richtte met trillende hand. Dat verbaasde haar.

'Je kunt het beste allebei je handen gebruiken,' zei Marc.

Ze sloeg haar vingers in elkaar en tuurde over haar handen. De loop leek precies op de bloem gericht.

'Waarom heb jij een andere achternaam?' vroeg ze.

Marc veegde zijn voorhoofd af met een zakdoek.

'Kun je daar niet mee wachten tot we ergens onder een ventilator zitten?'

'Ik kan er niets aan doen. Je zegt dat je zoveel over mij weet. Ik wil ook iets over jou weten.'

'Over Henry en mij, bedoel je? Hij klonk weer op zijn hoede, net als in het hotel.

'Onder andere.'

Hij tilde Irenes handen net iets hoger, zodat ze nauwkeuriger mikte.

'Ik heb Henry voor mijn zesde zelfs nooit gezien.'

De bloem van de bananenplant trilde boven de korrel.

'Waarom niet?'

'Ik wist niet dat mijn moeder een verhouding met hem had gehad tot dat moment. Ik dacht dat William Rafferty mijn vader was. Toen die overleed, bleek hij zijn bezittingen vergokt te hebben. Ze zat te diep in de schulden. Ze had geen keus. Ze moest Henry over mij vertellen.'

Irene liet het pistool zakken.

'En als ze het nou eens zei om meneer Simms het idee te geven...'

'Mijn moeder had zo haar zwakheden. Henry was er een van. Eerlijkheid ook. Ze was niet in staat om te liegen.'

'Heeft ze niet tegen William Rafferty gelogen dan?'

Marc haalde zijn vingers door zijn haar. Zijn mouw viel open, waardoor haar oog op zijn gebruinde pols viel.

187

'Ik geloof het niet,' antwoordde hij.

'Maar ze loog wel tegen jou.'

'Ze heeft hem nooit "je vader" genoemd. Ze zei altijd dingen als: "Ga William eens roepen voor het eten", of "Ren even naar de fabriek en breng Willam zijn lunch". Na zijn dood heeft ze het me verteld. Maar ze huilde niet om mijn medelijden te wekken, en ze verontschuldigde zich ook niet. Dat waardeer ik aan haar. Ik had zelfs respect voor het feit dat Henry zijn verantwoordelijkheid nam. Hij was een waardeloze vader. Maar haar heeft hij nooit gekwetst. Hij gaf haar een prima baan en kocht het huis voor haar terug. Hij had haar ook kunnen vernederen. Toch heeft hij nooit geëist dat ik zijn naam aannam, en hij vertelde aan iedereen dat ik zijn zoon was. Al was iedereen in Shanghai daar al achter tegen de tijd dat ik achttien werd. Ik heb een poos erg op hem geleken.'

Bij elke keer dat ze afscheid nam – van haar vader, haar baan, en nu binnenkort van meneer Simms – werd Irenes wereld ietsje kleiner. Nu, na Marcs openhartigheid, voelde ze houvast. Ze kreeg de drang haar leven opnieuw in te richten. Hij leek nog iets te willen zeggen. Ze weerhield hem daarvan. Het werd haar te veel. Ze realiseerde zich dat ze bij elk woord dat hij nu nog zei, het beeld over haar eigen leven moest bijstellen.

Ze trok aan de kraag van haar bloes. Het was hier echt te heet. Opnieuw hief ze haar arm met het pistool en mikte. Ze probeerde alles uit te bannen behalve die bananenplant in de zinderende hitte. Marc keek haar verwachtingsvol aan, net als op het moment vlak voordat hij haar kuste op straat in Saigon. Het wapen glibberde in haar hand vanwege het zweet.

'Schiet dan,' zei hij.

Het schot doorbrak de lome stilte. Een vlucht vogels vloog op. Daarna viel er een verpletterende stilte.

'Opgelucht?' vroeg hij.

'Hoe bedoel je?'

Marc staarde naar de overkant van het veld met Rhus-struiken, waar Simone en Louis tegen de auto leunden. Die keken terug. Met haar witte katoenen jurk en zijn witte linnen pak leken ze witte verfvegen op het bruine canvas van de dag. Marc grinnikte even met een laag geluid.

'Waar vind je een hotel als je er naar een op zoek bent?'

Ze hadden al uren onafgebroken door het Cambodjaanse landschap gereden, toen Irene wilde stoppen.

'Is er iets mis?' vroeg Marc.

Ze had in het donker iets opgemerkt.

'Stop, nu!'

Marc stopte aan de kant van de weg en zette de motor af. Dwars door de ijle stralen van de koplamp liep Irene naar de brug voor hen. Aan beide zijden van de balustrade kwam de stenen hoed van een cobra op haar af, als een cape in de lucht.

'De naga,' zei ze, om vervolgens de nacht toe te vertrouwen wat al bekend was, namelijk dat dit de mythische beschermers van de rivieren van Cambodja waren. Ze bewaakten de Khmertempels. Maar ook deze weg naar Phnom Penh, waarvan de lichtjes nog zichtbaar waren aan de donkere horizon. In de zalen van het Brooke Museum had ze naga's in handen gehad. Ze waren in brons gegoten of gemaakt van rozenhout, en kwamen hiervandaan. Slangen met golvende lichamen waar de rode aarde van Cambodja nog aan hing. Maar het was toch een totaal andere ervaring om er hier, in het land van herkomst, een aan te raken.

Het landschap was gelijk gebleven toen ze de grens overstaken. Irene had geweten dat ze in Cambodja waren, maar merkte het nergens aan. Tot nu toe. Ze legde haar hand tegen het hart van de stenen cobra.

Boven de rivier stond een scheve halve maan. En onder de brug gaf een groenig licht een pad langs de bochtige rivieroever aan.

Achter haar kwam Simone aanlopen.

'Deze naga is door de Fransen gemaakt. In een poging tot cultureel besef, door planologen met een romantische inborst.

'Ik heb er mijn hele leven naar uitgekeken hier te lopen. Laat me dit moment koesteren. Alsjeblieft.'

'Ze houden zichzelf voor dat ze het goed menen. Ze denken dat het niet meer omvat dan een paar stenen beelden. Ze begrijpen er niks van. Dat ligt niet aan hen. Ze zijn te zeer gebrand op vooruitgang. Maar voor jou is er nog hoop, denk ik, al weet ik niet goed waarom.'

Simone trok Irenes hand van het beeld en leidde haar terug naar de auto. 'Ik weet wel wat je nu denkt, Irene. Maar dit is niet jouw moment. Niet hier op de brug met dat stuk cement. Dit is niet het moment dat je je moet realiseren dat je in Cambodja bent. Dat kan ik je echter wel bezorgen. Ben je moe?' vroeg ze aan Marc.

Die zwaaide met een lege thermosfles.

'Ik heb genoeg koffie op om een olifant tot kerst wakker te houden.'

'Angkor Wat wordt altijd vergeleken met de Taj Mahal, of met de oude steden van de Inca's,' zei Simone. 'Ik heb vergelijkingen gehoord met Versailles of de Egyptische piramides. Maar ik ben in Versailles geweest. En ook in Egypte. Er is niets wat aan Angkor kan tippen.' Simone stak haar hoofd in de auto. 'Kun je een nacht doorrijden?'

'Als jij dat wilt,' zei Marc tegen Irene.

'Wil je er nu heen?' vroeg Irene aan Simone, verbijsterd dat ze het lef had zoiets voor te stellen na het oponthoud dat ze in Saigon veroorzaakt had.

'Simone, doe nou niks overhaast,' zei Louis.

Irene wist dat ze zich niet kon permitteren nog een dag te verliezen. Maar toch keek ze verlangend naar de andere kant van de brug, naar de weg die van Phnom Penh naar Angkor Wat liep, zo'n driehonderd kilometer verderop.

'We kunnen morgenmiddag hier weer terug zijn. Wat denk je ervan?' stelde Simone voor.

'Ik geloof niet dat dit het juiste moment is,' waarschuwde Louis.

'Ik vroeg het niet aan jou,' antwoordde Simone.

'We moeten zien uit te vinden wat Simms van plan is. Het duurt zeker twee dagen om de visa en aanvragen rond te krijgen, en dan heb je nog tijd nodig om voorraden in te slaan. Bovendien gaat de boot alleen op zondag,' hielp Louis haar herinneren. 'Als we hem missen, verspelen we een hele week.'

Irene boog haar hoofd in de richting van een geluid in de verte, het hardnekkige geluid van een trom dwars door het geklingel van een xylofoon heen. Ze was zo in gedachten bij een vergeten tempel geweest, ergens in de jungle in het noordoosten, dat het haar ontgaan was hoe dicht ze bij het middelpunt van de Khmer-civilisatie waren. Dat lag op nog maar vijf uur rijden.

Simone keek Irene verwachtingsvol aan. Nu zou Irene kunnen zeggen dat ze erheen zouden gaan om Simone te vriend te houden. Maar in werkelijkheid was Angkor Wat de voornaamste reden waarom Irene naar Cambodja was gekomen, de reden waarom ze op zoek ging naar de koperplaten. De koperplaten waren belangrijk omdat die haar zouden vertellen wat er zich afgespeeld had in de oude tempelstad waar ze al zo lang als ze zich kon herinneren heen wilde.

'Dit is wel het juiste moment, Louis. We gaan erheen. Nu meteen.'

De dageraad lag op de loer. Een donkerrode schaduw hing over de aarde. De maan, die op haar retour was, bescheen Irene van achter op haar schouders en streek over het water voor de tempel. Aan de andere kant van de stenen muur, een eind de toegangsweg af, waren de silhouetten van drie tempellichamen te zien, die op het eind van deze nacht vol sterren als bergen oprezen uit hun vale omgeving. Marc liep eropaf. Irene trok hem aan zijn mouw.

'Wacht even,' zei ze. 'Nu nog niet. Eerst moeten we iets anders zien.'

Ze leidde hem door de donkere toegangspoort naar het begin

van de weg die het enorme Angkor Wat-terrein doorkruiste. Hij ging zitten. Zij kwam voor hem zitten, met haar rug tegen zijn borst. Met zijn hoofd op haar schouders luisterde hij naar de mantra's van de boeddhistische monniken.

'Het is alsof we in een kerk zijn,' zei hij.

Afgezien van de monniken, die zich niet lieten zien, hadden ze het rijk alleen. Ze hadden Louis bij zijn kantoor in Siem Reap afgezet om stafkaarten van de provincie Stung Treng te zoeken. En Simone lag in een van de logementen buiten de tempel te slapen. Na slechts één dag rust in het ziekenhuis was ze nog erg zwak.

'Angkor is niet opgezet zoals de andere Khmer-tempels,' vertelde Irene aan Marc. 'Die schaduw voor ons is de ingang. Die is op het westen.'

'Wat doet dat ertoe?'

'Let maar op.'

Het was windstil die morgen; de violette hemel was even egaal als het water voor de tempel. Marc sloeg zijn armen om haar heen. Samen keken ze naar de voet van de tempel, terwijl de mist boven de onderste gaanderijen wegtrok. Waar ooit danseressen en soldaten hun koning dienden, werden nu de wazige gestalten van monniken in hun gewaden zichtbaar. Grijze schaduwen kleurden goud. Buiten het zicht klom de zon in het oosten langs de buitenmuur omhoog. Het licht viel langs de enorme knopvormige torens. Simone had gelijk gehad. Dít was Irenes kennismaking. Haar hele wezen richtte zich op dat ene moment waarop de toppen van de gebouwen begonnen te schitteren alsof ze in brand stonden. Ze boog zich naar voren en zag een stad oprijzen vanuit het binnenste van de aarde. In een oogwenk was de brand geblust, en nam de zon bezit van de hemel. Angkor Wat richtte zich in volle zandstenen glorie op, en toonde wat het was: de grootste tempel ter wereld.

'Ik heb nog nooit zoiets gezien,' zei Marc. 'Ik zou er zelfs in mijn dromen niet op komen.' Hij bestudeerde de torens en terrassen. De tempel was als een matroesjka-poppetje, met het voornaamste heiligdom op de hoogste, derde verdieping omsloten door de tweede, die weer omringd werd door de eerste. Dit alles was omgeven door de buitenmuren en het water.

'Hoe groot is het hier wel niet?'

'Twee vierkante kilometer,' antwoordde Irene. 'Deze weg is meer dan driehonderd meter lang. Binnenin is alleen al op de eerste verdieping twaalfhonderd vierkante meter aan reliëfs aangebracht.' Ze kende alle afmetingen van de tempel uit haar hoofd. Van alle gaanderijen, bouwwerken en beelden die getekend, gefotografeerd of beschreven waren. Terwijl haar vader zijn rondes liep, had zij als tiener 's avonds laat in het kantoor van de professor in het museum gezeten. Op overtrekpapier had ze met haar potlood de lijnen van een vliegenmepper, parasol of zwaard nagetekend tot ze ieder detail, elke sierlijst van rozetten langs de gewelfde plafonds zo goed kende, dat het leek of ze ze zelf verzonnen had. Ze hief haar ogen naar de top van de geribbelde tempel. In het wazige zonlicht leken de torens weg te vallen.

'Ooit waren ze verguld. Kun je het je voorstellen, zoiets groots, bedekt met een laagje goud? En er waren vernislagen en koper en hout. Heel veel hout. Maar dat is mettertijd allemaal vergaan.'

'Jij komt van het andere eind van de wereld. Hoe is het mogelijk dat deze plek je zoveel doet?'

Het was in wezen de vraag die Simone haar ook gesteld had aan boord, toen ze Shanghai verlieten. Het deed haar goed dat ze omringd werd door mensen die begrepen hoe haar prioriteiten lagen. Irene maakte zich los uit Marcs omhelzing om uit haar tas een schetsblok met een leren omslag te pakken. Het voelde zo vertrouwd aan, dat dikke papier met het enigszins ruwe oppervlak dat de vloeibare waterverf goed in zich opnam. Binnen op het omslag stond haar moeders naam, Sarah Blum. Irene sloeg het schetsblok open en liet Marc een schildering zien van witte bloemen op een altaartje voor een bodhisattva in de aloude meditatiehouding.

'Van mijn moeder,' zei ze. 'Ze heeft het mij geschonken.'

'Is dit allemaal van Angkor Wat?' vroeg hij al bladerend.

'Sommige wel. Deze gaanderijen. En dit tempellichaam. Maar Angkor Wat was oorspronkelijk hindoeïstisch, dat kun je zien aan het beeldhouwwerk. En veel van wat ze geschilderd heeft, is boeddhistisch. Ik denk dat de rest van andere Khmer-tempels uit het Petit of Grand Circuit is. Misschien zelfs wel aan de Koninklijke Weg. Ze ging graag op onderzoek uit.' Irene sloeg het blok dicht. 'Dat is iets om naar uit te kijken. Dat ik op een dag een tempel binnenloop en dan iets herken wat mijn moeder geschilderd heeft.'

'Dus het was niet Henry die je heeft aangestoken.' Op de een of andere manier leek dit Marc voldoening te geven.

'Hij heeft het heilige vuurtje brandende gehouden na haar dood.'

'En wat hebben de koperplaten met Angkor te maken?'

Irene genoot van de aanblik van de tempellichamen, van de eenvoudige elegantie waarmee de middelste, gewijd aan Visjnoe, afstak tegen de hemel. 'Wetenschappers hebben honderden tempelinscripties ontcijferd,' vertelde ze hem. 'En toch weten we nog zo weinig. Ze hebben de genealogie van meer dan dertig Khmer-vorsten achterhaald. En we weten aan welke goden de tempels zijn gewijd. Maar we weten niet waarom de hoofdstad zo vaak verplaatst is nadat Angkor verlaten werd. Niet eens waaróm Angkor verlaten werd. En er is maar één beschrijving van hoe het was om hier te wonen. Die stamt uit het dagboek van een Chinese gezant. De details zijn van onschatbare waarde. Hij schreef dat de koning twee keer per dag zijn paleis verliet en plaatsnam op een tijgervel, met een slinger van jasmijn om zijn hoofd bij wijze van kroon. Hij sprak zowel met burgers als met functionarissen. Dit kwam niet vaak voor bij koningen. Kun je je dat voorstellen bij Lodewijk de Veertiende? En als hij Angkor verliet, werd dat aangekondigd met het geluid van een trompetschelp. Honderden meisjes liepen voor hem uit, ze droegen allemaal een kaars. Zelfs als het licht was.'

194

Zijn koninklijke vrouwen volgden hem in wagens waarop gouden parasols bevestigd waren.'

Irene keek naar het uitgestrekte veld met olifantengras voor hen, waarop waterbuffels en zilverreigers stonden. Twee jongens sloegen met stokken op de lieliebladen in een moerasvijver. 'Op de een of andere manier is het radicaal veranderd. Geen goddelijke koningen meer, geen stenen paleizen, geen wegen of waterwegen.'

'Aan elke beschaving komt een eind,' zei Marc, en hij rolde een sigaret. 'Waarom zou dit een uitzondering zijn?'

'Als je naar het huidige Cambodjaanse hof kijkt, en je vergelijkt alles, van de zinsbouw in de taal tot de stijl van de muurschilderingen, dan lijkt het wel of de Khmer nooit bestaan hebben. Je merkt geen enkele invloed. Rome raakte ook in verval, maar toch werden er in Italië nog schitterende kunstwerken gemaakt. Denk aan de Renaissance. Toen de Khmer-beschaving ophield te bestaan, kwam er echter niets meer. Dit land heeft sindsdien niets van waarde voortgebracht. Waarom niet?' Haar stem piepte van frustratie. Elke keer als ze dit probeerde te begrijpen, putte het haar uit. 'Wat is er gebeurd dat al dat talent in Cambodja verloren is gegaan? Dat zou ik wel eens willen weten.'

'Deze plek is als het skelet van een of ander prehistorisch beest. Een dinosaurus die de laatste adem uitblies, waarmee in één klap de hele soort uitstierf.' Hij pakte haar pols en draaide de kornalijnen armband die ze altijd om had rond in zijn vingers. 'Je zegt dat men al decennia op zoek is naar een verklaring. Waarom geloof je dat die er is?'

In zijn vraag lag meer dan alleen nieuwsgierigheid. Irene voelde een vonk als Marc naar haar luisterde. 'Na de val kreeg Angkor Wat een mythische status,' zei ze. 'In de zestiende eeuw deden er nogal wat warrige verhalen de ronde van Europese missionarissen die een verborgen stad met gewelfde torens hadden gezien. Een Portugees beschreef hoe een Cambodjaanse koning tijdens de olifantenjacht op een "wondere wereld" stuitte. Die geruchten waren bekend onder Spaanse soldaten en Nederlandse handelaren, maar er was niemand die ze geloofde. Als er zo'n plek bestond, zou de wereld er toch van weten? Iedereen die Phnom Penh had gezien – wat een jungledorp was voor de Fransen arriveerden – toonde zich uiterst sceptisch. Tot in 1860 Henri Mouhot verscheen.'

Terwijl ze weer in haar kaartenmap dook, merkte Irene dat Marc naar haar keek. Ze vouwde een papier open met daarop de woorden die ze als kind had overgeschreven. 'Dit is wat Mouhot schreef: "De streek waar we nu doorheen trekken is rijk aan flora en fauna. Vanwege bijgeloof zijn de inlanders bang voor deze jungle, en blijven ze er weg. In dit district is het al net als in andere streken in Indochina. In het bos leven wel een miljoen geesten, en het barst er van de betoverde steden. Dat is nauwelijks het vermelden waard, aangezien er op elke onbewoonbare plek betoverde steden zijn, zolang men de rijke fantasie heeft om ze met behulp van maneschijn en toverpoeder op te roepen. Je hoort dit soort dingen zo vaak dat je aan jezelf gaat twijfelen. Ik lijk wel mee te doen aan die waanzin nu ik er tijd en energie in stop om een verhaal te noteren, dat zo weinig origineel en duidelijk omschreven is."'

Irene keek op. De tempel stond nog altijd voor haar, rees de lucht in. Geen fantasie, geen luchtspiegeling.

'Drie dagen nadat Mouhot dat schreef, ontdekte hij Angkor Wat.' Ze pakte Marcs hand en legde die tegen haar wang. Ze rook de zoete geur van tabak op zijn huid. 'Eerst bestond het niet, en toen wel. De ene dag stond het er niet, en de volgende ineens wel. Daarom geloof ik dat die geschiedenis er nog moet zijn.'

14

Revolutie

Irene rolde zich om op de matras. De vochtige hitte onder de klamboe plakte aan haar huid. Aan het plafond draaide de ventilator traag. Hij stond op de hoogste stand, al voelde ze niets vanwege het gaas. Ze knipperde slaperig en zag vaag dat Marc in de open deuropening van hun kamer in het Manolis Hotel stond.

'Hoe laat is het?' vroeg ze.

'Bijna zeven uur.'

Ze waren 's middags uit Angkor Wat teruggekomen in Phnom Penh. Totaal uitgeput vielen ze voor het diner in slaap. Toen Irene midden in de nacht wakker werd van de hitte, had ze gemerkt dat ze haar schoenen nog aanhad. En Marc lag languit naast haar. Hij had zijn overhemd, waarvan hij de knopen had losgemaakt, nog aangehad. Nu had hij zich geschoren en schone kleren aangetrokken.

'Waar ga jij heen op zo'n idioot tijdstip?' vroeg ze hem.

'Ik ben al buiten geweest,' antwoordde hij. 'Ik heb even wat informatie ingewonnen. Henry heeft een villa aan de weg naar Siem Reap. Hij zit daar al bijna twee weken en hij heeft voor overmorgen een overtocht geboekt op de Alouette.' Dat was de boot die zíj zouden nemen, als Louis hun papieren op tijd rond kreeg.

'Heb je hem gezien?'

'Nee,' antwoordde Marc.

Irene lichtte de klamboe op en bond die vast aan de voorzijde van het hemelbed. Het was een geblutst, gigantisch mahoniehouten meubelstuk, dat eruitzag alsof het vanuit een Europese berghut naar Cambodja versleept was.

'Ik weet dat hij er is, maar ik denk er liever niet aan,' zei ze. Ze snakte naar een kop koffie om de sufheid te verdrijven, die ze overgehouden had aan haar lange, diepe slaap. 'Vreselijk om te bedenken dat hij de oceaan is overgestoken. Het is 's nachts zo koud op het water. Wat zal het een pijn gedaan hebben, en dan met die frisse zeelucht...'

'Ik ga wel met je mee.'

Ze merkte dat Marc weinig zin had om zijn vader te zien en waardeerde het aanbod. Ze schudde haar hoofd. 'Zover ben ik nog niet.'

'Wil je niet weten wat hij van plan is?'

'Jullie hebben een totaal andere man voor ogen dan ik. Hij ís niets van plan, Marc. Ik weet precies waarom hij hier is. Ik wist het meteen, maar wilde er niet aan. Het is te dichtbij om in Seattle op me wachten.'

'Wat is dichtbij?' vroeg Marc. Hij sloot de deur achter zich, alsof hij het antwoord al wist en niet wilde dat iemand het hoorde.

'Zijn einde. En dat kan ik nog niet accepteren, Marc. Nog niet, niet na gisteren. Gister was volmaakt. Ik wil er nog iets langer van genieten.' Ze staarde naar de ventilator en vroeg zich af waarom ze niet het kleine beetje verkoeling kon voelen, dat tegen de stroom warme lucht in dreef die nu al via het open raam binnenkwam. 'Vind je me nu een vreselijk mens?'

'Je hebt me verteld dat je medeplichtig bent aan de dood van een man, zonder dat het in je opkwam dat ik je daarom zou veroordelen. Waarom zou ik je nu dan vreselijk vinden? Alleen omdat je een dagje extra wilt?'

Irene liet haar hoofd in haar handen zakken. Ze voelde de beweging van de vloer toen Marc op haar af liep. Hij knielde voor haar en zei: 'Ik hoop dat hij beseft hoezeer hij boft dat zo'n vreselijk mens als jij van hem houdt.'

'Ik heb de verslagen gelezen. Ik weet ook dat de Fransen zeggen dat de Cambodjanen geen ambitie hebben. Maar ja, beweren kolonialen dat niet steevast over inlanders?' vroeg Irene. 'Ik heb altijd gedacht dat de Fransen jaloers waren, omdat dit de enige plek is waar ze geen greep op wisten te krijgen. Hoe kon het ook, gezien het verleden van de Cambodjanen? Maar dit had ik nooit verwacht. Ik had niet verwacht hier zoveel mensen als zij te zien.'

Irene zat met Simone en Marc te lunchen in een half overdekt café aan de Quai de Vernéville, een suffe boulevard langs het kanaal dat om de Europese wijk liep. Ze keek naar een langslopende, jonge Cambodjaanse vrouw, die zich langzaam en doelloos voortbewoog in haar wijde *sampot*. Het was een kledingstuk dat om het middel werd gewikkeld en tussen de benen door liep, en noch voor een broek, noch voor een rok kon doorgaan. Met haar brede gelaatstrekken en kortgeschoren zwarte haar dat op haar voorhoofd als een borstel de lucht in stak, had ze zowel een man als een vrouw kunnen zijn. Alleen aan de bloes viel haar sekse af te lezen.

'Ze lijkt er het nut niet van in te zien om ook maar haar voeten op te tillen.'

Irene bestudeerde de uitdrukking van de vrouw, de levenloze blik in de ogen waarmee ze voor zich uit staarde en vreemdelingen negeerde. 'Ze ziet er moe uit. En ongelukkig. Dat doen ze allemaal. Het lijkt wel of ze geen idee te hebben uit wat voor nobele lijn ze stammen.'

Simone en Irene hadden die ochtend doorgebracht in het pakhuis van de douane, om de inhoud van de kratten door te nemen die Irene vanuit Seattle opgestuurd had. Simone was bezig die voorraadlijsten te vergelijken met haar eigen lijstje met benzeen, beenkappen en rubberen waterzakken.

'De meesten weten alleen wat het gouvernement ze láát weten. Het wordt met het jaar bedroevender,' zei ze verbolgen, en ze zette een streep door lampkousjes. 'Onrechtvaardige belastingen op land, het willekeurig bestraffen van een misdrijf dat niet als zodanig gezien wordt. Het ondermijnen van traditie. Ga zo maar door. Ongelukkig? Natuurlijk zijn ze ongelukkig!'

Simone was de hele ochtend al geïrriteerd. Irene, die na haar bezoek aan Angkor Wat nog in een roes verkeerde – alsof de tempel een borrel was waar zij te veel van ophad – deed haar best Simones stemming te negeren.

'Je doet net alsof ik hun daar de schuld van geef, Simone, maar dat is niet zo. Dat is niet wat ik wil, integendeel zelfs. Door de koperplaten kunnen ze de erkenning krijgen die ze verdienen. Niet alleen in het buitenland, maar ook hier. Als ze weten hoe de geschiedenis verliep, kunnen ze opnieuw beginnen. Van de koperplaten zouden de Cambodjanen nu juist kunnen leren hoe ze dat niveau weer kunnen bereiken. In de kunst, de architectuur. Denk je dat eens in.'

Irene roerde in haar aspergesoep. Ze keek uit over een straat waar flamboyants hun karmijnrode takken uitspreidden boven de oevers van het kanaal. Op het dek van een sampan zaten drie Cambodjaanse mannen gehurkt wat verveeld te kaarten. Ze hadden een aardewerken kan die gevuld was geweest met rijstwijn, naast een lelijke, gelige hond gezet, die amechtig aan hun gespreide blote voeten lag. 'Zeg nou eens eerlijk, Simone, vraag jij je nooit af hoe het de Fransen gelukt is hun compleet hun zelfrespect te ontnemen?'

'Dat klinkt nogal naïef, Irene,' merkte Marc op. 'De Fransen hebben machtiger wapens tot hun beschikking.'

'Die hébben tenminste wapens,' antwoordde Simone zo bits, dat Marc haar bedachtzaam aankeek voor hij verder sprak.

'Ze zouden in staat zijn alle Cambodjanen af te maken als ze op verzet stuitten. Daar ben ik in China geregeld getuige van geweest. Het is walgelijk wat voor verhalen een koloniale regering verzint als er zo'n slachtpartij heeft plaatsgevonden. De Cambodjanen zouden kansloos zijn.'

'En Angkor Wat dan? Er is geen enkele reden waarom ze er niet zouden kunnen wonen. Waarom claimen ze het niet?' vroeg Irene, ook al wist ze het antwoord. Ze begreep best dat zelfs als je iets nóg zo graag wilde, dat niet betekende dat iemand die machtiger was ermee instemde. 'Wat moeten ze nou hier! Een heuvel, dat is het enige overblijfsel in Phnom Penh. Een heuvel met een Siamese stoepa bewaakt door Chinese Fu-honden, op een plek waar een vrouw een paar boeddhistische relieken uit de veertiende eeuw begraven heeft. En een zilver-papieren koninklijk paleis – dat net zo goed in Bangkok had kunnen staan – gebouwd voor een koning die niet meer is dan een marionet. Ze stammen af van de Khmer. Maar dat is alleen nog te zien aan de koninklijke dansers.'

'Angkor Wat is te symbolisch,' zei Simone. 'Het gouverne-ment zou het nooit uit handen geven.' Ze fronste. 'Wat nu weer?'

Een Cambodjaan in een net blauw overhemd met knoopjes en bijpassende sampot, die achter het witgekalkte muurtje van het terras stond, wenkte haar. Irene had hem die ochtend al twee keer gezien, toen hij het pakhuis in en uit liep. Hij hielp hen met de laatste benodigdheden voor de expeditie, zoals extra bijlen, een goed uitgeruste verbandkist en kilometers dik touw. Maar elke keer dat de man op Simone af kuierde, raakte zij geïrriteerder en werd hij norser. Als Irene dan vroeg wat er aan de hand was, mopperde Simone over incompetentie. Nu siste ze: 'Het klopt dat de Cambodjanen weinig imposant op het eerste gezicht zijn. Maar in wezen zijn ze niet veranderd. Ze zijn dus sterker dan je zou vermoeden. Als ze die kracht nou eens konden benutten... Weet je wat het probleem met jou is, Irene? Jij blijft maar hameren op het minst belangrijke aspect van hun verleden.'

Simone liep weg. Marc keek haar na. 'Ik vond haar in de auto hebbelijker. Toen was ze tenminste aardig.'

'Ze zat onder de Luminal,' zei Irene, die belangrijker zaken aan haar hoofd had dan Simones humeur. Simone praatte zichtbaar geërgerd tegen de man in rap Khmer. En Irene vrees-de daardoor dat ze de laatste benodigdheden voor hun trip naar de bovenlanden niet op tijd rond zouden hebben, of dat Simone opnieuw iets ondoordachts zou doen, waardoor ze de boot mis-ten. Dit, in combinatie met de heisa om de juiste papieren te krijgen én de mogelijkheid dat Louis, nu hij en Simone ruzie hadden, tegen een collega wat los zou laten over de tempel, werd Irene te machtig. 'Louis heeft het flesje gevonden toen ze hun spullen uitpakten in het hotel,' zei ze. 'Dat zal ze wel in het ziekenhuis gepikt hebben.'

'Houdt dat in dat ze de rest van de tijd zo tekeer blijft gaan?'

'Wel als het Louis lukt haar van de pillen af te houden.'

'Boffen wij even, straks midden in de jungle.' Marc roerde in zijn rietsuikersap, aangelengd met ijswater. 'Maar ik denk dat ik weet wat ze bedoelt, Irene.'

'Waar heb je het over?' vroeg ze.

'Hun geschiedenis, hun verleden, hoe je het dan ook wilt omschrijven.' Hij keek van Simone naar de vissers. 'Je ziet het aan de manier waarop ze zitten, en hoe ze het haar in hun nek binden. Fascinerend. Pak ze hun rijstwhisky af en duw ze een hengel in handen, en je zou zweren dat ze op de reliëfs staan die we in de Bayon gezien hebben.'

Na hun bezoek aan Angkor Wat had Irene Marc meegenomen naar de nabijgelegen Bayon-tempel, met gaanderijen vol reliëfs over het dagelijks leven van de Khmer. Hier geen koningen en legers, maar gedetailleerde afbeeldingen van vrouwen die kookten op houtskoolvuurtjes en mannen die met klompen palmsuiker op weg gingen naar de markt.

Irene keek van Marc naar de mannen op de boot, en stelde zich hun knokige gestalten in steen voor.

Irene had nooit verwacht dat Marc zich voor de Khmer zou gaan interesseren. Dat ze een verleden deelden, schiep een band. Dat was al een bonus. Maar een gezamenlijke interesse was een gelukje waarvan ze niet had durven dromen. Ze raakte al opgewonden bij de gedachte.

Marc wees op een oude vrouw achter een kar met houten wielen, die een paar miezerige visjes roosterde boven houtskool. Opmerkzaam zei hij: 'Kijk eens naar het motief op haar sampot. Weet je nog dat we die weefgetouwen zagen op de terugweg van Siem Reap? Precies hetzelfde als op de reliëfs van de Bayon. Noch de techniek, noch de patronen zijn door de eeuwen gewijzigd, denk ik.' Toen Simone weer bij hen aanschoof, stond hij beleefd op en vroeg haar: 'Hun kracht ligt in het feit dat hun verleden nog aanwezig is in het dagelijks leven. Dat bedoel je toch? Ondanks alles wat hun ontnomen is, wat hun is aangedaan, leven ze precies zoals ze dat altijd gedaan hebben.'

Simones irritatie zakte weg. Ze knikte.

Maar Irene was nog steeds kwaad dat het koloniale systeem zo weinig oog had voor de mogelijkheden van de Cambodjanen. 'Het heeft ze weinig opgeleverd dat ze tot in de kleinste details vasthouden aan het traditionele leven. Waar het werkelijk om draait is een koninkrijk, en of ze in staat zijn een rijk tot stand te brengen.'

'Neem de Egyptenaren, de Maya's... Aan elke beschaving komt een einde. Dat is een natuurwet,' hield Marc vol, teruggrijpend op de discussie van de dag ervoor. 'Er komt altijd een moment waarop je los moet laten. Verder moet.'

Maar nu Irene erachter gekomen was dat de Cambodjanen door de Fransen onderdrukt werden, voelde ze meer dan alleen teleurstelling. Ze was verdrietig dat er van haar geliefde Khmer niet meer overgebleven was dan dit. En ze begon steeds meer te vrezen dat de koperplaten haar zouden leren dat de Khmer eeuwen geleden zo'n val gemaakt hadden, dat hun defaitisme een eigenschap werd. Zoiets als haarkleur of lengte, wat van generatie op generatie overging, en geaccepteerd werd zonder dat erbij werd nagedacht, zodat het geen optie meer leek om te vechten op het moment dat je gekoloniseerd werd. Ze werd misselijk van het idee dat de Cambodjanen zo murw geslagen waren, en vroeg: 'Denk je echt dat het lot zo'n grote rol speelt bij de opkomst en ondergang van een cultuur?'

'Dat heeft weinig met lot te maken,' zei Marc. 'De geschiedenis verloopt met een golfbeweging. Misschien wisten de Cambodjanen dat ook wel. Hebben ze zelfs geaccepteerd dat hun periode van roem nu ten einde is.'

Met een klap sloeg Simone haar aantekenboekje dicht.

'Ik neem jullie mee naar Angkor Wat, en wat concluderen jullie? Dat de Khmer zich vastklampen aan één aspect van hun verleden, en geen andere mogelijkheid hebben om zich hieraan te ontworstelen! Hoe kun je nu beweren dat je om de Khmer geeft, Irene, als je je niet eens kunt voorstellen dat er ook andere tijden komen? Hun tijd komt heus wel weer.'

'Sorry, Simone. Dat wil ik wel geloven, maar...'

'*Mon Dieu*, die man is een ramp!'

Opnieuw stond de Cambodjaan bij de balustrade. Hij wenkte Simone door met zijn handpalm omlaag zijn vingers om te krullen. Simone liep naar hem toe. Marc en Irene keken elkaar schichtig aan, als berispte schoolkinderen.

'Ik hoop dat Louis het papierwerk rond krijgt,' zei Marc. 'Als we ons hierop mogen verheugen, heb ik weinig zin om nog een week op de boot te moeten wachten.'

Irene zag dat een riksja beladen met het waterafstotend canvas zeil dat ze voor hun expeditie nodig hadden tegen de regen, langzaam op Simone en de man afreed. Ze zat er te ver af om te zien wat er mis was, maar uit alles bleek dat Simone niet akkoord ging.

'Het is erg frustrerend om hier niet mijn eigen contacten te hebben voor de rest van de benodigdheden,' zei ze. 'Het maakt me nerveus dat ik momenteel van haar afhankelijk ben.'

'Als je ziet hoe ze zich gedraagt, vraag je je af of haar niet meer mankeert dan alleen de pillen die haar afgenomen zijn,' merkte Marc op. 'Wat denk je dat er loos is?'

'Hartelijk welkom in mijn doolhof. Ik kan een jaar blijven gissen, Marc. Het enige wat ik zeker weet, is dat wat voor lijn ik ook volg, ik het wat Simone betreft fout heb.'

De reden voor Simones pesthumeur werd Irene en Marc al snel duidelijk. Halverwege het diner, midden in een discussie of het vervoer over de rivier problematisch zou worden omdat de regen dit jaar zo lang aanhield, snoerde Simone Louis de mond met: 'Ik denk dat we voor vanavond wel genoeg gehoord hebben over stroomversnellingen.' Ze boog zich naar Irene. 'Ik heb er de hele dag op zitten wachten dat je zijn naam te berde zou brengen,' zei ze, met een stem waarin de twee glazen bordeaux die ze bij haar cassoulet gedronken had doorklonken. 'Toen je er in Saigon achter kwam dat Henry Simms hier was, dacht ik dat je naar Cambodja zou snellen om uit te vinden wat er speelde. Nu zijn we hier al een hele dag. Hij woont in een villa op minder dan anderhalve kilometer buiten de stad. En toch hoor ik van mijn contacten dat je er nog niet geweest bent.'

Instinctief zocht Irene de eetzaal af. De Cambodjaan met het nette blauwe overhemd zat nergens verscholen in een hoekje.

'En wat hebben je contacten je nog meer verteld?'

'Dat hij op sterven na dood is.'

Irene voelde Marcs been onder tafel tegen het hare schuiven. Ze liet haar reserve varen, in de richting van de openslaande deuren, waardoor gevleugelde insecten binnenvlogen, aangetrokken door de zachte gloed van de elektrische lampen. Het licht flikkerde door schaduwen van grote, fladderende motten en het ongelijke ritme van de ventilatoren. Er was regen op komst. De bedienden renden de patio over, om kussens, kandelaren en planten naar binnen te slepen.

'Hij heeft kanker,' zei Irene.

Simone had die avond gekozen voor het uiterlijk van een mondaine Amerikaanse. Ze droeg een jurk bezet met kralen, die wiegden als ze zich bewoog. Ze had zelfs de tijd genomen om krulspelden in te zetten. Ze draaide een lok om haar vinger en zei: 'Toen we elkaar net hadden ontmoet, ging ik ervan uit dat je een zakelijke overeenkomst had met Henry Simms, Irene. Meer niet. Gewoon twee mensen uit hetzelfde circuit die elkaar op het juiste moment troffen en een afspraak maakten over de koperplaten. Toen kwam je ineens met zijn zoon aanzetten.'

'Ik vroeg me al af wanneer je daarover zou beginnen,' zei Irene.

Simone nam Marc met een koele blik op. 'Je bent verliefd op niemand minder dan de zoon van Henry Simms.'

Er kroop een blos over Irenes gezicht. Ze had haar gevoelens voor hem niet onder stoelen of banken gestoken; ze deelden tenslotte een kamer. Maar toch voelde ze zich bekeken. Ze stak Louis – de enige die ze zonder gêne kon aankijken – haar sigaret toe.

'Wat wil je dat ik zeg?' vroeg ze Simone.

'De waarheid. Om te beginnen wil ik weten hoe het zit tussen jou en Henry Simms.'

Er zat duidelijk meer achter dan alleen de wens uit te vinden wat voor band Irene en meneer Simms hadden. Ze zat haar te peilen, voelde Irene. Ze zag hoe Simone zich een derde glas wijn inschonk. Simone had die dag met Jan en alleman ruziegemaakt. Irene wist dat Simone meneer Simms voor geen cent vertrouwde en voelde dat ze dit glad moest strijken. Dat ze voorzichtig moest zijn. *Mijn contacten.* Dit was niet haar terrein. Hier was Simone in haar element.

'Best,' zei ze. 'Als je dat vanavond wilt horen.'

Had ze maar wat anders besteld dan de Cointreau in het piepkleine borrelglaasje voor haar. Ze kiepte het in één slok naar binnen, alsof het whisky was. 'Ik werd nog voor mijn geboorte ontvoerd.'

Buiten waren nieuwe wolken in aantocht. Ze schoven voor de maan. De grammofoon kraakte van de elektrische ladingen in de vochtige lucht. 'Ain't Nobody's Business if I Do'. De sfeer aan tafel veranderde. Iedereen keek naar Irene, die dit verhaal nog nooit aan iemand verteld had. Nooit eerder had ze iemand gehad die niet geschokt – of erger, ontzet – zou zijn als ze het vertelde. Maar Marc, Simone en Louis hier zouden er misschien niet eens van opkijken.

'Mijn ouders woonden in Manila,' vertelde ze. 'Als mijn vader in een haven aankwam, stroopte hij curiosawinkeltjes af. Porseleinen vazen, terracotta beelden, houtsnijwerk... Hij kocht alles wat hem beviel en verkocht dat door aan handelaren.'

Het donderde alsof de wereld verging. Ze moest haar stem verheffen om eroverheen te komen.

'Maar hij was geen expert. Hij omschreef zichzelf als een jakhals. Wat hem het meest aantrok in de jacht was het verrassingselement.'

Irene ging alle details af van het verhaal dat ze van haar ouders te horen gekregen had. En ondertussen viel de regen; een muur van water stortte zich uit over het hotel. Het kwam met bakken neer op de patio. De eetzaal dreigde onder te lopen, maar de louvredeuren bleven open. Obers serveerden wijn, madame de receptioniste bediende de grammofoon, en de Griekse eigenaar deelde wat snuiftabak met een gast met een tulband op zijn hoofd.

Marc, Simone en Louis lieten zich echter niet afleiden door de beschonken conversatie of het gelach dat zo uitbundig was, dat het de donder naar de loef stak. Ze wilden één ding horen.

'Vertel dan,' drong Marc aan.

'Toen mijn vader met verlof in Borneo was, hoorde hij dat er een missionaris was overleden, van wie men zei dat hij etnografica verzamelde. Hij vroeg of hij de verzameling mocht zien. Er was niet veel, een stuk of wat primitieve houtsneden van Jezus plus de gebruikelijke verschrompelde hoofden en benen pijpen. Maar hij vond ook een kist vol botanische tekeningen, een catalogus van de flora van Sarawak. Hij vermoedde dat er wel een universiteit was die daar interesse in zou hebben. Nadat hij de kist meegenomen had naar Manila, ontdekte hij er een valse bodem in. Die opende hij en...'

De hemel reet open. Er volgde een donderklap. De aanwezige mannen en vrouwen in de eetzaal joelden.

'Hij opende hem en vond...'

De grond leek open te scheuren, er klonk een knal vanuit het binnenste van de aarde. Het hotel schudde. De lichten gingen uit. Maar dwars door de stromende regen klonk nog het gelach van de kolonialen.

Irene voelde een hand op de hare. Het was Louis.

'Wat heeft hij gevonden?' vroeg hij.

'Zou dat het dagboek van dominee Garland geweest kunnen zijn?' fluisterde Irene.

Er werden lucifers afgestreken. Overal in de ruimte flikkerden kaarsen aan. Olielampen gingen branden. Een bediende zette er een op hun tafel. Hij gaf hun gezichten een spookachtige, trillende oranje aanblik.

'Wat bedoel je?' vroeg Simone.

De ventilatoren vielen stil. Het werd drukkender. Vanuit de hemel verjoegen bliksemschichten de duisternis.

'Het dagboek. Wat als mijn vader dát vond in de kist? Hij heeft me verteld dat het een boek was.'

'Wat voor boek?'

'Ik weet het niet. "Dat vervloekte boek." Dat is het enige wat hij erover zei. Ik was al weer vergeten dat het van een missionaris geweest was.' Haar hersens sloegen op hol, puzzelden erop los. 'Als die missionaris dominee Garland was, zou dat betekenen dat mijn vader het dagboek voor mijn geboorte vond. Dan zou het kunnen dat meneer Simms er toen al van afwist, en niet pas na de dood van mijn vader.'

'Waarom zou hij het geweten hebben?' vroeg Marc.

'En wat heeft dat te maken met de ontvoering?' vroeg Louis.

'Meneer Simms woonde destijds ook in Manila. Hij raakte er bevriend met mijn ouders,' legde Irene uit. 'Maar er woonde ook een crimineel, een Engelsman genaamd Lawrence Fear.'

Simone schoot overeind. 'Fear?'

'Ik weet het. Het klinkt als iets uit een stuiverroman, toch? Een boef die Fear heet.'

'Wat gebeurde er?' wilde Simone weten. 'Wat deed hij?'

'Mijn vader liet het boek zien aan een van de handelaren met wie hij contact had, om uit te vinden van het waard kon zijn. Later ging hij ervan uit dat de handelaar Fear ingelicht heeft. Fear had overal in de Oriënt mensen die dingen voor hem uitzochten. Toen hij van het boek wist, wachtte hij tot mijn vader het huis uit was en stuurde zijn mannen op mijn moeder af. Dat ze acht maanden zwanger van mij was, maakte hem niet uit. Ze sloten haar op in een pakhuis aan een werf. Mijn vader bracht onmiddellijk het boek. Maar er ging iets mis. Fear schoot mijn moeder neer. Ik herinner me het litteken, boven haar borst.'

'En Simms?' spoorde Louis haar aan. 'Wat voor rol speelde Simms hierin?'

'Hij ging mee om mijn vader te helpen. Ze wisten dat ze gefouilleerd zouden worden, dus waren ze ongewapend. Meneer Simms heeft Fear gedood met een ijzeren staaf die hij daar vond. En voor de rest ervandoor ging, doodde hij nog iemand met het wapen van Fear.'

'Hij heeft me van alles en nog wat over je verteld,' zei Marc, die verbijsterd dit stukje kennis over zijn vader tot zich nam. 'Maar hier heeft hij met geen woord over gerept.'

'Ze hebben mij verteld dat het boek verdween,' zei Irene. 'Maar als dat nu eens niet klopt? Als mijn vader het al die jaren tot aan zijn dood toe heeft bewaard?'

'Als hij het meegenomen heeft, waarom zou hij dat dan aan niemand verteld hebben?'

'Ik weet het niet,' antwoorde Irene.

'Lawrence Fear.' Simone herhaalde de naam alsof het een nieuwe term was, waarvoor ze een betekenis zocht.

De regen verdween weer net zo snel als hij de stad ingenomen had. Het rommelen van de donder nam af. Ondertussen overwoog Irene of het dagboek van dominee Garland inderdaad het boek kon zijn dat haar vader in de kist van de missionaris vond. Het leek haar niet logisch. Als ze het dagboek in handen hadden, waren haar vader en meneer Simms destijds al wel achter de vergeten tempel aan gegaan. Ze kon geen enkele reden bedenken waarom meneer Simms ermee zou wachten. Maar toch kon ze de gedachte niet van zich af zetten.

'Ik heb je meegenomen naar Angkor Wat,' mompelde Simone, die aan het randje van haar jurk zat te friemelen. 'Ik heb je die ervaring gegund, omdat ik ervan uitging dat je – diep in je hart – een van ons bent.'

'Simone,' waarschuwde Louis.

'Als ze het met eigen ogen ziet, hoef ik haar niet meer te overtuigen, dacht ik.' Simone dronk haar wijnglas leeg. 'Dan weet ze het. Dan wil ze zich net zo graag inzetten voor hun wederopbouw als ik. Wist ik veel! Je bent hier al veel te lang in verwikkeld. Van voor je geboorte zelfs. Dan is het niet verwonderlijk dat je uit hetzelfde hout gesneden bent als Henry Simms. Het ligt voor de hand dat je rekening houdt met de ideeën van dat soort mannen. Dat kun je niet helpen. Ik wist dat dit moeilijk zou worden, maar... En mijn moeder. Mijn moeder! Wat voor rol had zij hierin?'

Marc en Louis keken naar Irene voor een verklaring, maar Irene schudde haar hoofd. Ze had geen flauw idee waarom Simone haar moeder te berde bracht. Zwijgend keken ze alle drie naar Simone.

'Nee,' fluisterde die. Haar hoofd schudde alle kanten op. De kralen aan haar jurk wiebelden. Ze bleef het herhalen. 'Nee,' gilde ze, een eind makend aan de gesprekken in de eetzaal.

'Simone?' zei Louis, vragend dit keer.

'Wat heeft ze geslikt?' Marc stak zijn hand op om de aansnellende madame van de receptie te weren. 'Simone, heb je iets genomen vanavond?'

'Je bent niet in orde,' zei Louis tegen haar. 'Je had niet zoveel moeten drinken.'

Madame kruiste haar armen voor haar massief gebouwde borst. Ze bleef in de buurt.

Een van ons. Het flitste door Irenes hoofd.

'Mijn moeder nog wel,' mompelde Simone.

'Wat is er met je moeder?' vroeg Marc. Toen Simone geen antwoord gaf, zei hij tegen Louis: 'Ze is een flink eind heen. Dit kan niet alleen van de drank komen.'

'Ze weten dat ze me kunnen vertrouwen,' merkte Simone opstandig op. 'Ze hebben me verteld dat... Ik weet dat Henry Simms van plan is een fortuin na te laten aan de École Française d'Éxtrême-Orient.' Zwaar ademend richtte ze zich tot

Louis. 'Je hebt me beloofd dat je het haar niet zou vertellen, en dat heb je toch gedaan. Nu denk je dat je me erin kunt luizen, alsof deze revolutie...'

Louis trok Simone aan haar arm omhoog uit de stoel.

'Tijd om te vertrekken.'

Irenes gedachten maalden. Ze herinnerde zich Simones woorden, die avond aan boord toen ze uit Hongkong vertrokken.

Soms is een revolutie noodzakelijk, Irene. Ik geloofde er niet uitsluitend in omdat dat van hem moest... Ik wist wat ik deed. Ik heb altijd geweten waar ik aan begon.

'Als je denkt dat ik de koperplaten opgeef omdat de eerste de beste marionet die doet alsof hij voor het gouvernement werkt me wat geld van Simms toespeelt...' mompelde Simone.

'Zo is het genoeg!' Louis trok Simone weg bij de tafel.

De madame van de receptie keek bezorgd naar de eigenaar. Maar de Griek met het brillantinekapsel trok zijn schouders op en nam nog wat snuif.

Mensen als u zijn de reden waarom ik me aansloot bij de Communistische Partij. Om mensen als u raken de Fransen Indochina kwijt.

Simone verzette zich tegen Louis.

Marc stond op. 'Ik zal je even helpen.'

'Nee.' Louis was sterker dan hij leek. In een oogwenk had hij Simone de halve kamer door getrokken.

En dan was er nog die opmerking in het café die dag.

Hun tijd komt heus wel weer.

Irene wilde haar drankje pakken. Maar haar hand trilde. Het glas viel op de grond aan stukken.

'Verdomme.'

'Wat is er?' vroeg Marc. 'Wat is er in godsnaam aan de hand?'

'Ik denk dat Simone de koperplaten aan de communisten wil overdragen,' antwoordde Irene verbluft.

15

Het grote avontuur in Cambodja

Irene koos een plek waar ze zich zeker voelde om Simone te confronteren. Ze duwde de zware deuren van het Musée Albert Sarraut open door haar handen tegen het houtsnijwerk te drukken, dat dezelfde ingewikkelde florale motieven toonde als de stenen zuilen en sierlijsten van Khmer-tempels. Binnen lag een Cambodjaan te dutten in een hangmat. Hij opende half één oog. Het was nog niet eens zeven uur 's ochtends. Hij reageerde op haar blik door zich af te wenden en weer te gaan slapen. Het was hem veel te vroeg voor een gesprek met een opgewonden ogende blanke vrouw.

Buiten hing al een vochtige hitte, maar in de oudroze vestibule was het koel. Irene had nog nooit voet gezet in een museum waar het niet koel was, en ze zoog het bekende ondergrondse sfeertje in zich op.

Ze liep de hal door naar een deur aan de overkant. Ze trok hem open, en het zonlicht viel op en rond haar voeten. Het was alsof iemand warm water over haar sandalen goot. Ze liep de binnentuin in. Simone was er nog niet.

Met een mengeling van opluchting en verbazing bestudeerde Irene de paden om de lotusvijvers. Vier donkergroene waterpartijen die zich uitstrekten rond een centrale koepel. In tegenstelling tot de andere musea die Irene ooit had bezocht, was hier geen binnenmuur om de eeuwenoude Shiva- en Brahmabeelden te beschermen. Er was niet eens een scherm dat neergelaten kon worden tegen de elementen.

Irene ging op een houten bankje op een schaduwrijk plekje

zitten wachten. Ondertussen keek ze hoe het zonlicht over de rode dakpannen schoof en het waas erboven verdreef. De scherpe hoeken van de zuilen werden zichtbaar. De zon rees en rees, wierp golven licht om de sokkels die hier en daar als ankerpalen uit een ondiepe stenen zee omhoogstaken. Als bij vloed omspoelde het licht de voeten van Visjnoe, steeg langs zijn gladde kuiten omhoog en raakte de rand van zijn sampot. Toen Simone door de entree kwam, met het briefje dat Irene onder haar deur had geschoven nog in de hand, leek haar gele jurk op te lichten. Het briefje vermeldde slechts: *Musée Albert Sarraut.*

Te moe om in de aanval te gaan vroeg Irene alleen: 'Je bent nog steeds uit op een revolutie, hè?'

'Het zou je toch duidelijk moeten zijn dat ik het gehad heb met de communisten,' kondigde Simone meteen aan, alsof ook zij de hele nacht had liggen piekeren en niet wist hoe ze dit moest aanpakken. 'Ze zijn even slecht als de koloniale regering. Bij hen draait alles om politiek. Om macht. Om wie de macht heeft. Niet alleen de macht over het land, maar ook de macht in de partij. Roger was net zoveel tijd kwijt met zich afzetten tegen Voitinsky als hij besteedde aan het bestrijden van het gouvernement.'

'Als het niet over communisme ging, begrijp ik niet wat het probleem was gisteren.'

Simone liep de beelden langs, en stopte bij een beeld van Lakshmi. Ze legde de rug van haar hand tegen de koude stenen wang van de godin.

'Ik geef niets om macht, nooit gedaan ook. Maar zelfs als kind, nog voor ik Roger ontmoette en doorkreeg wat ik met die gevoelens tot stand kon brengen, hield ik van Cambodja. Toen ik terugkwam van mijn eerste reis naar Frankrijk dacht ik na over de architectuur hier, met de smeedijzeren balkonnetjes en donkergroene luiken. En ik kon maar niet bedenken waarom iemand die hele reis hierheen zou maken, om het vervolgens met veel moeite te laten lijken alsof hij Marseille nooit verlaten had. Wat heeft het voor zin naar de andere kant van de we-reld te varen om daar in een café aan een tafeltje bedekt met een kanten kleedje uit Normandië crême brûlée te gaan zitten eten? Het is de Fransen uitstekend gelukt hun cultuur boven op die van de Khmer te deponeren.'

Irene kon niet meer bedenken of Simone hiervoor ook al dat soort dingen gezegd had. *De Fransen. Hun cultuur.* Alsof zij een andere nationaliteit had. Irene vond dat de Khmer belem-merd waren in hun ontwikkeling door het koloniale systeem, maar zei toch: 'Ze restaureren de tempels. Dat is toch goed?'

Simone ging met één vinger langs de gebeeldhouwde haar-versiering boven het voorhoofd van Lakshmi.

'Ik heb het niet over de pretentieuze pogingen om archeolo-gie te benutten om de besmeurde reputatie van het Franse Rijk schoon te poetsen,' antwoordde ze. 'Ik heb het over wat er zich nu afspeelt. Nog zo'n koloniale golf, en de cultuur van de Khmer is verdwenen. Dan rest ons alleen dit museum en een pretpark genaamd Angkor Wat, met boven de lotusvijvers net zo'n achtbaan als in Coney Island.'

'En kunnen de koperplaten daar verandering in brengen, vol-gens jou?'

'Zouden de Cambodjanen niet zelf moeten beslissen wat voor leven ze willen leiden? Wat de toekomst van hun land moet zijn?' Simone dacht na, met haar hoofd scheef. Het leek alsof ze het meer tegen de gebeeldhouwde godin had dan tegen Irene. 'Zou het niet hun keuze moeten zijn of ze bouillabaisse willen in plaats van amok?' vroeg ze. 'Kostuums van Brooks in plaats van sampots? Behoort hun geschiedenis, hun eigen ge-schiedenis, niet aan hen toe? Om naar eigen goeddunken over te beschikken?'

'Hoe zie je dat voor je?'

'Een nationalistische partij oprichten en het land terugvor-deren.'

Het was zo'n directe en obstinate opmerking dat Irene zich moest dwingen om Simone aan te blijven kijken. Meteen al schaamde ze zich dat ze dit niet had zien aankomen. Ze bedacht wat Simone haar in Shanghai allemaal verteld had. Dat ze met die wapenhandelaar Borodin wapentransporten georganiseerd had. Dat ze de *Shanghai Chronicle* had opgezet voor de arbeiders, de vertrouweling was geweest van de vrouw van Chiang Kai-shek. Maar in de eerste plaats haar uitspraak 'Ik ben niet zomaar iemand'. Achteraf was het Irene wel duidelijk dat Simone dit niet gezegd had uit gekrenkte trots.

In een poging antwoorden te krijgen zonder Simone te provoceren, zei Irene: 'Ik had heel idealistische ideeën over wat ik hier aan zou treffen. Ik zou iets over de Cambodjanen te weten komen waar verder niemand van op de hoogte was. Ik had geen flauw benul dat een tienjarige studie niet opweegt tegen hier een dag op straat lopen.'

'Zo is het precies, Irene. In de Cambodjanen schuilt meer dan de buitenwereld opmerkt. Ze geven om traditie, ze zijn bereid keihard te werken om hun kinderen te eten te geven. Maar het heeft geen zin keihard te werken als hun wordt afgenomen wat ze verdienen. Het gouvernement ziet ze uitsluitend als arbeidskrachten voor de rubberplantages. De kolonialen doen hun best alles uit de Cambodjanen te persen wat ze nog in zich hebben. Omdat ze weten dat als ze nog een schijntje overhadden van hun vroegere superioriteit, ze de Fransen hun land uit zouden trappen.'

Irene stond op. 'Je hebt nog steeds niet uitgelegd wat voor rol de koperplaten daarin zouden spelen.'

Simone kruiste haar armen. 'En jij hebt nog steeds niet verteld wat voor rol Lawrence Fear en mijn moeder hierin spelen.'

Weer die verwijzing naar haar moeder. En wat had Lawrence Fear ermee te maken? 'Ik heb geen idee waar je het over hebt,' zei Irene.

'Ga je me nu echt vertellen dat je niets afweet van Madeleine en Sarah en hun grote Cambodjaanse avontuur?'

Irenes blik gleed van Simone naar het emotieloze beeld naast haar, naar de rode hibiscus die glinsterde in de schaduwen van de binnentuin. Ze deed haar best het te begrijpen. Waarom had Simone Merlin, die er vast opuit was de koperplaten in te zetten bij het stichten van een nationalistische partij, zojuist de naam Sarah genoemd? De naam van Irenes moeder?

'O, je weet het dus echt niet,' bracht Simone uit.

Irene schudde haar hoofd.

'Fear. Dat is een naam die je nooit vergat. Nou, ik had hetzelfde, al kwam ik er pas gisteravond achter dat het een naam was. Toen mijn moeder stierf, vond ik tussen haar spullen een brief van een vrouw uit Amerika, genaamd Sarah. Kun je je nog herinneren hoe het was toen jouw moeder overleed? Hoe je alles in je hoofd wilde prenten? Hoe haar parfum rook? Hoe ze je kuste als ze je in bed legde? Hoe ze lachte? Je doet alles om de herinnering levend te houden.'

'Ik weet het nog.'

'Ik prentte dit in mijn hoofd.' Simone ontvouwde een oud velletje papier, wierp er een blik op, en citeerde toen: *'Allerliefste Madeleine. Ik heb het tragische bericht over de dood van je zoon ontvangen. Het spijt mij zo. Op sommige dagen vliegt de gedachte aan wat mijn ongeboren dochter had kunnen gebeuren mij aan. Ik kan me niet voorstellen wat voor leed je nu doormaakt. Er is niets ergers dan je kind verliezen. Ik kan je ook nooit genoeg bedanken voor je hulp bij het overmeesteren van Fear in Manila.'*

Irene deed haar best geen acht te slaan op het krassende geluid dat de vleermuizen maakten in de dakspanten. Maar toen Simone haar de brief toestak, werd het geluid sterker. Ze zag Simones rode vingertoppen; Simone had haar nagels tot bloedens toe afgebeten. Ze herkende haar moeders handschrift op exact het crèmewitte correspondentiepapier dat ze voor al haar brieven gebruikte, zelfs voor briefjes die ze in Irenes lunchtrommel stopte of achterliet voor de melkman, en ze wist niet of ze verstarde of slap werd.

'Ik weet nog dat ik dacht dat het zo vreemd was om dat te schrijven,' zei Simone. *'Je hulp bij het overmeesteren van Fear.*

Vooral omdat Fear met een hoofdletter geschreven was. Zie je die hoofdletter? Ik dacht dat het een foutje was.'

'Maar dat was het niet.'

'Nee, dat was het niet. *Ons grote avontuur in Cambodja zal altijd een dierbare herinnering blijven. Ik weet niet waarom jij besloten hebt het geheim te bewaren, maar ik weet natuurlijk wel waarom ik dat deed. En ik heb er geen spijt van. Ik hoop dat dat ook voor jou geldt. Patrik stuurt zijn groeten, waar ik de mijne aan toevoeg. Je goede vriendin, Sarah.* Kijk eens naar de datum, Irene. 1897. Dit is van twee jaar voor het huwelijk van mijn ouders.' Ze keek de brief door, alsof ze een verborgen betekenis zocht. 'Ik heb nooit begrepen waarom mijn moeder me niet vertelde dat ze een zoon had die gestorven is.'

'Ik kreeg te horen dat meneer Simms ons gered had. Hij was degene die Fear ombracht. Hoe zou je moeder ons hebben kunnen redden? Wat zou ze gedaan hebben?'

Simone dacht na.

'Tijdens de Frans-Chinese Oorlog was ze verpleegster. En tijdens de opstand in Siem Reap was ze dag en nacht in het ziekenhuis. Je vertelde dat je moeder een schotwond had. Misschien heeft ze haar verzorgd.'

'Wat deed ze in Manila?'

'Misschien was ze op reis, net als jouw ouders,' opperde Simone. 'Bezocht ze nieuwe plekken. Dat is niet ondenkbaar, Irene. Begrijp je wat dit kan betekenen? Als mijn moeder in Manila was, en om wat voor reden dan ook samen met hen optrok, áls ze je moeder geholpen heeft, dan moet ze Henry Simms gekend hebben. Als je het gisteren bij het rechte eind had en je vader het dagboek van dominee Garland al voor je geboorte in zijn bezit had...'

'Ik weet niet of dat zo is.' In het zonlicht, zonder dat er een storm raasde, durfde Irene zo'n overhaaste conclusie niet aan.

'Maar stel dát. Stel dat het waar is!' Al Simones politieke ideeën, al haar bombastische plannen voor de wederopbouw van het Khmer-rijk waren op slag vergeten.

'Het grote Cambodjaanse avontuur. Irene, beloof me dat je me op de hoogte stelt als je uitvindt waar dat op slaat,' zei ze opgewonden.

'Een Cambodjaanse nationalistische partij?' Marc floot. 'Heeft ze je verteld hoe ze dat denkt aan te pakken?'

Irene stond in hun hotelkamer voor de gesloten deur. De gelige glazen lampen waren niet aan, alsof duisternis koelte kon brengen. Dat was niet het geval. Ze trok haar bloes uit, maar zelfs een hemdje was haar nog te veel in de plakkerige hitte van het late ochtenduur.

'Daar zijn we niet aan toe gekomen. We kwamen erachter dat onze moeders mogelijk samen een Cambodjaans avontuur beleefd hebben. Een groot avontuur zelfs. Waarbij jou vader betrokken geweest kan zijn. Misschien in verband met het dagboek.'

Marc zette zich af tegen het mahoniehouten bureau, waaraan hij het stapeltje boeken over de Khmer had doorgelezen dat Irene had meegebracht. Er staken aantekeningen uit die hij gemaakt had op briefpapier van het hotel.

'Ik wist niet dat jullie families contact hadden.'

'Ik ook niet, maar dat is momenteel doorlopend het geval.' Ze opende de jaloeziedeuren naar het balkon. Op de terugweg van het museum was het gaan miezeren. Zelfs onder het afdak waren de rotan meubels buiten glibberig geworden. Ze pakte een pakje sigaretten uit de plantenbak met verwelkte goudsbloemen, waar ze het neergelegd had.

'Ik weet dat het niet voor de hand ligt,' merkte Marc op, 'maar denk je dat Henry iets van doen kan hebben met die nationalistische partij van haar?'

'Op dit moment sluit ik niets uit. Maar ik denk het toch niet. Zoals ik het nu zie is Simone onderdeel van deze expeditie omdat haar moeder een of andere band had met Henry Simms. Er heeft hier iets plaatsgevonden voor wij geboren werden. En waarschijnlijk heeft het te maken met de tempel waarnaar we op zoek zijn. Misschien wilde hij haar daarom Shanghai uit hebben.'

'Waarom heeft hij dat dan niet tegen jou gezegd?'

'Dat weet ik niet zeker. Het ligt in zijn aard mensen te manipuleren. Maar dat heeft hij bij mij nooit gedaan, en daarom heb ik dit niet zien aankomen.' Irene had er eigenlijk boos over moeten zijn. Maar in plaats daarvan vond ze het een eer dat het spel van meneer Simms om haar draaide. 'Ik heb meer het idee dat Simones politieke ideeën een ongelukkige bijkomstigheid zijn. Het lijkt allemaal met elkaar verweven te zijn omdat wij allemaal met elkaar verweven zijn.' Ze tikte haar as boven op de dode motten in de bloempot, en zuchtte. 'Haar hoogsteigen revolutie. Wie had er kunnen bedenken dat dát haar doel was? Ik kan er nog steeds niet bij.'

Marc kwam naast Irene op het balkon staan. Ze leunden tegen de reling en keken hoe de Franse driekleur als een natte dweil aan de ijzeren palen hing die aan de overkant van de Quai Lagrandiere die langs de rivieroever stonden.

'Mocht dit je geruststellen: ik was de waakhond in Shanghai, en ik had geen idee wat Simone aan het bekonkelen was.'

Irene precies wist hoe ze zich om de tuin had laten leiden. Dat was nog het ergste.

'Simone heeft me genoeg verteld om dit te zien aankomen. Maar ik luisterde niet, omdat ik iets anders wilde horen. Ik wilde dat iemand me begreep. Iemand die hetzelfde nastreefde als ik. Ik was op drift geraakt na alle gebeurtenissen in Seattle.' Ze streek met haar hand over zijn schouder, hoopte haar koers te kunnen bepalen door met haar vinger het kompas te omcirkelen, dat door het witte katoen van zijn overhemd scheen.

'Ik dacht dat als we eenmaal de koperplaten gevonden hadden, we wel tot een compromis konden komen. Ik dacht dat ze heimwee had en verslagen was. Ik had medelijden met haar. Ik dacht dat ik haar redde. Maar zij heeft haar man gedood, Marc. Ze heeft mij die nacht gered. Ik liet me door haar in de luren leggen, en dat is onvergeeflijk.'

'Een beetje gelijk heb je wel. Ze deelt je verlangen. Jullie willen allebei met die koperplaten je droom verwezenlijken. Het probleem daarbij is dat jullie verschillende dromen hebben.' Hij pakte haar hand en hield hem stil. Het troostte haar dat hij zo dicht bij haar was, maar het maakte haar ook onrustig.

'Wat ga je eraan doen?' vroeg hij.

'Ze is graag beneveld. Misschien kan ik haar bedwelmen met iets en er dan vandoor gaan.'

Hij knikte goedkeurend. 'Zo is dat. Nooit je gevoel voor humor verliezen, zeker niet tussen de galgen.'

'Als ik nou kon denken wat voor zin het heeft de koperplaten aan de Cambodjanen over te dragen... Als ik begreep wat voor invloed de platen kunnen hebben op wat de revolutionairen beogen, dan kon ik beter inschatten of we waarde moeten hechten aan haar plan. Weten waar ik hier mee te maken heb.'

Peinzend keek Marc naar de leerbruine Tonle Sap-rivier. De dag was al voor een deel verstreken. Toch was het stil op de kade. Er lagen wat onbemande vissersboten en een kano met een onderuitgezakt jongetje.

'Toen Angkor tot bloei kwam,' zei hij uiteindelijk, 'waren Parijs en Londen uit hun krachten gegroeide dorpjes. Europa was vergeven van de barbaren. Maar hier legden de Khmer gecompliceerde irrigatiesystemen aan, en bouwden de grootste tempel ter wereld. Ik wist daar niets van tot ik aan het lezen sloeg.' Hij gebaarde naar de boeken op het bureau binnen. 'Mijn hele leven heb ik in de Oriënt gewoond. Mijn hele leven val ik al onder een koloniale regering, en toch heb ik me nooit afgevraagd of het wel hoort dat één land een ander annexeert. Zo gaat het nu eenmaal. Maar toen we in Angkor Wat liepen, betrapte ik mezelf erop dat ik me afvroeg wat er verloren gaat als een cultuur zo systematisch met de grond gelijk wordt gemaakt, dat – onder het mom van vooruitgang – een andere opbloeit. Denk je eens in hoe het had kunnen zijn als Cambodja niet eerst door Siam en later door Frankrijk onder de voet was gelopen. Wat de Cambodjanen de wereld hadden kunnen bieden als ze de kans gekregen hadden te zijn wat ze hadden kunnen worden.'

Dit druiste in tegen wat Marc eerder gezegd had, namelijk dat het onontkoombaar was. Irene vocht tegen haar ongeloof en vroeg hem: 'Vind je dat ze gelijk heeft? Horen de koperplaten naar de Cambodjanen te gaan?'

Die vraag zette hem aan het denken. 'Ik wist niet dat we het hier hadden over wat juist of onjuist is. Ik heb je al gezegd dat het gaat zoals het gaat. Daar doe je weinig aan. Ik probeer je alleen een weg te helpen vinden door het mijnenveld van haar gedachten. Ik dacht dat je dat van me vroeg.'

'Maar als het nu eens waar kon zijn?'

'Wat?' vroeg hij.

'Dat het draait om kansen. Dat de Cambodjanen opnieuw iets waardevols kunnen creëren als ze de gelegenheid krijgen. Begrijp je hoe geweldig dat zou zijn? Theoretisch gezien heb je gelijk. Maar wie weet heeft Simone ook wel gelijk.'

'Je gaat me toch niet vertellen dat je je aansluit bij haar revolutie?'

Irene wilde dat ze erom kon lachen. 'Hoe rationeler haar betoog, des te serieuzer haar dreigement.'

'Dus je denkt dat ze het meent?' Marc fronste, alsof dit niet eerder bij hem was opgekomen. 'Je gelooft niet dat dit een overdreven reactie op Rogers dood is?'

Irene drukte haar sigaret uit tussen de goudsbloemen.

'Dat moet ik zien uit te vinden.'

Het pakhuis van de douane stond aan het eind van de kade. Het was er donker en het rook er naar verschaald bier, sigarettenpeuken en hout, doordrenkt van rivierwater. Irene hield haar adem in en liep er snel doorheen. Buiten voor de roldeuren op de werf stond Louis met een ladingsbrief in de hand naast een bebaarde douanebeambte. Hij schreeuwde tegen twee koelies die met veel moeite een krat in het ruim van de Alouette aan het laden waren. De tekst BROOKE-EXPEDITIE, SEATTLE, USA trilde onder de inspanning op en neer. Irene had opdracht gegeven dit op elke kist te laten zetten die ze verzond. De connectie met het museum zou bijdragen aan hun geloofwaardigheid.

Ze ging tussen de mannen in staan. 'Neem me niet kwalijk. Louis, ik wil even met je praten.'

Ze hadden elkaar niet meer gezien sinds hij Simone de avond tevoren het restaurant uit had geloodst. Zijn blik gleed van de koelies naar de lijst. Ze zag op het papier dat het om conservenblikken ging en wist precies wat er in de kist moest zitten: perziken; appelmoes; Van Camp's varkensvlees en bonen en ossenstaartsoep van Campbell. Ze had alles ingeslagen bij een kruidenier in Seattle die ook aan de mijnwerkerskampen in Alaska leverde.

'Ik zie je hier over een halfuur weer,' zei hij tegen de tussenpersoon.

Zodra de man uit het zicht was, stak Irene tegen Louis van wal.

'Hoe lang zijn jullie hier al mee bezig?'

'Wat, met dit?' Hij nam haar mee naar de zijkant van het pakhuis, niet om de privacy maar vanwege de schaduw.

'Een revolutie.'

Louis begon te lachen. 'Waarom zou ik in godsnaam op een revolutie uit zijn?'

'Waarom zou je anders...'

Hij viel haar in de rede. 'Weet je wat, Irene. Laten we open kaart spelen. Jij vertelt me wat je in werkelijkheid met de koperplaten van plan bent, en in ruil ben ik eerlijk tegen jou.'

Aan de andere kant van de kade doezelden Franse villa's met balkons weg in de hitte. Verderop aan het bestrate deel lagen zongebleekte sampans in de modderige poelen bij de aanlegsteiger bijeen als drijfhout. Het ene stond voor wat Simone omver wilde gooien, het andere voor een wereld die ze uit de as wilde doen herrijzen. Ze lagen hier gebroederlijk naast elkaar. Een illusie die maar al te gemakkelijk aanvaardbaar was.

Irene had niets te verliezen door hiermee in te stemmen.

'Ik neem ze mee naar Amerika, ik wil ze gebruiken om een baan als conservator te krijgen. New York ligt het meest voor de hand, maar San Francisco zou me ook wel lijken. Het Ethier Museum. Jarenlang hebben ze daar zonder succes geprobeerd het Brooke te evenaren. Ze hadden mij niet. Als ik er eenmaal ben met de koperplaten, zal ik het in vijf jaar ombouwen tot het beste museum voor oosterse kunst in de wereld. Over tien jaar staan de zalen vol met zeker de helft van de Khmer-objecten die nu in het Guimet staan, om nog maar niet te spreken over de kunst die ik voor het Brooke aangeschaft heb. Ik zal de Khmer geven waar ze recht op hebben.'

'Je hebt dus een vastomlijnd plan.' Louis vouwde de voorraadlijst op die hij nog in zijn hand had en stak hem in zijn zak. 'Simone is van plan ze te verkopen, ze heeft het geld nodig voor de revolutie hier in Cambodja.'

'Geld? Wil ze geld? Ik heb haar nota bene vijftigduizend dollar geboden om me te helpen.'

'Die platen zouden wel eens een miljoen kunnen opbrengen, dat weet je best.'

'Goed. Ik zal het met meneer Simms bespreken.' Irene had al eerder onderhandeld over astronomische bedragen. 'Ik zal haar geven wat ze wil. Geld.' Er viel een last van haar af. 'Waarom heeft ze dat zelf niet tegen me gezegd? Of dacht ze nu echt dat ze me kon bepraten om mee te doen?'

'Ze denkt dat ze ons allebei kan ompraten,' zei Louis, die zijn strooien hoed afzette. Hij wreef met zijn vingers over de rode striem op zijn voorhoofd, waar de hoed gezeten had. Hij had een blos op zijn gezicht van de hitte. De rand van zijn kraag was donker van het zweet. De knoop van zijn das had hij losser gemaakt. Hij zag er net zo afgepeigerd uit als Irene zich voelde. 'Ze denkt dat het een kwestie van tijd is voor we ons bedenken. En wat betreft je royale aanbod... Ze is echt niet van plan ze aan de eerste de beste over te doen. Ze wil ze verkopen aan het gouvernement.'

Irene tuurde in de richting van de promenade, waar twee buitenlanders in verkreukelde pakken in de beschutting van een magnoliastruik stonden te roken.

'Maar volgens Simone zijn de Fransen wel de laatsten die ze in handen mogen krijgen.'

'Simone denkt niet als jij. Zij hoopt dat elke keer dat ze de koperplaten zien, ze eraan herinnerd worden hoe ze er het einde van hun kolonie mee gefinancierd hebben.'

Irene had weinig op met Freud of psychoanalytische trendvolgers in de Amerikaanse beau monde, maar was wel bekend met de terminologie.

'Lijdt ze aan waanvoorstellingen?'

'Doet dat ertoe?'

'Dat ze ze uit wrok aan de regering verkoopt? Dat is wel erg kortzichtig. Dat...'

'Wat, Irene? Wat is het? Is het niet precies hetzelfde als ze onder de neus duwen van de commissarissen die jou lieten vallen? Zodat ze spijt krijgen dat ze je onderschat hebben?' Gereserveerd merkte hij op: 'Volgens mij is dat een schoolvoorbeeld van wrok.'

Hij trok zijn jasje recht, deed een knoop dicht en bracht zijn das weer op orde, alsof hij zich van zijn ergernis kon ontdoen door zich op te knappen. Maar er klonk nog steeds irritatie toen hij zei: 'Wat mankeert jullie in godsnaam? Als deze koperplaten bestaan, kunnen ze ons een beter inzicht geven, niet alleen in de Khmer, maar in beschavingen in het algemeen, en het verloop daarvan. En jullie doen net alsof het om een paar miezerige glazen kralen gaat. Alsof ze geen grotere waarde hebben dan het oppeppen van je gevoel van eigenwaarde.'

Louis liep niet langer als een hondje achter Simone aan, zoals in Saigon. Hij was volkomen zichzelf, had eigen opvattingen. Dat kon een risico vormen. Maar tegelijkertijd waardeerde Irene het ook in hem. 'Het gouvernement betaalt haar geen cent,' zei ze. 'Ze zullen van haar eisen dat ze ze overdraagt. Je kent de wet.'

Nadat er een jaar eerder weer een bodhisattva uit Angkor Wat was opgedoken in het Fogg Museum in Cambridge had de gouverneur-generaal van Indochina verordonneerd dat alle archeologische gebouwen in de onder Frankrijk ressorterende delen van Cambodja voortaan 'monumenten van algemeen belang' waren. Wie betrapt werd op een poging ook maar één enkele steen uit een van de tempels het land uit te smokkelen, riskeerde een celstraf. Simone zou haar deal dus in het buitenland moeten sluiten. Ergens waar de Franse wetten niet golden. Dan nog zou het riskant zijn om de koperplaten voor het geld ruilen.

'Hoewel, nu ik erover nadenk...' voegde Irene eraan toe. 'Als het haar lukt om de platen aan het gouvernement te verkopen, heb jij daar baat bij, aangezien de Conservation d'Angkor daaronder valt.'

'Ik heb er helemaal geen baat bij,' zei Louis. 'Ze zouden de koperplaten naar Frankrijk sturen.'

Door alles wat ze in Seattle had meegemaakt begreep Irene zijn desillusie.

'Het moet niet makkelijk zijn voor jou dat ze alles van waarde weghalen.' Ze werd afgeleid door een blauw-rode weerspiegeling in het donkerbruine water en keek naar een vissersboot die het uiteinde van de kade voorbijdreef. Toen ze Louis weer aankeek, stond hij haar op te nemen alsof hij zijn mening over haar herzien had.

'Heb je gelezen wat Marchal zegt over dingen op locatie laten?' vroeg hij. '"Angkors bewonderenswaardige beeldhouwwerken kunnen alleen op waarde geschat worden in hun eigen omgeving. Als ze verplaatst worden of kapotgaan verliezen ze hun betekenis, en blijft er niets meer van over dan onbelangrijke fragmenten." Dit is door alle experts al meer dan een jaar geleden onderschreven. La Jonquière heeft dat gedaan met zijn inventaris van Khmer-monumenten, Aymonier met zijn transcripties van Sanskriet inscripties, Carpeaux met zijn foto's van Angkor Wat. Maar het schijnt maar niet tot de regering door te dringen dat ze onherstelbare schade aanrichten met deze archeologische uittocht.'

'Dan wil je dus wel deze regering omver hebben.'

'Ik wil dat deze regering zich bezighoudt met besturen en Angkor aan ons overlaat. Geen enkel kunstvoorwerp had het land hoeven verlaten.'

'Dat is niet waar,' protesteerde Irene.

'Je bent een protegee van Henry Simms. Wat kun je anders zeggen?'

'Dat bedoel ik niet. Als niets Cambodja verlaten had, had ik de Khmer niet gekend. Als niemand die beelden meegenomen had, als mijn eigen vader de apsara's niet naar het Brooke Museum had gebracht, had mijn moeder me nooit hun opmerkelijke wereld kunnen laten zien.'

Met het stijgen van de zon werden de schaduwen korter. Irene deed daarom een stap dichter naar het pakhuis.

'Zo was ik als kind in staat te overleven. Anders had ik het niet volgehouden.'

'We hebben het hier niet over jou, Irene. Als ik het geld bezat dat jij Simone zo terloops wilt aanbieden, maakte ik een goede kans de koperplaten hier te houden. Met zo'n bedrag kun je een kunstvoorwerp veiligstellen.'

'Het is mij een raadsel waarom je dat zou willen. Je kent het museum toch? Het heeft niet eens muren. Ze zouden hier niet veilig zijn.'

'Ik zou ze niet in het museum leggen. Ik zou een instituut oprichten, waar ik meer zou zijn dan assistent-conservator van een arme buitenpost van de École Française d'Extrême-Orient. Hoe kan een rijksonderzoeksinstelling in Hanoi nu de belangen behartigen van de archeologie in Cambodja? Ik had je mee moeten nemen naar het archeologische depot in Angkor. Daar worden losse fragmenten opgeslagen. Op dit moment heb ik niet het gezag er iets mee te doen. Maar als ik de directeur van een instelling met privémiddelen was zou het een heel ander verhaal zijn. Met voldoende middelen zou ik de Khmer-overblijfselen intact kunnen houden. Je lijkt niet te beseffen wat een geweldig leven je hier kunt hebben. Een leven met mij als medestander.'

Hij probeerde wat stof van zijn mouw te vegen en fronste toen hij inzag dat het zinloos was. 'Zoals het nu is, zal ik me inspannen om zowel Simone als jou te dwarsbomen.'

De reisdocumenten waren goedgekeurd op basis van het verhaal dat Irene gefabriceerd had rond de zoektocht naar vroegere Khmer-handelsroutes. Dit hield in dat de expeditie, onderlinge meningsverschillen en al, de volgende dag kon vertrekken. Irene was blij dat ze Phnom Penh kon verlaten, en niet alleen omdat ze popelde op zoek te gaan naar de tempel. Op de weg terug van het pakhuis naar haar hotel viel het haar opnieuw op hoe kil de Cambodjanen zich gedroegen. Misschien lachten ze wel als ze onder elkaar waren, maar in de Europese wijk keken ze haar gereserveerd aan. Vijandig zelfs. Ze had nooit durven dromen dat ze zich niet welkom zou voelen onder de mensen die zoveel voor haar betekenden. Zij was toch op zoek naar een wijze om hun topstukken te redden en te conserveren. Ze zou een compleet museum aan hun geschiedenis wijden. Ze zou hun cultuur status geven. En ze keken haar aan alsof ze verantwoordelijk was voor hun armoede en onderdrukking, net als de Fransen.

In de veilige beschutting van haar kamer vond ze een briefje van Marc, die naar het museum vertrokken was. Ze deed een dutje. Dat gaf weinig verlichting in de middaghitte. Toen ze wakker werd, bleef ze in bed liggen wachten tot de dag voorbij was. Sinds de vorige avond had ze geen eetlust gehad, maar toen ze via het open raam de geur opving van knoflook en gegrilde garnalen, die afkomstig was van een etenskarretje op straat, dreef haar plotselinge trek haar naar beneden.

Buiten de brede entree van de hotellobby reden kolonialen in hun cabriolets langs. Boeddhistische monniken liepen voorbij, gelokt door het zuchtje verkoeling dat de late middag bracht.

In diepe conversatie verwikkeld slenterden ze in hun oranjerode gewaden voort. Het had weer geregend, en het onverstaanbare geluid van de stemmen werd hier en daar onderbroken door de tokkèh-roep van de gekko. Irene liep naar het terras waar het diner geserveerd werd en opzichtige Fransen van start gingen met de gebruikelijke drankinname. Toen de ober op haar af kwam om haar een tafeltje te wijzen, zag ze Murat Stanić in een hoekje zitten.

Het was zo'n moment vlak voor een regenbui, waarop details als vuurvliegjes in het oog sprongen: het gevlochten smeedijzer van de straatlantaarns op de boulevard, het grijsgroen van de muiltjes van de vrouw die naast Stanić zat. De vrouw keek omlaag. En haar gezicht ging verborgen achter een cloche in dezelfde kleur als haar schoenen. Maar toch kon Irene uit haar gladde zwarte haar opmaken dat het een oosterse vrouw was. De twee zaten te praten, met hun hoofden dicht bij elkaar om de privacy te garanderen. Met problemen als Simones overdosis, Angkor Wat, haar gevoelens voor Marc, de aankomst van meneer Simms, en nu maar liefst een revolutie én een oppositieverklaring van Louis Lafont, hoefde Irene zichzelf zich niet te verwijten dat ze vergeten was dat Stanić ook naar Phnom Penh zou komen. Maar hij zat daar wel, op het terras voor het hotel. En hij herinnerde haar eraan dat zelfs als Simone, Louis en zij op miraculeuze wijze zouden kunnen samenwerken, er nog andere complicerende factoren waren.

16

De Alouette

Irene liep over het bovendek op het achterschip en aarzelde toen ze meneer Simms zag. Hij zat ineengedoken in een canvas stoel voor zijn hut. Het leek alsof hij er alleen zat om een luchtje te scheppen, maar ze wist dat hij daar op haar wachtte. Ze liep op hem af met een knoop in haar maag. Voor het eerst van haar leven wist ze niet wat ze tegen hem moest zeggen. Nerveus trok ze de *krama*-sjaal recht die ze om haar hoofd gewikkeld had zodat haar haar niet alle kanten op woei in de wind die aangezet werd door de voorwaartse beweging van de Alouette.

Hij lachte naar haar. Ze zag aan zijn gezicht dat hij haar gemist had.

'Lieve kind,' zei hij.

Zijn krakende stem was amper hoorbaar door het geknars van de scheepsmotoren, maar zijn uiting van genegenheid raakte haar diep. Ze knielde voor hem en pakte zijn handen vast. Ze dacht dat ze zich goed genoeg had gewapend tegen zijn onvermijdelijke fysieke aftakeling, maar dit had ze toch niet verwacht. Zijn fiere gelaatstrekken waren niet meer zichtbaar onder de rimpels. Zijn huid was gelig en verweerd. En hij had zich niet geschoren. Irene had meneer Simms nog nooit ongeschoren gezien. Daar zat de man die als een vader voor haar was, maar hij was het niet. Zijn lichaam was gehuld in een winterjas, die haar belemmerde te zien wat er van hem was overgebleven. Ze boog haar hoofd, vocht tegen de tranen.

Hij trok zijn trillende hand uit de hare en streek zacht over haar geblokte sjaal.

'Je bent altijd zo sterk geweest, Irene,' fluisterde hij. 'Dit kom je ook wel te boven.'

De laatste restjes nachtelijke koelte klampten zich vast aan de opkomende hitte. Ze trok een stoel bij. Samen keken ze naar de eerste zonnestralen, die de glinsterlichtjes op de sampans aan de rivieroever lieten verbleken. Ze had een heleboel vragen voor hem. Maar ze had de tijd, ze zou ze later stellen. Afhankelijk van de stroomversnellingen en moessonregen hadden ze nog zeker vijf dagen samen op de Alouette. Nu wilde ze nog doen alsof hij niet dood zou gaan. Vanaf het moment dat ze aan boord kwam, had ze hiernaar verlangd. Dat het net zo zou zijn tussen hen als vroeger.

'Simone is van plan de koperplaten te verkopen en met dat geld een nationalistische partij in Cambodja op te richten,' vertrouwde ze hem toe, alsof hij opgekruld in een leren fauteuil in zijn studeerkamer zat, en zij – zoals zo vaak – naar hem toe kwam voor de analyses waar hun kleine wereldje om draaide.

Meneer Simms liet deze opmerking op zich inwerken. Toen vroeg hij: 'Wat vraagt ze?'

'De complete inhoud van de regeringsschatkist. Niets minder dan een complete vernedering van het Franse rijk.'

Hij grinnikte. 'Ik moet zeggen dat dat als een verrassing komt.'

Normaal lachte meneer Simms niet als hij onder druk stond. Irene was dus opgelucht dat hij een goed humeur had.

'Wat had u dan verwacht? Ik ken niemand die zo onberekenbaar is als zij. Ze slikt pillen alsof het snoepjes zijn. Het grootste deel van de tijd is ze een blok aan het been.'

'Dat weet ik allemaal wel, Irene.' Hij zei het op onverwacht meelevende toon.

'U weet het?' Irene had deze mogelijkheid overwogen, maar zag er de logica niet van. 'Waarom betrekt u haar dan in dit alles? Weet u wel dat die idiote echtgenoot van haar mij bijna vermoord heeft?'

'Ik heb me niet in je vergist. Ik wist dat als iemand het kon, jij dat was.'

'Wat kon?'

'Haar bij hem weg krijgen. Het was een kwestie van tijd voor hij haar volledig te gronde zou richten. Maar wat kon ik daaraan doen? Ze had nooit geloofd dat haar welzijn me aan het hart ging. En toen deed deze gelegenheid zich voor.'

'Waarom gaat het u aan het hart?'

'Lieve hemel, na alles wat ze meegemaakt heeft, is ze nog steeds uit op een revolutie. Ik neem mijn pet voor haar af. Ik dacht nog wel dat ík ambitieus was door iedereen voor het laatst bijeen te willen krijgen.'

Irene keek op. Ze zag hoe de wind plukjes van zijn uitgedunde haar opzij blies en de doorzichtige huid met ouderdomsvlekken blootlegde. Meneer Simms liet zijn blik over de reling dwalen, maar leek de groep Cambodjanen die in ruw uitgeholde kano's voorbijkwam niet te zien. Ze wist niet veel van kanker. Ze kon niet inschatten hoe hij er in dit stadium aan toe was. Hoe het zijn denken beïnvloedde.

'Wie is "iedereen"?' vroeg ze aarzelend. 'Wie bedoelt u daarmee?'

'Iedereen?' vroeg hij. Hij leek verward, keek Irene aan alsof hij haar niet herkende.

Er kwam een blos van paniek op Irenes gezicht. Als het moest kon ze zich neerleggen bij meneer Simms' fysieke aftakeling. Hij was klein en slank gebouwd, had een bantampostuur. Hij ontleende zijn macht niet aan zijn lijf. Maar zijn geest... Hij was niet gewoon slim, hij was vlijmscherp. Als zijn geest onder zijn ziekte zou lijden, zou hij niet meer herkenbaar voor haar zijn. Dat was nu net datgene waar ze van hield.

'Meneer Simms,' zei ze aarzelend.

Hij hoestte. Een armzalig kuchje was het.

'Het spijt me, liefje. Mijn gedachten nemen tegenwoordig wel eens een loopje met me. Hoe is het met Marc?'

De mist begon op te lossen. Maar de opkomende zon en porseleinblauwe lucht brachten geen kleur op de rivier.

'Waarom heeft u me nooit over hem verteld?'

'Ooit leek het me het beste jullie gescheiden te houden. Jullie vertegenwoordigen beiden een ander deel van mijn leven,' antwoordde hij. Hij leek zijn gedachten weer de baas te zijn. 'Ik herinner me de dood van je moeder. Ik heb nog nooit een man gezien die zo gebukt ging onder zijn verdriet als jouw vader. En toen vroeg hij me te helpen bij jouw opvoeding. Mij, nota bene. Waarschijnlijk wist hij wel dat hij me kon vertrouwen, na die hele toestand rond je moeders ontvoering. Als er met hem iets zou gebeuren, had jij geen familie meer.' Hij frunnikte aan de bovenste knoop van zijn jas, en zei: 'Hij moest zeker weten dat er iemand voor je zou zorgen.'

'Laat mij maar.' Irene boog zich voorover om hem te helpen met zijn knoop en zag hoe los en gerimpeld de huid van zijn keel erbij hing.

'Ik wist toen niet waarom ik ermee instemde je voogd te worden. Maar ik ben tot de conclusie gekomen dat maar weinig mannen op het moment zelf begrijpen waarom ze iets doen. Reflecteren doe je op je sterfbed. Na alle fouten die ik gemaakt had, kreeg ik met jou de kans iets goed te doen in mijn leven. Helaas heb ik me te laat gerealiseerd wat ik Marc aandeed.' Zijn stem werd trager en stierf weg.

Irene was er niet zeker van dat ze wilde horen wat voor schade meneer Simms Marc berokkend had. In plaats daarvan vroeg ze: 'Waarom wilt u nu dan wel dat ik Marc leer kennen?'

Op de oever week industrie voor natuur. In plaats van fabrieken zagen ze steeds meer overhellende hutten op dunne palen, die als riet uit de oever leken te schieten. Meneer Simms volgde een vlucht witte vogels boven de rivier.

'Mijn zoon verdient het gelukkig te zijn. En jij, mijn lieve kind, hebt mij altijd erg gelukkig gemaakt.'

'Hij leek een moment in de war,' vertelde Irene. 'En meteen daarop was hij weer zichzelf. Maar in die paar tellen was ik in paniek. Het was alsof ik mezelf kwijtraakte.'

Marc rolde op zijn zij in het smalle stapelbed en gluurde

tegen de zon in naar het silhouet van Irene in de deuropening.

'Ik heb een kijkje in het ruim genomen. Hij heeft een krat vol medicijnen meegenomen. Aspirine, morfine, laudanum. Blokken Chinese substantie. Er staat een doos met naalden waar je een ziekenhuisje mee kunt bevoorraden. Of beter nog, waar we het hele noordoosten van Cambodja mee plat kunnen spuiten als we op zoek gaan naar de tempel. Het is een wonder dat hij nog uit zijn woorden komt.'

Irene ging op het bed zitten en nam Marcs blote voeten op schoot.

'Hij is nog de enige die me als kind heeft meegemaakt, of als dochter. Als hij sterft, houdt dat deel van mijn leven op te bestaan.'

'Ik kan niet zeggen dat het me zou spijten als dat deel van mijn leven ophield,' meldde Marc zonder omhaal.

De luiken waren dicht. Door de spleten trok het zonlicht het patroon van een schaakbord op de kromgetrokken houten vloerdelen. Boven hun hoofden blies de ventilator muffe lucht in de rondte. Marcs gezicht betrok, alsof hij verwachtte dat ze hem de les ging lezen. Maar Irene vroeg alleen maar: 'Was hij echt zo'n belabberde vader?'

'Er waren ook momenten waarop hij aardig was, als je dat soms wilt horen.'

Op Irene kwam het ritmische gebonk van het schip over als het kloppen van haar hart. 'Ik wil de waarheid horen.'

'De waarheid?' fluisterde hij. Hij boog naar voren en trok haar met zijn armen om haar heen tegen zijn warme borst. Hij hield haar zó dicht tegen zich aan dat er geen ruimte tussen haar lichaam en het zijne was, geen ruimte waarin zijn woorden troosteloos konden ronddolen.

'Ik schat dat Henry drie of vier maanden per jaar in Shanghai doorbracht. En in die tijd zag hij mij hooguit één of twee keer. Dan werd ik uitgenodigd voor het diner en hoorde hij mij uit over school en mijn moeder. Toen ik zeventien was, vroeg hij me op een keer of ik voor hem wilde werken. Dat wilde ik wel, ik kon er niks aan doen. Ik kende hem amper, maar hij was mijn vader en ik wilde hem een plezier doen. Eerst deed ik losse klusjes voor hem, allemaal heel simpel. Maar na een poosje gaf hij mij opdrachten die hij niemand anders toevertrouwde.'

'Wat voor soort opdrachten?' vroeg Irene.

'Dat doet er niet toe. Of misschien moet ik zeggen: er was er maar één die ertoe deed. Uiteindelijk liet Henry me wat inbraken plannen.' Marc bracht het met moeite uit, alsof hij iets toegaf wat hij al te lang geheim had gehouden. 'De slachtoffers waren bewust gekozen. Stadsbestuurders en communisten waren erbij. In die tijd verkocht hij wapens aan de Franse marine. Dat kwam vaker voor. Henry was bereid met iedereen te onderhandelen, en wist dat conflicten de handel bevorderden. Ik denk dat hij genoot van de risico's die hij liep. Het was niet alleen geld waar hij opuit was. Hij zocht de uitdaging, zelfs als hij die zelf moest creëren. Bijvoorbeeld door wapens aan de oppositie te leveren. Maar hij werd zelf beduveld. Achter zijn rug werden er prijsafspraken gemaakt, en werd er met winst doorverkocht. Daar besloot hij tegen op te treden. Even te laten zien dat híj het voor het zeggen had. Zijn tegenstanders te laten merken dat ze zich nergens voor hem konden verbergen, hoe onkwetsbaar ze zich ook voelden. Zelfs in hun eigen huizen waren ze niet veilig.'

Tijdens deze bekentenis liep het zweet bij Marc in straaltjes omlaag. Irenes bloes werd er nat van.

'Toentertijd vond ik dit allemaal normaal. Ik was zijn zoon, ik was een kind van Shanghai. Geen wonder dat het normaal leek. Het heeft jaren geduurd voor ik erachter kwam dat het er in andere steden totaal anders aan toe ging. Corruptie, best. Het reilen en zeilen in een stad verloopt nu eenmaal soepeler met wat corruptie hier en daar. Maar ook in corruptie heb je gradaties. En Shanghai is de hoogste graad. De inbraken hadden het gewenste effect. De juiste mensen voelden zich aangesproken. Inwoners van Shanghai weten meteen of iets een waarschuwing is, en iedereen begreep wat zijn volgende stap zou zijn. Hij zou ze volledig buitensluiten. En deze mannen, deze profiteurs, konden zich niet veroorloven buitengesloten te worden door Henry Simms. Rond die tijd stuurde hij me naar Formosa voor een klusje dat een van zijn mannetjes net zo goed had kunnen doen. Toen ik weg was, werd er ingebroken in mijn huis. Mijn vrouw werd doodgeschoten. De *Post* sprak van een "tragisch ongeval".' Hij klonk vals. 'Moord is geen tragisch ongeval. Ik wist dat het om vergelding ging.'

'En jij denkt dat het de schuld van meneer Simms was?'

'Welke vader introduceert zijn zoon in een wereldje waarin dit soort dingen kunnen gebeuren?'

'Het spijt hem,' zei Irene.

'Ik begrijp wel wat je wilt. Je wilt dat ik de man die ik kende vergeet. Je wilt dat ik hem inruil voor de man die jij kent.' Marc haalde zijn vinger langs de zongebruinde huid van haar blote nek. 'Ik kan veranderen, Irene. Ik ben bereid het te proberen. Maar ik kan niets veranderen aan hoe hij tegenover mij was. Ik weet zelfs niet of ik dat zou willen. En ik ben bang dat jij dat aspect van hem nooit zou kunnen accepteren.'

De Alouette was een middelgrote rivierboot. 's Avonds na het diner schoof de bemanning tafels en stoelen aan de kant om de eetzaal om te bouwen tot een salon. Op het groene vilt van opklapbare speeltafels speelden Marokkaanse zeelieden met stoere West-Indische bandana's op het hoofd backgammon. Legerofficieren zaten aan de cognac en rookten Dominicaanse sigaren.

Simone had zich teruggetrokken in een hoekje, en zat daar in een fauteuil. Ze haalde Rogers memoires uit een tas en nam de losse velletjes door. Ondertussen maakte ze als een plichtsgetrouw schoolmeisje aantekeningen op een notitieblok. Aan de andere kant van de zaal bespraken Marc en Louis het nut van timmersteken versus paalsteken. Marc had Irenes exemplaar van *The Art of Travel* uit, en wilde nog wat weten over het maken van vuur met behulp van frictie en het kamperen onder natte omstandigheden.

'In Shanghai wist ik precies welke achterafstraatjes je beter kon vermijden,' zei hij tegen Louis. 'En daar kende ik elke goedkope huurmoordenaar met een derringer in zijn jaszak. De jungle is compleet nieuw voor me.'

Irene had bij de mannen kunnen gaan zitten, maar voelde daar weinig voor. Tijdens het diner was de sfeer ongemakkelijk geweest. Ze hadden op meneer Simms zitten wachten, die niet verscheen. Halverwege het diner had Irene een steward gestuurd om te kijken of het wel goed met hem ging. Die kwam Irene later vertellen dat hij lag te slapen. In zijn afwezigheid ratelde Simone maar door over haar revolutie. Louis leek besloten te hebben dat hij Simone het beste kon negeren. Daar kwam bij dat Marc ongebruikelijk stil was. Toen Louis hem uitnodigde onder het genot van een sigaret iets te gaan drinken, ging hij snel met hem mee. Irene kreeg de indruk dat hij even uit haar buurt wilde, en liet hem instinctief met rust.

Ze keek naar hem terwijl hij met Louis de expeditie zat te bespreken. Ze had bewondering voor de wijze waarop hij haar wereld binnenstapte, maar voelde tegelijkertijd iets beklemmends. Het was waar wat Marc zei. Ze wilde haar eigen herinneringen aan meneer Simms niet laten beïnvloeden door de zijne. Ze had behoefte aan frisse lucht, en ging naar buiten. Ze liep over het dek tot ze de stemmen in de salon niet meer kon horen. Haar gedachten deinden mee met het golvende water. Later begaven steeds meer passagiers en bemanningsleden zich naar hun hutten, en afgezien van de Cambodjanen, die beneden moesten blijven, liep iedereen over hetzelfde dek. De boot was te klein voor klasseverdeling. Omdat ze niet helemaal zeker was of ze vannacht wel welkom was in de hut van Marc, liep Irene over het dek langs de hut van meneer Simms. De deur stond open.

Meneer Simms lag op zijn zij in bed, met zijn hoofd op het holle deel van een lakwerk hoofdsteun. In een hoek van de

duistere kamer hing een lantaarn. Op een dienblad van hetzelfde materiaal als het kussen zag Irene een pijp liggen. De steel
was gemaakt van bamboe met zwarte vegen erin. Het zilveren
beslag was ingelegd met groene stenen. Op het blad lag ook een
opiumkit. Naast een ivoren opiumhoudertje waarin kraanvogels waren gesneden die hun vleugels spreidden in vlucht,
lag een naald. Er was een instrumentje bij om de kop schoon te
schrapen, en een bordje om de as op te vangen. In het kegel-
vormige stormglas van een olielamp liet een lont de lucht zin-
deren van de hitte. Het rook naar de Chinese wijken van
Shanghai en Saigon in de hut, naar rookholen waar de geur van
verbrande stroop en oude mannen overheerste.

In een stoel met een rechte rugleuning naast meneer Simms
zat een vrouw. Irenes hart stond stil toen ze de grijsgroene
muiltjes herkende. Het was de Cambodjaanse die bij Murat
Stanić had gezeten op het terras van het restaurant in Phnom
Penh.

'Wie ben jij?' vroeg Irene, die in de deuropening bleef staan.

'Ik heet Clothilde.'

'Dat bedoel ik niet.'

'Ik zorg voor Henry.'

Toen hij zijn naam hoorde, wilde meneer Simms iets zeggen.
Maar zijn woorden stierven onverstaanbaar weg. Ook al had hij
zijn ogen open, door zijn roes zag hij niets. Er zaten stoppels op
zijn kin. Dat irriteerde Irene. Hij was geen zwerver. Hij was een
magnaat in een gevoerde jas van Qing-zijde, met figuren in
gouddraad.

'Dan doe je je werk niet goed. Hij is niet eens geschoren vandaag. Ben je een verpleegster?' informeerde ze.

Irene schatte Clothilde zo tegen de dertig, bijna net zo oud
als zijzelf. Ze droeg simpele maar dure kleding. En aan de ring-
vinger van haar rechterhand had ze een smaragd waar je niet
omheen kon. Ze glimlachte. Het was een zuinig, beleefd lachje.

'Hij kan je morgen alles over mij vertellen, als hij de kans
gehad heeft om te rusten.'

Irene wilde niet laten merken aan deze vreemdeling dat ze bang was dat meneer Simms die nacht dood zou gaan. Dat ze vreesde dat ze allerlei dingen niet meer te weten zou komen.

'Ik wil alles nu van jou horen.'

Clothilde gebaarde met haar kin naar het voeteneind van het bed. Toen pas zag Irene Simone op de grond liggen, uitgestrekt op een laken, plat op haar rug. Ze had een lange witte nachtpon aan. Zo met gesloten ogen en haar armen langs haar lichaam, zag ze eruit alsof ze in een rouwcentrum lag opgebaard. Irene kon zich niet voorstellen dat Simone een dag door de jungle kon trekken. Ze voelde de last van de andere vrouw op haar schouders.

'Hoe lang is ze al hier?' vroeg Irene.

'Een uur, ongeveer.'

'Heeft ze met hem gepraat?'

'Nee. Ze gaf me haar pijp en is gaan liggen.'

Irene zag Simones borst langzaam op en neer gaan, hoorde haar bij elke ademhaling kreunen.

'Ze is verslaafd.'

'Ik weet het. Ik was het ook, voordat Henry me hielp.'

Het stak Irene met hoeveel affectie Clothilde over Henry Simms sprak. IJzig merkte ze op: 'Ze is compleet van de wereld. Zelfs al vangt ze wat op, dan betwijfel ik of ze zich er iets van zal herinneren.'

'Ik geloof niet dat het aan mij is...' Clothilde richtte haar aandacht op het blad, stak de naald in de opium en schepte een zacht, bruin bolletje op. Om de een of andere reden bedacht ze zich, en begon te vertellen.

'Mijn dochter heeft tuberculose. Dat is een dure ziekte. Wil ze blijven leven, dan moet ze goed verzorgd worden. Daarom pikte ik in kroegen... Afijn, ik denk niet dat ik dat hoef uit te leggen. Zes jaar geleden liep ik in een bar in Phnom Penh Henry tegen het lijf. We leerden elkaar goed kennen. En toen hij het hoorde van mijn meisje, stuurde hij ons naar Californië. Hij betaalde haar verblijf in een sanatorium daar, een van de beste die er zijn. Als hij de kans kreeg, kwam hij ons bezoeken. Zo hebben we altijd contact gehouden.'

Nog een geheim van meneer Simms.

'Weet je waarom hij hier is?'

Clothilde hield het kleverige druppeltje boven de vlam en zag hoe het verhit werd.

'Ik kom uit Kha Seng.'

Dat was het dorp waar dominee Garland in zijn dagboek over schreef. Irene gluurde naar Simone. Maar die was nog altijd uitgeteld.

'En de tempel?' De vraag was eruit voor Irene er erg in had.

'Ik ging er op feestdagen heen.'

Ondanks de brok in haar keel bracht Irene uit: 'Dus hij bestaat?'

'Ja,' was het antwoord van Clothilde. Er bleek niet uit of ze wist wat dit voor Irene betekende.

Irene had moeite dit alles te bevatten. Ze bleef naar de hand van Clothilde staren. Eén momentje van onachtzaamheid en de opium zou verbranden. Maar Clothilde hield de punt van de naald rotsvast boven de vlam.

'Hoe zit het met de geschiedenis van de Khmer? Heb je die ook gezien?'

Langzaam draaide Clothilde het bolletje. Boven het vlammetje zwol het op, werd het goudbruin van kleur. Alsof het een religieus ritueel betrof, liet ze het in de pijpenkop vallen.

'Tot Henry er een paar maanden geleden over begon, had ik nog nooit van die geschiedenis gehoord. Hij vertelde me dat ik destijds zijn interesse trok omdat ik uit Kha Seng kwam. Ik was perplex. Ik had nooit aan hem gemerkt dat mijn dorp iets betekende.'

'Is hij in de tempel geweest?'

'Hij schonk me een huis in Santa Barbara, in de buurt van mijn dochter. En hij laat me genoeg geld na om de rest van mijn leven op te kunnen teren.' Ze hield de pijp tegen de lippen van meneer Simms. Hij inhaleerde onregelmatig. De opium glansde als een stuk gesmolten barnsteen en gaf een leemachtig luchtje af. 'Hij vertelt me alleen wat hij wil vertellen. Meer vraag ik ook niet. Ik weet niet of hij er geweest is of niet.'

'Weet Murat Stanić van het bestaan van de tempel?'

Clothilde blikte opzij naar Irene, alsof ze niet wist wat ze mocht verklappen.

'Henry is trots dat je zo slim bent,' zei ze.

'Je zat met hem in het volle zicht op het terras van mijn hotel. Ik heb je gezien. Dat betekent niet meteen dat ik slim ben.' Irene wilde van Clothilde weten wat ze Stanić had verteld. Hoeveel hij al wist. Als Clothilde met hem onder één hoedje speelde, zou ze Irene echter op geen enkele manier de waarheid vertellen. 'Hoeveel heeft hij je geboden om mij in de gaten te houden?'

'Genoeg. Maar met sommige mannen heb je als vrouw liever niets te maken. Je hoeft er ook niet over in te zitten. Henry weet ervan.'

Clothilde klonk oprecht. Maar Irene wist nog niet of ze haar kon vertrouwen.

'Kun je me zeggen hoe lang meneer Simms deze reis al van plan was?'

'Zoals ik al zei, heeft hij me een paar maanden geleden laten komen. Hij vertelde me over de geschiedenis en vroeg me met hem mee te gaan naar Cambodja.'

Dit was het bewijs dat meneer Simms van het begin af aan van plan geweest was zich aan te sluiten bij de expeditie.

'Maar hij is niet sterk genoeg om met ons de jungle in te trekken, toch?'

'Nee,' antwoordde Clothilde. 'Hij blijft in Stung Treng op ons wachten.'

'Hoe weet ik dat Stanić niet onderweg is hiernaartoe? Hoe kan ik erop vertrouwen dat jij hem niet vertelt waar we zijn, als hij hier aankomt?'

'Dat kan ik hem moeilijk vertellen als ik bij jullie ben. Ik word jullie gids, Irene.'

De hand van meneer Simms was van het bed gegleden. Voorzichtig tilde Clothilde hem op, en legde hem zo neer dat hij comfortabel lag. Liefdevol trok ze de mouw van zijn kamerjas recht. 'De reden waarom ik hem vandaag niet geschoren heb, is dat het een van die dagen was dat zelfs een scheermes hem te veel pijn doet. Mijn vader is aan kanker gestoven, Irene. Midden in de jungle, zonder pillen of wat dan ook. Die constante pijn staat me nog goed voor de geest. Ik kon niet verkroppen dat Henry zoveel pijn moest lijden. Dit is een ziekte die op alle fronten toeslaat. Elke dag probeer ik een nieuwe combinatie van medicijnen uit, in de hoop iets te vinden wat zowel zijn lichaam als zijn geest ontlast.'

Alsof hij daarop wachtte, kreunde meneer Simms. Maar toen hij wat zei, mompelde hij alleen: 'Othello's slaapdrankje.'

'*Alouette, gentille alouette, alouette, je te plumerai.*' Simone begon tekenen van leven te vertonen en zong in haar opiumroes het liedje van de Canadese bonthandelaren.

'Misschien voel je je beter als je met hen meedoet,' bood Clothilde Irene aan.

'*Je te plumerai la tête...*'

Na alles wat Irene voor meneer Simms gedaan had, wilde zij nu degene zijn die hem redde, die het hem gemakkelijker maakte. Vanavond kon maar één ding daarvoor zorgen. En daar ging Clothilde over.

Irene sloeg Clothildes aanbod af. Ze wilde plotseling alleen zijn met het verpletterende nieuws dat de tempel echt bestond. Ze verliet de hut en leunde tegen de reling. Hij bestond. Dit feit – geen theorie, geen veronderstelling, geen wens, maar een feit! – nam bezit van haar, sneller dan de verdovende middelen van Clothilde dat konden. Irene herinnerde zich nauwelijks hoe ze in haar hut belandde. En het volgende moment was het al morgen, en lag ze rillend van de nachtelijke kou in haar kooi met de deur nog wijd open, alsof ze buiten westen geweest was.

Ze knipperde van het zonlicht dat leek op te rijzen uit de aarde, en afketste op het onophoudelijke groen van ficussen op de oever. Aalscholvers zeilden door de ochtendmist. *De tempel bestaat.* De paniek sloeg toe op het moment dat ze zich realiseerde dat die gedachte haar niet vrolijk maakte, maar bang.

Ja, de tempel bestond. Maar de geschiedenis was zelfs bij degenen die er vlakbij woonden niet bekend, als ze tenminste op Clothilde kon afgaan. Terwijl de tropische dag de rivier in goud veranderde als bij een aanraking van koning Midas, probeerde Irene alle gedachten aan stompzinnige rijke mannen met dwaze droombeelden van zich af te zetten. Zo'n man was meneer Simms nooit geweest. Maar zoals ze hem de avond tevoren gezien had, begon ze zich wel af te vragen waarin hij dreigde te veranderen.

17

Tweede kans

'De kapitein denkt dat als het nog een nacht hard regent, we voorbij de stroomversnelling bij Sambor kunnen komen zonder gesleept te worden. Dan zijn we morgenmiddag laat in Stung Treng,' vertelde Irene. 'Als we daar aankomen is er misschien geen tijd meer om met hem te praten. We trekken de jungle in zodra we de voorraden hebben. En dus moet het hier. Ik heb tegen Clothilde gezegd dat we om vier uur langskomen. Ze zou hem niets geven, dan is hij helder, zegt ze.'

'Je hebt mij er niet bij nodig,' vond Marc.

'Hij wil je zien.' Voordat Marc kon protesteren, stak Irene haar hand op. 'Hij heeft het niet met zoveel woorden gezegd, maar dat wil hij wel. Kun je je vader niet tegemoetkomen?'

Marc zette zijn onderarmen op de reling, waardoor zijn handen boven de druipnatte, deinende toppen van de mimosa hingen die in het zilveren schuim van de rivier dreven. Het landschap vertoonde dezelfde verdronken aanblik als de dag ervoor, en die daarvoor.

'Ik wil gewoon dat je niet te veel van me verwacht,' zei hij.

Ze waren op vier dagen varen van Phnom Penh, en Marc had zijn vader nog steeds niet opgezocht. Hij had zelfs nog helemaal niets over hem gevraagd, ook al zat Irene dagelijks uren bij hem terwijl hij sliep. Na een tijdje deed de boot aan als de wachtkamer van een ziekenhuis. Irene had geen tijd meer om te wachten. Als alles goed ging, waren de expeditieleden over een paar dagen in de jungle. En voor het zover was wilde Irene weten waarom meneer Simms haar aan Simone en Marc gekoppeld had, en hoe haar moeder en die van Simone in het geheel pasten. Ze wilde Marc ook samen met zijn vader zien, om in te kunnen schatten wat voor problemen ze kon verwachten, zoals de uitkijk in het kraaiennest van de Alouette.

'Ik had liever dat je wat meer van jezelf verwachtte,' zei ze, niet in staat haar frustratie te verbergen. Ze wierp haar sigaret in de Mekong-rivier en nam hem mee naar de hut van meneer Simms.

In tegenstelling tot de voorgaande dagen waren de gordijnen open en baadde de hut in een zee van licht. Meneer Simms zat rechtop – niet in bed, maar in een van de rotan leunstoelen die Irene in de hut van de kapitein gezien had. Hij was geschoren. Clothilde had hem een schoon linnen pak aangetrokken, dat kleurde bij het blauw van zijn ogen. Op het dienblad waarop doorgaans zijn opiumkit lag, had ze nu een kan met *citron pressé* klaargezet, glinsterend van het ijs, alsof het hier om een doorsnee beleefdheidsbezoekje ging. Toen Irene hem op zijn wang kuste, zag ze dat hij langs haar heen keek.

'Dag, zoon. Bedankt voor je komst,' zei hij. Er klonk een kwetsbaarheid in zijn stem die nieuw voor Irene was.

Marc knikte alleen, en keek effen. Irene ging bij hem zitten op de bank die uit de eetzaal naar de hut gebracht was.

'Zonder zijn medicijnen wordt hij gauw moe. Waar je ook voor komt, doe het snel,' fluisterde Clothilde tegen haar.

Clothilde had haar grijsgroene schoenen niet aan. Ze liep op blote voeten en had een lapis lazuli-blauw bandje om een enkel. Irene wilde een hekel aan haar hebben, maar in plaats daarvan, nadat ze Clothilde eerder midden in de nacht bij meneer Simms' hut over een emmer gebogen had zien staan, om ongezien het braaksel van zijn pyjama te wassen, voelde ze zich alleen maar dankbaar. Ze deed dat ook nog eens aan dek, zodat hij het niet zag.

'Meneer Simms, ik moet u een paar dingen vragen,' zei Irene.

'Dat werd tijd.' Hij grinnikte.

Het liefst had ze meegelachen en van zijn goede bui genoten, maar ze wist dat ze hem niet langer van zijn pijnstillers moest houden dan strikt noodzakelijk was.

'Dat boek waarvoor Lawrence Fear mijn moeder ontvoerde. Was dat het dagboek van dominee Garland?'

'Ja,' zei hij, en hij keek opnieuw naar zijn zoon.

'U heeft dus al die tijd van het dagboek geweten. Toen u het aantrof in het kistje dat mijn vader u naliet, was u niet verbaasd. Toch?'

'Nee, Irene. Wat dat betreft zit je ernaast. Dat was een totale verrassing.'

Elke keer dat hij iets zei kromp hij ineen, alsof het uitspreken van iedere begrijpelijke zin hem een steek opleverde. 'Ik ging ervan uit dat het dagboek verdwenen was in de nacht dat we je moeder redden, op de vlucht mee gegrist door een van Fears mensen. Ik had geen idee dat je vader het nog steeds in zijn bezit had.'

'Bent u achter de koperplaten aan gegaan? Voor de ontvoering nog, bedoel ik. Samen met mijn ouders en de moeder van Simone?'

Meneer Simms gebaarde in de richting van Clothilde, die een dun gedraaide sigaret uit haar zak viste. Terwijl zich via de tochtstroom vanuit de open deur een zoete henneplucht verspreidde, rook Irene ook de onderliggende ziekenkamergeur van menthol, muffe lakens en ouderdom. Meneer Simms mocht – in zijn Savile Row-kostuum en met Patek Philippe-zakhorloge – dan gekleed zijn als wie hij vroeger was, zijn krachteloze handen en de gretigheid waarmee hij de sigaret rookte spraken boekdelen. Om ten overstaan van anderen om een pijnstiller te vragen, moest hij vreselijke pijnen lijden. Helemaal in het bijzijn van de vrouw die hij als meisje altijd bescherming geboden had, en de zoon die hij in jaren niet gezien had.

Marc legde zijn hand op die van Irene, die op het kussen tussen hen rustte. Ze voelde het nauwelijks. Ze was verdrietig dat ze meneer Simms ging verliezen en ze hem dan niet meer zou kunnen spreken.

'Wat hebben jullie gevonden in de tempel?' vroeg ze hem.

'Dat komt zo, Irene, dat komt zo,' mompelde hij. 'Dat is niet het begin van het verhaal.' Inhalerend glimlachte hij dankbaar. 'Ik was nog jong toen ik verliefd werd op Katrin. Ik had net mijn eerste fabriek in Shanghai opgezet.'

'Wie is Katrin?' vroeg Irene.

'Mijn moeder,' antwoordde Marc.

'Het kostte me jaren om te beseffen dat ze haar man nooit zou verlaten,' vertelde meneer Simms. 'Ze wist dat het schandaal hem de das om zou doen, en ze voelde zich te zeer aan hem verplicht. En ik mocht dan in de zakenwereld mijn mannetje staan, met vrouwen had ik zo weinig ervaring dat ik dacht dat mijn hart onherstelbaar gebroken was. En dus verliet ik Shanghai. Ik reisde een poos rond en vestigde me uiteindelijk in Manila. Zoals je weet heb ik daar je ouders ontmoet, Irene. Wat je niet weet is dat ik erheen trok met een vrouw die ik in Cambodja ontmoet had. Madeleine.' Hij draaide zijn ogen van Marc af. Irene volgde zijn blik naar de deuropening, waar Simone stond.

'Mijn moeder.' Het gezicht van Simone stond net zo ijzig als dat van Marc. 'U had een zoon met haar, hè?'

'In die tijd kwam het geregeld voor dat mensen een kind verloren. Koorts, pokken, polio...' vertelde meneer Simms aan Simone. 'Nicolas werd ons te snel ontnomen. En ik kon Madeleine niet meer aankijken zonder zelf dood te willen. In deze periode leerde ik de werkelijke betekenis van een gebroken hart kennen. En voor de tweede keer in mijn leven liet ik een vrouw in de steek om mezelf te redden. Maar ik hield nog steeds van haar. En ook al had ik er geen schuld aan, de dood van Nicolas maakte toch dat ik me schuldig voelde. Als ik er niet geweest was, had zij de dood van haar kind niet hoeven meemaken. Toen jij geboren werd, Simone, stuurde ik je moeder geld. Alsof dat goed kon maken wat er gebeurd was.'

'Bent u...' Simone kon zich er niet toe zetten die zin af te maken.

'Nee, ik ben niet je vader. Nadat Nicolas stierf ging je moeder terug naar haar familie in Cambodja, waar ze trouwde en jou kreeg. Er was niets meer wat mij aan Manila bond. Jouw ouders waren geschrokken van de ontvoering, Irene, en gingen terug naar Seattle. Ze waren van slag door alles wat er gebeurd was, en wilden de Oriënt de rug toekeren. Ik regelde een baan voor je vader aan het museum, zodat hij tenminste nog rond kon lopen tussen de schatten waar hij zijn hart aan verpand had. En ik ging terug naar Shanghai. Tegen die tijd had ik al meer dan tien fabrieken. De zaken liepen goed. Ik dacht dat ik door mijn recente verdriet Katrin wel uit mijn hoofd kon zetten. Maar ik weet nog hoe het voelde om jaren later mijn deur te openen en haar opnieuw in mijn leven te laten. Ze vertelde me dat haar man overleden was. Ze had een jongetje van zes aan de hand.'

Opnieuw richtte meneer Simms zich tot Marc.

'Vanaf het allereerste moment dat ik je zag, wist ik dat je mijn zoon was. Je leek in zoveel opzichten op Nicolas. Je kleur ogen, de vorm van je mond. De wijze waarop je zweeg maar wel je vuisten balde als je iets heel graag wilde. Een tweede kans...' verklaarde hij. 'Ik had het altijd onzin gevonden, zo'n tweede kans. Wat gebeurd is, is gebeurd. Maar je vader liet me het dagboek na, Irene. En toen ik besefte wat er gebeurd moest zijn, kwam ik tot een andere conclusie. Deze tweede kans liet ik me niet ontglippen.' Buiten adem keek hij van Marc naar Irene naar Simone. 'Jullie zijn mijn tweede kans.'

Hij zag grauw. De sigaret had niet geholpen. Clothilde greep bezorgd naar een bruin flesje. Irene pakte een pil en ging voor meneer Simms op haar knieën zitten. De dankbaarheid waarmee hij de bruine capsule van haar aannam, deed haar pijn. Ze streek de paar haren die hij nog had van zijn bezwete voorhoofd.

'Mijn lieve kind,' fluisterde hij. 'Mijn lieve, lieve kind. Je bent altijd zo goed voor me.'

Achter zich hoorde Irene de harde bons van glas op hout.

Marc had zijn drankje te hard op de tafel gezet. En ze dacht: dit is waar het in werkelijkheid bij ons om draait. Het gaat er niet om of ik met zijn versie van meneer Simms kan leven, maar of hij mijn versie van hem kan accepteren. De liefdevolle versie die hij had moeten kennen.

Dit keer vroeg ze meneer Simms: 'Zegt u me één ding. Wat hebt u in de tempel gevonden?'

De oude man leunde naar voren. 'Helemaal niets,' zei hij ernstig. 'Ik heb helemaal niets gevonden.'

'Tactiek?' vroeg Irene vol ongeloof.

'Ja, tactiek,' zei Simone.

Nadat ze de hut van meneer Simms verlaten hadden, waren Marc en Simone met Irene meegegaan naar de salon. Daar had Simone, voor ze haar beschuldiging uitte, boos verslag gedaan aan Louis.

'Dan denk je zeker dat het verhaal van onze moeders ook niet klopt.'

'Wat ik denk is dat hij me wil laten twijfelen aan het bestaan van de koperplaten, zodat ik je, op het moment dat jij ze vindt en me vertelt dat dat niet zo is, zal geloven. Maar ik weet wel beter. Net zo goed als ik weet dat jullie allemaal tegen me zijn. Zelfs jij.' Ze gluurde venijnig naar Louis, die met zijn zakmes een peilkompas zat te repareren, en nog niet had opgekeken. 'Simms is doortrapt, ongelofelijk doortrapt.'

Irene was Simone beu. 'Jij bent hier uitsluitend omdat meneer Simms je wilde redden van Roger. Hij had je niet mee hoeven nemen. Je zou hem dankbaar moeten zijn.'

'Het hoort allemaal bij zijn plan,' hield Simone vol.

'Hij ligt op zijn sterfbed.'

'Dat weet ik nog niet zo net.'

Irene dacht even: dat meent ze niet. Maar toen zag ze dat Simone het wel degelijk meende. Ze keek naar buiten, door het raam. Langs de oever spoelde het bruine water dat de drijvende wereld van het stoomschip afbakende onophoudelijk over de

modderige aarde vol wortels. Ze voelde zich in het nauw gedreven. Op zoek naar een verklaring voor haarzelf zei ze: 'Ik
weet dat het een schok moet zijn dat hij een kind bij je moeder
had, maar je kun toch niet denken dat hij niet echt ziek is? Dat
is onmogelijk. Je hoeft maar naar hem te kijken...'

'Hij is lang niet zo ziek als hij ons wil laten denken. En hij
heeft dat wicht meegenomen, alsof het feit dat zij hem opium
toedient voldoende bewijs is voor zijn verhaal.'

'Henry Simms is duidelijk terminaal,' zei Louis, tegen zichzelf bijna. 'En "dat wicht" is hier omdat ze de weg weet in het
gebied van Stung Treng. We boffen dat hij haar heeft meegenomen. Ze kan ons linea recta naar de tempel leiden.'

'Jullie naar de tempel leiden is mijn werk,' stelde Simone
vast.

'Jouw werk? Jóúw werk?' Louis' stem trilde van ingehouden
woede. 'Je bent een drugsverslaafde, Simone, en het enige wat
een verslaafde kan, is het leven van iedereen om hem heen ver-
zieken.'

De laatste dagen had het zwijgen van Louis onheilspellende
vormen aangenomen. Irene had zich al afgevraagd wanneer het
tot een uitbarsting zou komen. Maar nu was die ineens daar, als
de plotseling opkomende moessonregen.

'Het maakt me niet uit wat jij denkt, of wat jullie denken,'
merkte Simone op. 'Ik ben hier omdat de revolutie het enige
juiste is, en uiteindelijk zal het goed het kwaad overwinnen.'

'In godsnaam, Simone, ik heb genoeg van je ideologische
retoriek. Je lijkt wel een automaat.' Louis ging op haar af, met
zijn mes nog in de hand.

Marc deed een stapje naar voren, klaar om tussenbeide te
springen.

Maar Louis stopte voor hij bij Simone was.

'Nee, dat klopt niet. Je klinkt als je dode man. En we weten
allebei wat híj voor zinvolle dingen uitkraamde.'

'En jij bent veel nobeler dan ik,' smaalde Simone, 'zoals je in
het belang van je instituut in Angkor Wat met je architectoni-

sche tekeningen achter Irene aan loopt. En maar hoog opgeven over de wetenschap en het algemeen belang, terwijl we beiden weten dat het je alleen maar om je carrière gaat,'

'Zo is het wel genoeg,' viel Marc hen in de rede. 'Irene, neem Simone mee naar buiten.'

Maar Louis ging door. 'Je was een van de intelligentste meisjes die ik kende. Ik had niet gedacht dat ik het ooit zou zeggen, maar jij bent wel het laatste waar de Cambodjanen behoefte aan hebben momenteel. Je bent je emoties niet de baas. Je vormt een risico voor ze.'

Hij was woedend op Simone. Maar toch hoorde Irene een verlangen naar het meisje dat hij gekend had voor de dood van haar ouders en de wreedheden van Roger haar beschadigden.

'De koperplaten aan de regering verkopen? Dat is wel het mafste idee dat je ooit hebt gehad. Ik wou dat ik wist wat er met je gebeurd is.'

'Ik ben volwassen geworden.'

'Het is zinloos om met jou te praten.' Louis knipte zijn zakmes dicht en stopte het in zijn zak. 'Rafferty, wat maak jij van dat verhaal van Simms? Denk je dat die koperplaten daar nog zijn?'

Verrast door de plotselinge wending in het gesprek haalde Marc zijn vloeipapier tevoorschijn, nam een pluk tabak en rolde een sigaret. Al rokend gaf hij iedereen de kans te bedaren. Er ging een minuut voorbij, daarna nog een. Uiteindelijk vroeg hij aan Irene: 'Hoe ziek was Henry toen je vader stierf? Was hij er toen net zo aan toe als nu? Had hij net zoveel pijn? Weet je hoeveel morfine hij gebruikte?'

Irene schudde haar hoofd. 'Voor zover ik weet niets. Hij was sneller moe dan anders, en hij had momenten waarop hij zich duidelijk niet goed voelde, maar het was niet te vergelijken met nu.'

'Hij stuurt ons op de een of andere romantische zoektocht hierheen. Maar ik geloof niet dat hij dat alleen om sentimentele redenen doet.' Terwijl Marc dit zei, was de minachting te lezen op zijn gezicht. 'Op basis van wat ik over hem weet zou ik zeggen dat hij toen hij je op deze reis stuurde, Irene, niet kon voorzien hoe snel hij achteruit zou gaan, en goede redenen had om te denken dat de koperplaten daar nog zijn.'

Tijdens de laatste dag van de boottocht stond de zon angstaanjagend laag. Het waterpeil van de rivier steeg door de moessonregen, en de rivier was moerassig en vergeven van de rotsblokken. Het was Irene een raadsel hoe de kapitein hen erdoorheen kreeg. Maar rond het middaguur laveerde hij – afgaande op de aanwijzingen van een opgewonden loods – door de waterstroom. Tot ze eindelijk het punt in beeld kregen waar de Mekongrivier en de glibberige, bronskleurige Sekong-zijarm samenvloeiden. De koloniale buitenpost Stung Treng lag aan de andere kant van deze vertakking, en was gebouwd op de resten van een dorpje van een primitief bergvolk, aan een doorgangsroute van India naar China.

Het was een van de weinige aantoonbaar juiste plaatsen die deel uitmaakten van een oude Khmer-route die Irene tot het officiële verhaal over het doel van de expeditie had gebombardeerd. Een sluiproute die nog altijd in gebruik was, maar waarlangs ooit goud, ivoor, ijsvogelveren en rinoceroshoorns vervoerd werden. Afgezien daarvan verwachtte men in dit niemandsland net zomin Khmer-resten te vinden als op het Europese continent. Toen Stung Treng in beeld kwam, besefte Irene hoe gemakkelijk dit te geloven was. De sliert armoedige, gestuukte gebouwen van het stadje lag te verstoffen in de middagzon. Aan het eind van deze weinig indrukwekkende hoofdstraat stonden hutten schots en scheef op palen te midden van lange, stevige suikerpalmen.

Plaatselijke bewoners in een vreemde mix van oosterse en westerse kleding stroomden samen op de oever, amper zichtbaar vanwege de weerkaatsing van het zonlicht door het water. Terwijl de boot dichterbij kwam, viel Irenes oog op een witte tropenhelm van een lange, gezette Europeaan die zich met een stok een weg door de mensen sloeg. Koelies sprongen het water in met dikke meertrossen in hun mond. De man met de helm torende boven hen uit. Hij droeg een loshangend wit smokingjasje, met niets eronder, waardoor een bos roestbruin haar op zijn vlezige borst zichtbaar was. Om zijn dikke middel had hij een donkerrode sarong geknoopt. Aan zijn voeten had hij stijlvolle, tweekleurige brogues, zag Irene.

'Benoit Ormond,' zei Simone, die achter Irene kwam staan.

'De commissaire?'

Simone, die toekeek terwijl hij één vinger tegen zijn neus zette en snot op de grond blies, merkte op: 'Nu zie je zelf hoe geweldig de mensen het hier treffen met zo'n beschaafde invloed.'

Elke district in Indochina had een commissaire als portier. Naast het verstrekken van ossenwagens, paarden, dragers en een kok zou deze zijn fiat moeten geven aan de reispapieren die in Phnom Penh waren afgegeven. Irene had zich zorgen gemaakt dat de commissaire van Stung Treng hun komst verdacht zou vinden. Hun groep bestond immers niet uit de gebruikelijke onderzoekers. Maar toen ze zag dat Ormond openlijk met zijn wandelstok aan zijn billen stond te krabben, bedacht ze dat hij hier niets vreemd aan zou vinden. Het zou haar gerust moeten stellen, maar in plaats daarvan vroeg ze zich af hoe het kwam dat de Fransen het niet nodig achtten in dit gebied een imposantere toezichthouder aan te stellen.

'Best, best, dit is allemaal in orde. Ik zal de jongens opdracht geven morgen de ossenwagens klaar te maken.'

Ormond gebaarde met de expeditiepapieren in de hand naar een Cambodjaanse jongeman, met eenzelfde kop rood haar als hij. 'Dan zijn ze 's avonds beladen en rijklaar, paarden en ossen en al. En u kunt mijn gids gebruiken, Xa. Hij is de beste van de hele streek.'

Hij zakte onderuit in zijn stoel en stak zijn lege glas uit. 'Hé jongen, breng jij me nog eens een fles. Ik heb – in afwachting van de Alouette – drie weken zonder wijn gezeten. Vervloekte regentijd. Een Fransman zonder *vin rouge*? Kun je iets ergers bedenken?'

Ormond had de leden van de expeditie uitgenodigd voor het diner in zijn door schimmel geteisterde villa aan de rand van Stung Treng, op een steile rots boven de Sekong-rivier. Nadat ze, behalve te veel wijn, een gepeperde visschotel en een kleverig rijsttoetje hadden weggewerkt, namen ze plaats op de overdekte veranda. Meneer Simms en Clothilde waren er niet bij. Ze hadden echter wel gezelschap gekregen van een middelbare antropologe genaamd Lisette, die al langer in de provincie woonde 'dan ik me kan herinneren, lieve mensen, en wat heerlijk dat we eindelijk wat nieuwe gezichten hebben in ons midden'. Na bijna een week op de rivier was Irene blij weer vaste grond onder de voeten te hebben. Ze was ontspannen, of in ieder geval zo ontspannen als maar mogelijk was aan de vooravond van een ontdekking die de grootste van de eeuw zou kunnen worden.

Irene liep langs Marc om in de kring van stoelen te gaan zitten die Ormond lukraak had aangeschoven. In het voorbijgaan raakten haar vingers zijn bovenarm. Ze droeg een nauwsluitende paarse jurk onder een doorzichtige tuniek van dezelfde glazige kleur, die ze speciaal had laten maken voor de recepties in het museum. Hij was geïnspireerd op een van haar favoriete schilderijen, Maanlicht van Erté. Aan boord had Simone haar gewaarschuwd dat haar voeten na een paar dagen in de jungle ontstoken zouden zijn, en haar gezicht een en al insectenbeten, en dat gêne en decorum tot een minimum beperkt zouden worden. Irene wilde er daarom nu mooi uitzien voor Marc, zodat het beeld hem zou bijblijven als de jungle vat op haar kreeg.

Irene was niet de enige die er werk van gemaakt had. Louis en Marc hadden ook moeite gedaan zich te kleden, elk op zijn eigen wijze, als voor een avondje uit in Shanghai. En Simones donkerrode, met fluweel afgezette robe paste uitstekend bij haar korte laarsjes. Deze pogingen beschaafd over te komen waren misschien een onwillekeurig streven de vrede te bewaren. Irene hoopte van wel, aangezien ze zich in het bijzijn van Ormond geen ruzie konden veroorloven zoals die aan boord.

'Zullen we wat muziek luisteren?' vroeg Lisette. Met kohl had ze zich de ogen van een Aziatische vrouw gegeven. Met haar peper-en-zoutkleurige haar leek ze op een Siamese kat.

'Mmm, ja, ik ben wel in de stemming voor Ravel,' zei Ormond. En tegen niemand in het bijzonder merkte hij op: 'Ik hoop dat u mij m'n domheid vergeeft, maar ik weet nog steeds niet precies wat u hier komt doen.'

'We doen onderzoek naar Khmer-handelsroutes,' legde Louis op professionele toon uit, en hij stak van wal met de verklaring die Irene bedacht had voor hun trip. 'In het bijzonder tijdens de ambtsperiodes van Suryavarman de Tweede en Jayavarman de Zevende. We hopen de wetenschap nieuwe inzichten te verschaffen in de historische handelscontacten van de regio.'

'We willen u ook wat foto's laten zien,' voegde Irene eraan toe. 'Het zijn stenen waarmee de Koninklijke Weg gemarkeerd was.'

Het zou mooi zijn als er zulke stenen in deze omgeving waren. Het was rampzalig zo'n avond te moeten uitzitten. Veel liever was Irene naar hun kamer gegaan. Een echte kamer in de villa van Ormond, met een echt bed. Een grote luxe na die harde, smalle scheepskooien. Ze wou dat ze al ergens diep in de jungle zaten. Ze wilde weten of die koperplaten nog bestonden. Ze voelde zich wat licht in het hoofd, als gevolg van opwinding, gretigheid en alcohol. Ze zette haar glas weg.

'Fascinerend,' zei Ormond. 'Hier zit altijd wel iemand achter iets aan. Duizendpoten die licht geven in het donker. Primitieve volken die bestudeerd moeten worden. Heeft u dat artikel over de Moi gelezen in de *National Geographic*? Wat hebben die Amerikanen toch met blote borsten?'

Hij gooide de restanten van een broodje naar een andere huisjongen, die in de hoek in slaap was gevallen. Geschrokken hervatte de jongen zijn werk, en hij liet het koord van de *punkah* op en neer gaan, zodat de lucht boven hen door het brede zeil van de ventilator in beweging werd gebracht. 'Mijn punt is dat ik niet begrijp wat de assistent-conservator van het museum van Angkor, de zoon van Henry Simms, de weduwe van Roger Merlin én een jongedame van het Brooke Museum hier te zoeken hebben.' Hij opende een fles en rook eraan. 'Bah, kattenpis. Weer één bedorven!'

Irene hoefde de anderen niet aan te kijken om te weten dat ze onmiddellijk op hun hoede waren.

'En dat meisje,' zei Ormond. 'Die Cambodjaanse. Ik herinner me Clothilde van toen ze nog een snol was die voor een appel en een ei de Chinese handelaren hier in Stung Treng bediende.'

'Inmiddels kost ze wel meer dan een appel en een ei,' antwoordde Irene in een poging tot luchthartigheid.

Ondanks zijn kapiteinsjas en een sarong die uit een damasten gordijn gemaakt kon zijn, bleek Ormond toch niet zo dom te zijn. Verwachtingsvol keek hij om zich heen.

'En dan zijn jullie ook nog eens van plan een stervende man in mijn dorp achter te laten, terwijl jullie op zoek gaan naar die handelsroutes van jullie. En niet zomaar een man, maar de alom bekende Henry Simms.'

Irenes hersens sloegen op hol. Murat Stanić? Clothilde? Hoe kon een commissionaire in een van de meest afgelegen delen van het land anders weten wie ze waren?

Plotseling begon Lisette te lachen, met een schor, doorrookt geluid.

'Laat je door hem niet op de korrel nemen,' zei ze, en ze haalde een zwarte langspeelplaat uit de papieren hoes. 'Hij weet best dat jullie achter die tempel aan zitten. Dat is het enige waar iemand ooit voor komt. Die tempel en de insecten.'

Het hennakleurige licht van de olielampen streek over de gazen afscheiding van het muskietennet. Marc zette zijn voet zacht tegen die van Irene. Ze voelde Simone ineenkrimpen, aan het andere eind van de kamer. Ze deed haar best niet in paniek te raken. En Louis vroeg: 'Een tempel? Is hier ergens een tempel?' Zijn verbazing klonk bedroevend geveinsd. 'Wat voor tempel is dat dan? Is het de moeite er te gaan kijken?'

Ormond bulderde van het lachen en wreef over een pigment-vlek op zijn arm. Hij trok nog een fles wijn uit een doos, ver-pakt in een doek waarop een smaakvol borduursel van spijk-lavendel was aangebracht. 'Dachten jullie niet dat als hier ook maar iets van waarde was, het al lang geleden te gelde gemaakt zou zijn? We zitten niet op de maan.'

Irene dacht aan de overdekte markt van Stung Treng, die ze op weg naar Ormond overgestoken waren. Afgezien van ty-pisch lokale spullen als palmolie en rollen betelbladeren, had ze ook Japanse waaiers gezien en blikjes met Chinees lippen-rood. Met de geur van gefermenteerde vis in de neus had ze ge-zien hoe een vrouw had afgedongen op een blikje poeder van Joncaire Paris. Een rond doosje met goud en blauw, waarop in een bescheiden, overhellend handschrift *Un peu d'Orient* te lezen stond. Aan de voeten van de handelaar had ook nog een pakje Hataman-sigaretten gelegen, afkomstig van een Britse fa-briek in Shanghai. Al deze waren kwamen uit Laos, Siam, Viet-nam en Birma, of waren afkomstig uit China, India of Malaya.

Clothilde had als meisje al van de tempel geweten. De an-tropologe met de kattenogen wist ervan. Ormond gaf het niet toe, maar ook hij wist van het bestaan. Irene was er zeker van. Stung Treng mocht dan een afgelegen gribus zijn, hoe zou iets van waarde op zo'n korte afstand van een belangrijk knooppunt een geheim kunnen blijven?

Louis had de expeditie veel te bieden, maar liegen behoorde duidelijk niet tot zijn sterkste punten. Marc greep in, en nam het gesprek over.

'Ik neem aan dat er niks tegen is als we een kijkje nemen, nu we toch in de buurt zijn.'

Ormond keek hem achterdochtig aan. Toen zei hij met een bijna lachwekkende onverschilligheid: 'Je gaat je gang maar. Jullie komen toch niet voorbij Leh. Als je dat probeert, sta ik niet voor jullie veiligheid in. Vertel het ze maar, Lisette,' spoorde hij haar ernstig aan.

De vrouw leek van haar stuk gebracht. Ze was alleen naar Ormond gekomen omdat het een prettige afwisseling zou brengen van de sleur van Stung Trengs beperkte sociale kringen. 'Ik bestudeer al meer dan tien jaar de Mon-Khmer-dialecten. Ik ben overal geweest in deze provincies. De laatste tijd is het dorpje Leh in een soort vesting veranderd,' vertelde ze met weinig overtuigingskracht. Ze legde de plaat op het vilten oppervlak van de draaitafel, en zei: 'Het gerucht gaat dat de lokale bevolking een ader gevonden heeft, en goud verkoopt aan de Chinezen. Goud. In militaire kringen is men bezig te bepalen hoe de situatie het best aangepakt kan worden.'

'Er hoeft niks aangepakt te worden,' merkt Simone snel op. 'Die voorraden zijn van hen. Ze kunnen verkopen aan wie ze maar willen.'

Louis keek haar dreigend aan. Dit was niet het moment om te gaan preken. Maar Irene kreeg het idee dat Simone op wat anders uit was. Als er inderdaad goud zat hier in de jungle, zou het gouvernement geen moment aarzelen. Dan krioelde het hier nu van de mensen. Simone wist dat ook.

'Met dat geld zouden ze de macht hier over kunnen nemen.' Ze liet daarmee zien dat ze de kwestie kon ontduiken als geen ander. 'Dat zou toch wel wat betekenen voor uw positie, Monsieur Ormond.' Ze zaaide verwarring, zoals alleen zij dat kon.

Alsof het haar net pas te binnen schoot, voegde Lisette eraan toe: 'De dorpelingen hebben geweren.'

Als kind van Shanghai was Marc een kei in het manipuleren. 'Nu we het toch over duidelijkheid hebben, Ormond, is er nog iets wat míj niet duidelijk is. Ben je er geweest? Zou het niet bijdragen aan het prestige van je district als hier ergens een Khmer-tempel was? Van jou persoonlijk? Is dit niet juist datgene waar iemand in jouw positie op hoopt?'

'Je vraagt je toch af of het een haalbare kaart is: een stammenoverleg gebaseerd op gemeenschappelijke ideeën,' dacht

Simone hardop. Zo leidde ze de aandacht af van Marc, op wie Ormond zich trachtte te concentreren.

Geërgerd antwoordde Ormond: 'Ja, wat een geluk voor mij en mijn bossen. Maar hoe zou het aflopen met die bossen? Elke twee weken zou de Alouette aanleggen met nog meer archeologen, nog meer mensen die hun fortuin willen maken. Om nog maar niet te spreken van toeristen. Onverzadigbare, nadrukkelijk aanwezige toeristen!' Met een oprecht liefdevolle blik staarde hij door de gaasmuur. In het lange gras had zich een groep dorpelingen verzameld om de nieuwkomers te bekijken. Of waren ze daar om hun roodharige leider in actie te zien? De donkere gestalten zwabberden als geestverschijningen vanwege het muskietennet. 'Ik heb gehoord hoe het er in Angkor Wat aan toegaat,' zei hij. 'Ouwe schooljuffen uit Iowa en Lyons die op de rug van een olifant de ruïnes bezoeken. Pfff.'

Omdat ze benieuwd was wat voor informatie ze konden loskrijgen van Ormond, besloot Irene met een schijnmanoeuvre zijn groeiende irritatie uit een andere hoek nog eens aan te zetten. Ze voerde de goedkope maar altijd succesvolle act op van het naïeve meisje.

'Ik was toch wel benieuwd,' zei ze enthousiast. 'Bent u niet een klein beetje benieuwd? Een Khmer-tempel helemaal in dit gebied zou toch een geweldige vondst zijn!'

Simone boog zich naar Ormond en meldde op de saaie, vage wijze die Irene nog steeds als opzettelijk beschouwde: 'Fascinerend idee, toch? Vindt u niet? Een regering die eenheid brengt onder de verschillende lokale stammen?'

Om ook een rol te spelen in het geheel bleef Louis kalm en zei tegen Irene: 'Laat die oude handelsroutes voor wat ze zijn. Dit kon wel eens de vondst van de eeuw worden. Begrijp je wel wat dit voor ons zou kunnen betekenen?'

'Dat is precies waar ik...'

'Ik weet heel goed wat dit zou kunnen betekenen,' viel Ormond haar in de rede, terwijl hij hardhandig de kurk uit een fles trok. 'De laatste verdwenen tempel in Cambodja. Het nieuwe

Angkor Wat.' Hij gesticuleerde met de open fles, waardoor er wijn op de grond spatte. 'De een zegt dat hij in het Dam-Rek-gebergte staat, de ander plaatst hem in de Cardamom-heuvels. En wat denk je? Hij staat hier in mijn achtertuin. Bah. Waarom kunnen ze niet met hun gore tengels van dit land afblijven!'

'Zo denk ik er precies over,' verklaarde Simone.

Met een gewetensvolle blik zette Lisette de grammofoon harder, alsof ze daarmee kon goedmaken dat zij de tempel genoemd had. Maar terwijl de trieste vogels van Ravel opstegen van de veranda, overstemde Ormond de muziek door met een paniekerig gezicht uit te stoten: 'Waarom laten jullie mijn gebied niet met rust!'

Niemand gaf antwoord. Dat hoefde ook niet. Ormond had zichzelf verraden. Hij was er zelf de oorzaak van dat er niemand langs Leh kwam. Niet omdat hij hebzuchtig was en de tempel voor zichzelf wilde houden, maar omdat hij dit afgelegen koninkrijk ongeschonden wilde houden. En nu besefte Irene waarom de koperplaten zo lang een geheim gebleven waren.

18

Grensoverschrijdend

Vanaf de veranda achter Ormonds villa waar ze met meneer Simms zat, zag Irene de hitte in geschulpte golven uiteenvallen. Kieviten renden heen en weer over de rivierdrempels, met fluwelen koppen zo zwart als een raaf. In de verte waren bruine contouren zichtbaar van vrouwen die baadden aan de rand van de rivier, op een modderige oever vol paarse irissen. Omdat ze over een paar uur zou vertrekken, had hij haar gevraagd hem alleen te ontmoeten. Hij stak haar nu een koperen horloge toe.

'Ik heb het al voor je gelijkgezet,' zei hij. Hij verkeerde in een vreemde staat, beneveld maar toch lucide. 'Ik wil dat je het 's morgens opwindt en het te allen tijde bij je houdt.'

Klaar om de rest van het verhaal aan te horen, waarmee de laatste puzzelstukjes op hun plek vielen, bekeek ze de afbeelding op de achterkant van het horloge. Het stelde een tijger voor die een angstig paard verorberde. Het bloed van het gewonde dier was van de hoogste kwaliteit Chinees glas.

'Heb ik dit gister niet op de markt zien liggen?' vroeg ze.

Hij lachte schaapachtig, alsof hij de ouderdom van zich afgeschud had en in een jongere versie van zichzelf veranderd was, zoals toen hij met zijn hand in de koektrommel betrapt werd. De collectie van zijn oude rivaal Henry Huntington.

'Ik had vandaag een van mijn betere dagen. Clothilde heeft de jongens een draagstoel voor me laten maken. Ik zag er beslist koninklijk uit tijdens mijn rondgang door het dorp.'

Zelfs in een afgelegen handelspost, op sterven na dood, kon hij het niet nalaten achter kostbaarheden aan te gaan. Ze zou hem zo erg missen, dat het pijn zou doen. Bij de gedachte dat ze hem moest achterlaten, voelde ze zich verdrietig. Zelfs al werd hij goed verzorgd in haar afwezigheid. Clothilde had ter plaatse twee artsen bezocht om te overleggen. Ze had twee lokale vrouwen uitgekozen om bij hem te waken. Lisette, de antropologe, had ook haar diensten aangeboden.

'Deze zijn ook voor jou,' zei meneer Simms, en hij drukte haar een set sleutels in de hand.

'Ook van de markt?'

'Nee, die heb ik van huis meegenomen.' Ze hingen aan een gouden kettinkje voor om haar nek. Het waren geen sleutels van een deur, maar van iets kleins. Een juwelenkistje misschien, of een geldkluisje. Zijn gerimpelde handen gleden van haar handpalm naar de kornalijnen armband om haar pols. Het was dezelfde armband die hij haar cadeau had gedaan uit het kistje dat haar vader hem had nagelaten.

'Ik ben blij dat je hem draagt. Daar zou je wat aan kunnen hebben. Of eigenlijk denk ik dat je er zeker iets aan zult hebben. Doe hem niet af,' droeg hij haar op. 'O, lieve kind, ik vertrouw volledig op jou.'

De schemering viel in. De geur van doordrenkte wortels die vastzaten in de modderbodem hing zwaar in de lucht.

'Zeg eens eerlijk, Irene. Zul je ze vinden?'

'Zal ik ze...?' Ze had gehoopt dat hij haar had laten komen om haar te vertellen wat ze ging vinden. Ze had gedacht dat hij daarop aanstuurde met die geschenken. Maar nu zat hij met een verwachtingvolle blik een beroep op haar te doen, sloeg een smekende toon aan, alsof zij al die tijd de antwoorden al had en voor hem had achtergehouden. Verbijsterd legde ze haar hand op de zijne. 'Ja, ik zal ze vinden,' antwoordde ze. Wat had het voor zin haar twijfels te uiten? Ze had geen idee hoe lang meneer Simms zijn dood nog kon rekken. Was ze niet op tijd terug, dan vergaf ze het zichzelf nooit als ze hem in zijn laatste dagen zijn hoop ontnomen had.

Hij leek al zijn krachten aan te spreken om alleen al zijn

hoofd rechtop te houden. Nu ze hem zo zag zitten, met zijn verschrompelde lijf, begreep ze eindelijk dat ze er niet meer op moest rekenen dat hij nog beter werd. Ze moest er niet meer van uitgaan dat hij alles wel zou ophelderen, en de situatie accepteren zoals die was. Zelfs al leefde hij nog als ze terugkwam, dan was hij misschien toch niet helder genoeg meer om zich duidelijk uit te drukken, of om het resultaat van de reis te bevatten. Wat het resultaat ook mocht zijn. Nu ze, na alles wat hij van haar gevraagd had, op het punt stond te vertrekken, bleek hij haar de jungle in te sturen met niks anders dan een armband, een horloge en een setje speelgoedsleutels. En wat het gemêleerde gezelschap dat hij haar als team meegaf betrof... Het enige wat ze gezamenlijk tot stand gebracht hadden, was de bizarre wijze waarop ze Ormond bespeeld hadden. Iets wat onmiddellijk weer tot ruzie had geleid in plaats van eensgezindheid. Hoe kwamen ze dan ooit voorbij het plaatsje Leh?

'Geloof maar niet dat ik het dorp in ga zonder geweer,' verklaarde Marc. 'Ik heb toch geen stad vol huurmoordenaars achter me gelaten om te laten vermoorden door een stel inlanders met een lendendoek. Als ze het wagen een pijl op me af te vuren, verdedig ik me.'

'We kunnen niet in het wilde weg gaan schieten,' ging Simone ertegenin. 'Dat is niet ethisch. Ze proberen alleen te beschermen wat van hen is.'

'Ethisch?' vroeg Irene, terwijl ze haar laars uit een zuigende modderpoel langs het pad probeerde te trekken. 'Je hebt je man neergestoken. En je gebruikt zijn ideeën om je eigen, rivaliserende partij te beginnen. Als we langs dat dorp komen, ben je van plan de koperplaten weg te nemen en aan de vijand te verkopen. En nu ga je me vertellen dat je je stoort aan wat niet ethisch is?'

Ze waren al drie uur onderweg vanaf Stung Treng. De maan stond hoog en helder. Simones ogen waren rooddoorlopen van de pillen die ze genomen had, en van het midden in de nacht opstaan. Ze moesten wel op zo'n onmogelijk tijdstip vertrekken, omdat in deze periode van de regentijd het vooral overdag hoosde. 's Nachts regende het meestal niet. Dan was het ook koeler. En dus was het plan om een uur of vier, vijf te lopen voor het te heet werd in de zon. Rond een uur of acht zou het al te warm zijn om verder te trekken. Maar op dit goddeloze uur bracht de vochtige lucht alleen maar ongemak.

'Voor de Cambodjanen,' zei Simone. 'Op de lange termijn doe ik dit allemaal voor de Cambodjanen.'

'En er is ook niemand die "in het wilde weg" gaat schieten,' waarschuwde Louis, ook al greep hij onbewust naar de holster met het pistool op zijn heup. 'We zeggen alleen dat we bewapend en alert moeten zijn.'

'Wat betreft het beschermen wat van hen is,' vulde Marc aan, 'volgens onze bereidwillige, indiscrete antropologe in Stung Treng zijn de dorpelingen leden van de Brau-stam. Klopt dat, Clothilde?'

Clothilde knikte. Simone keek haar aan, en zei: 'Ik zou wel eens willen weten wat hun afkomst hiermee te maken heeft, volgens jou.'

Irene begreep dat Simone de Cambodjaanse vrouw uitdaagde. Maar Clothilde antwoordde alsof Simone oprechte interesse getoond had. 'Meestal begrijpen de stammen in dit gebied elkaar. Onze dialecten lijken op elkaar. Zelfs iemand die vloeiend Khmer spreekt, zou het moeten kunnen verstaan. Maar voor de rest is er weinig wat ons bindt in dit deel van het land. Ormonds koelies hebben geen familie in Leh. Xa komt uit een afgelegen Kreung-dorp. Het is met de Brau net als met de meeste stammen in de regio. Als ze op een of andere manier een band hadden met de Khmer, was dat waarschijnlijk als hun slaven.'

'Als de dorpelingen ons dus proberen tegen te houden, is het vermoedelijk niet omdat de Brau voor zichzelf opkomen,' voegde Marc eraan toe. 'Dan volgen ze alleen de bevelen van Ormond op.'

'Maar als een van ons door hen wordt neergeschoten, volgen er wel repercussies,' vulde Louis aan.

'Daar dacht ik ook al aan,' zei Marc. 'Als de dorpelingen inderdaad wapens hebben, heeft Ormond ze waarschijnlijk geleverd om mensen af te schrikken. Want als ze een Europeaan doden, zal hij ze moeten straffen. Het gouvernement eist dat van hem. En als hij daar geen gevolg aan geeft, sturen ze iemand die het wel doet. Dat weet het dorpshoofd vast ook. En Ormond is niet gek. Hij weet dat als hij ze straft omdat ze zijn orders gevolgd hebben, ze wraak op hem zullen nemen. Misschien schieten ze wel een paar keer op ons, maar veel verder zullen ze niet gaan.'

Hij pauzeerde en keek in het rond. Er was niets te zien door de muur van bomen. De wildernis om hen heen was een donker geheel. Ze konden uitsluitend gissen wat voor gevaren daar schuilden.

'Dit wordt vervelend. Irene, je moet beslissen. Of we gaan terug, óf we komen met een plan waar we het allemaal mee eens zijn, zodat we hier niet als doelwit hoeven te blijven staan.'

'Waarom moet Irene die beslissing nemen?' vroeg Simone.

'Als jij de volgende keer een schatkaart vindt, krijg jij de leiding,' antwoordde Marc.

'Weet je heel zeker dat we Leh niet kunnen omzeilen?' vroeg Irene aan Clothilde, met een afgunstige blik op haar eenvoudige tuniek en zachtleren mocassins. Zelf droeg Irene een linnen shirt met een heleboel zakken, waarvan de manchetten stijf om haar polsen zaten, en een kraag die nauw om haar nek sloot. Ze had haar broekspijpen in haar laarzen gestopt, en ze vastgesnoerd met riempjes, zodat ze zich nu een oververhitte Houdini in een dwangbuis voelde, voor die zich eraan had kunnen ontworstelen. 'Zijn er echt geen andere paden door dit gebied?'

'Waren we met één of twee, dan was het misschien wel mogelijk. Dan konden we de koelies inzetten om een van de oude jachtpaden vrij te kappen. Maar met paarden en ossenwagens is dat geen doen,' antwoordde Clothilde. Ze wees naar de groep inheemse dragers die met voorraadkarren en lantaarns stond te wachten.

'Is Xa het daarmee eens?' Irene knikte naar hun gids, een taaie, verweerde Cambodjaan die zijn fakkel in een bed mos naast het pad gezet had. Hij was de zestig al gepasseerd, maar had een vijfjarige zoon bij zich. Beiden droegen de bruine sarong die bijna alle Cambodjanen uit de bergen hadden.

'Xa? Xa! Die werkt voor Ormond,' zei Simone. 'Natuurlijk zegt hij dat er geen ander pad is. En waarom ben je bereid háár te geloven?'

Clothilde was zo slim Simone te negeren.

Irene keek vastberaden het pad af en zei: 'We gaan naar Leh.'

'Waarom zouden we dat risico nemen?' Louis keek haar afkeurend aan.

Om Irenes gezicht, dat vettig was van een beschermend Chinees middeltje, hingen zwermen muskieten. Ze voelde zich verstikt in haar eigen zweet, en verfoeide de beperkende kleding. Het was voor het eerst dat ze geconfronteerd werd met dit soort fysieke ongemakken. Ze waren een belemmering bij het nakomen van het schema dat ze had opgesteld toen ze zich realiseerde dat meneer Simms haar de oplossing niet zou geven. Op het moment dat ze voor het eerst inzag dat het resultaat van deze expeditie van haar afhing. 'We lopen het dorp aan de ene kant in en aan de andere kant weer uit. We weten dat ze ons niet zullen tegenhouden,' zei ze.

'En dat weten we, omdat...' vroeg Marc geïntrigeerd.

Irene zette haar gedachten op een rijtje. In een bosje links van haar ritselde wat. Het herinnerde haar eraan dat daar slangen met dodelijk gif huisden. Aan de rechterzijde maakte de matbruine Sekong bedrieglijk weinig geluid. Maar in poelen stilstaand water loerde het gevaar van bloedzuigers, Siamese krokodillen en ziektes als dengue. Ze zag Kiri, de zoon van Xa, tikkertje spelen – zonder teruggetikt te worden overigens – met een gibbon die hij als huisdier hield. Het enige wat hij had als bescherming tegen de muskieten was een saffraankleurig smeerseltje. Terwijl haar hoofd nog duizelde van de kininetabletten die ze in Stung Treng had moeten nemen.

'Omdat we door Ormond gestuurd zijn,' antwoordde ze.

'Wat ben je van plan?' vroeg Louis nu minder kritisch.

De muggen kropen door de veteroogjes van Irenes laarzen en wisten zelfs onder haar bloes te dringen. Ze werd er gek van. Maar toch bespeurde ze een vertrouwd gevoel. Het oude gevoel van spanning dat vroeger bij haar opkwam als ze anderen te slim af was, en dat destijds bij het dagelijks leven hoorde. Marc, Louis en Simone wisten niet hoe ze verder moesten. Maar zij had een plan.

'We vertellen de dorpelingen dat commissaire Ormond te horen heeft gekregen dat het koloniale gouvernement een missie naar de provincies in het noordoosten stuurt,' kondigde ze aan. 'De regio zal volledig in kaart gebracht worden, tot de laatste vierkante centimeter toe. En hij heeft zijn best gedaan om deze streek zelfstandig te houden, maar hier kan hij niks tegen beginnen. De landmeters zullen vergezeld worden door soldaten, die elk verzet van de lokale bevolking de kop in moeten drukken. Er komen nieuwe buitenposten voor administratieve doeleinden. Ze zullen de tempel ontdekken, dat kan niet anders. Zoiets is onmogelijk geheim te houden. Maar Ormond wil de geschiedenis redden. En als de dorpelingen van Leh hem daarbij helpen, zal hij hen ook redden.'

Net zo geboeid als wanneer Irene de waarheid sprak, vroeg Simone: 'Van wat?'

'Van hetzelfde lot dat alle grote rijken hun zogenaamd primitieve volken hebben opgedrongen. De Fransen leggen in de laaggelegen streken wegen aan en bouwen er fabrieken. En waar hebben ze dus behoefte aan?' Ze gluurde in de richting van Clothilde, die haar met die opmerking over de relatie tussen de Khmer en de Brau de ultieme spijker had overhandigd om dit plan dicht te timmeren. 'Goedkope arbeidskrachten. Slaven, feitelijk. We gaan ze vertellen dat Ormond zal voorkomen dat ze als slaaf aan de slag te moeten.'

De rest van de nacht bleef de expeditie op het pad. Het was net breed genoeg, en liep van Stung Treng in noordoostelijke richting naar Siem Pang, vlak bij de grens met Laos. Als ze dit tempo aanhielden, zouden ze er de volgende avond zijn, schatte Clothilde. Met de acht koelies, zes paarden en twee ossenkarren vol voedsel en uitrusting vorderden ze gestaag over dit pad vol kuilen. De met eelt bedekte blote voeten van zwijnenjagers en rijstboeren die hier jaar in, jaar uit overheen liepen, hadden de modder aangestampt.

Toen de zon opkwam zag Irene dat de weg niet door een weelderig oerbos liep, zoals ze gedacht had, maar door een omgeving met af en toe wat lage bosschages en hier en daar een pluk paarse distels. Haar benen deden pijn van het lopen in haar zware laarzen op de natte ondergrond. Ze vroeg zich af hoe de anderen eraan toe waren. Niemand had nog geklaagd, zelfs Simone niet, ook al zag ze er het grootste deel van de tijd uit alsof ze op het punt stond flauw te vallen.

Rond het genadige tijdstip van zonsopgang stopten ze op een beschutte open plek om te ontbijten. Een stel pezige apen rende dwars door strepen gesluierd licht vanuit het spaarzame struikgewas op de rivier af, om daar te staan schreeuwen tegen de paarden, die hun dorst lesten in een poel. Kiri's gibbon – die door Simone Mei-ling genoemd werd, naar de vrouw van Chiang Kai-shek – sprong op Simones schouder op en neer, en kwebbelde tegen zijn soortgenoten. De kok serveerde warme pap, klonterig van de perziken uit blik. Ze zaten allemaal bij elkaar op een zeil dat uitgespreid was aan de oever van de rivier, en namen het plan door. Ze waren het erover eens dat het zo goed was als de omstandigheden toelieten. Op één ding na.

'Er is geen enkele reden waarom híj ons zou geloven,' zei Louis tegen Clothilde. Hij doelde op Xa, die aan de rand van het water op zijn hurken toekeek terwijl zijn zoon in het zand stond te scheppen. Ondertussen rookte hij een van de Gauloises die deel uitmaakten van zijn loon. Zijn grijzende haar was samengebonden in een knot in de nek. Op zijn rug had hij een tatoeage van twee slangen met ontblote giftanden, die eruitzagen alsof ze zo vanuit de jungle langs zijn ruggengraat omhoog kronkelden. Hij was nog niet op de hoogte van de smoes die het dorpshoofd van Leh te horen zou krijgen, over 'Franse stamhoofden' die van plan waren het noordoosten van Cambodja in te nemen, en daarmee een einde zouden maken aan het hun welgezinde leiderschap van commissaire Ormond.

'Ormond is juist degene die Xa meegestuurd heeft om ons in de gaten te houden,' ging Louis door. 'Waarom zou hij Xa er dan niet over verteld hebben? En wat let Xa om de benen te nemen naar Ormond om hem te vertellen wat wij hier uitspoken? Ik denk dat we hem hierbuiten moeten laten.'

Een onmerkbaar briesje liet de toppen van de suikerpalmen ruisen als stromend water. Irene keek langs Ka naar de traagstromende rivier. 'Zonder hem lukt ons dit niet,' zei ze. 'Als hij niet meedoet, zal het dorpshoofd ons nooit geloven.'

Uit respect voor de lokale gebruiken hadden de vrouwen besloten geen deel te nemen aan het overleg met het dorpshoofd. Het lag voor de hand dat Xa de leiding zou hebben. Aangezien Xa noch het Frans noch het Engels machtig was, zou de oudste zoon van het hoofd als tolk optreden. Clothilde was erachter gekomen dat hij als leerling deelgenomen had aan een kortstondig project. Daarbij hadden de Fransen uit ieder dorp een jongen gehaald met het doel ze in Phnom Penh 'beschaving' bij te brengen, om ze vervolgens terug te sturen om de anderen les te geven.

Louis was nog steeds niet overtuigd.

'Ik heb mijn hele leven al met deze mensen te maken. Xa kent ons niet. Hij heeft geen reden om ons te vertrouwen. Ik zie niet hoe we hem kunnen overtuigen.'

'Iemand een idee?' vroeg Marc aan de anderen, en hij schonk een tweede ronde thee in de tinnen kopjes.

Met de klitten in haar haar en de schrammen op haar armen maakte Simone de indruk afgepeigerd te zijn na de lange wandeling. Zelfs van het eten en drinken was ze niet opgekikkerd. Haar lamlendige toestand bood weinig perspectief. Ze gaf de indruk het niet nog eens drie of vier nachten onderweg vol te houden. Ze fronste en richtte zich volledig op een rode mier die over het zeil liep.

'Ja, Clothilde, heb jij enig idee?' vroeg ze. 'Waarom heb ik het gevoel dat jij wel een suggestie kunt doen om Xa in te zetten, nadat je gister zo lang met hem in gesprek was.'

Clothilde zat naast Simone, met haar benen opgetrokken. Ze sloeg haar armen om haar schenen en plantte haar kin op haar blote knieën. Ze dacht even na voor ze zei: 'Zoals iedere man heeft ook Xa een zwakke plek.'

'Namelijk?' vroeg Marc geamuseerd.

'Kiri is Xa's enige zoon. Zijn vrouw, die nu dood is, kreeg hem toen ze niet zo jong meer was. Als het tot de mogelijkheden behoort,' verklaarde ze met een indrukwekkende, zelfs een tikkeltje onrustbarende kalmte, 'richt je dan op het kind. Een ouder doet alles voor zijn kind.'

Allemaal staarden ze naar Kiri, met zijn huid vol schilfers van het saffraansmeersel. Hij keek met zijn vader de lucht in, naar iets wat de anderen niet zagen.

'We moeten zo snel mogelijk met Xa praten,' zei Clothilde. 'Hij heeft tijd nodig om ons verhaal te overdenken, om te beseffen wat het hem oplevert als hij ons verhaal accepteert.'

Kiri's schaterlach daverde over de rivieroever. Irene liet haar gedachten van Marc naar Simone naar meneer Simms dwalen. Ze bedacht hoe ze allemaal leden onder het verlies van een kind. Ze reageerde niet met haar hoofd maar met haar hart, en de felheid waarmee ze dat deed, verbaasde haar.

'Ik weiger de jongen in te zetten.'

'Dus dat is je limiet?' vroeg Simone, die opkeek.

'Hoe bedoel je?' vroeg Irene.

'De grens die we niet mogen overschrijden. We mogen terugschieten. We mogen de bevolking onder druk zetten met een verhaal over slavernij. Maar we mogen Xa niet dreigen met...'

'Er zou geen woord aan gelogen zijn,' viel Clothilde haar in de rede op de sussende toon die Irene haar ook tegen meneer Simms had horen aanslaan.

Irene schudde haar hoofd. 'Wat voor risico's loopt zijn zoon dan?'

'Nu je het zegt...' zei Louis. 'Helaas lopen jongens als Kiri maar al te veel risico, met of zonder ons. Om te beginnen zou de regering zo weer kunnen besluiten kinderen op te trommelen voor een van hun experimentele projecten. Hebben jullie gehoord waar ze in Kep mee bezig zijn? Er gaan geruchten over medische experimenten daar. Over artsen die de plaatselijke bevolking besmetten met een virus en dan verschillende remedies uitproberen. Schandalig is het!'

'Niettemin steunt niemand mij in mijn revolutie,' mompelde Simone minachtend, en ze drukte de mier plat die haar enkel op klom.

Op de oever gilde Kiri van plezier en danste van de ene voet op de andere. Hij staarde naar de leren hand van zijn vader. Er zat een enorme vlinder bovenop; zijn vleugels, die glansden als pauwenveren, turkoois, smaragdgroen en zwart gevlekt.

'Bovendien dwingen we niemand,' zei Clothilde, die ging staan. Ze stak eerst de ene en toen de andere voet in haar mocassins. 'Het enige wat we hoeven te doen is wat twijfel zaaien. We laten hem weten wat er zóú kunnen gebeuren als onze voorspelling uitkomt dat de Fransen de streek overnemen. En dan verzekeren we Xa dat, wat er ook gebeurt, er voor zijn zoon gezorgd wordt.'

Door een raamwerk van knokige takken viel zonlicht. Het deed Irene eraan denken dat de morgen al snel om zou zijn. Ze voelde de modderranden onder haar kortgeknipte vingernagels, het gedroogde zweet onder aan haar ruggengraat. En ze wilde niets liever dan haar kleren uittrekken en in de rivier baden. Maar daar was geen tijd voor. Ze moesten in beweging blijven, nog een paar uur verder trekken voor de hitte ondraaglijk werd. Ze was in verwarring vanwege de weerstand die ze voelde bij het idee van Clothilde. Daarom stond ze op en zei: 'Ik weet het niet. Als jullie denken dat dat de beste optie is...'

Aangezien niemand protesteerde, lag de beslissing vast.

De mannen stonden op. Marc stak zijn hand uit om Simone overeind te helpen. Ze greep hem. 'Als je je hier schuldig over mocht voelen, Irene, dan hoeft dat niet,' zei ze. 'Vandaag of morgen kom je er wel achter dat als het op het verloochenen van principes aankomt, jij niks beter bent dan wij.'

'Wat was dat nou tijdens het ontbijt? Waar ging dat over?' vroeg Marc, toen hij de gelegenheid had Irene apart te spreken. 'Gaat het wel met je?'

'Het was raar, zoals het bezit van me nam.'

'Wat?'

Irene keek hoe de koelies een zeil spanden boven de hangmatten. Opnieuw lag de expeditie stil, dit keer om overdag te rusten. Tot zonsondergang zou iedereen proberen te slapen, om nieuwe krachten op te doen tijdens de verkoelende regen.

'Schuldgevoel,' antwoordde ze.

Bezorgd vroeg hij: 'Heb je je bedacht over het stelen van de koperplaten?'

'Nee, dat is het niet.' Ze stak haar schouders naar achteren en strekte haar armen uit in de richting van de boomtoppen. Maar het lukte haar niet haar stramme spieren los te krijgen. Als ze haar gewicht verplaatste, dijden haar voeten uit in haar laarzen. Haar nek en polsen deden pijn doordat haar natte kleding er voortdurend langs schaafde.

'Ik ben mensen te slim af, Marc. Dat is waar ik goed in ben. Dat is ook wat ik leuk vind. Als het om verzamelaars en handelaren gaat, mannen die mij net zo zouden bedriegen als ik hen. Ik was bereid het op te nemen tegen de koloniale regering. Ik verheugde me zelfs op wat tegenstand van woeste Cambodjaanse stammen en mensen als Ormond,' zei ze met een zuur lachje. 'Maar Xa en zijn zoon... Een oude man en een knulletje. Zoals we ze om die vlinder hoorden lachen, terwijl wij zaten te bedisselen hoe we ze konden benutten voor ons doel...'

De klamme lucht gaf haar het gevoel dat ze verdronk. Ze knipperde van het zweet dat in haar ogen brandde. 'Ik heb me nog nooit zo schuldig gevoeld. Tenminste niet als ik achter iets aan zat. Waarom nu? Waarom zij?'

'Op het moment dat we de jungle in liepen, lieten we onze vertrouwde wereld achter ons.' Om zijn woorden kracht bij te zetten, keek Marc omhoog. Haar ogen volgden zijn blik.

Een gerafeld spinnenweb van wel drie meter breed, gesponnen tussen lianen, glinsterde onder de gebroken zonnestralen. Midden in het web zat een spin met een lijf zo groot als een vuist.

Terwijl zij naar de spin keek, veegde Marc de losse haren weg die aan haar voorhoofd plakten. Voor het eerst sinds ze in de jungle waren, raakte hij haar op een tedere wijze aan. Ze bewoog zich in de richting van zijn troostende hand.

'Er komen nog wel meer momenten als vanmorgen, waarop je je reacties niet terugkent,' zei hij. 'En voor ons – mensen die doen wat jij en ik doen – is dat misschien niet eens zo slecht. Hoe goed ik ook was in mijn werk, hoe goed jij was in het jouwe... Wilden we succes hebben, dan konden we bepaalde emoties niet toelaten. Schuldgevoel bijvoorbeeld. Of compassie.

Ik ken je niet goed genoeg om dit met zekerheid te zeggen, Irene. Ik kan uiteraard alleen voor mezelf spreken. Maar misschien heb je er wel genoeg van je gevoelens te moeten verdringen om je zin te krijgen. Misschien ben je op het punt beland dat je vreest dat je op een dag te ver gaat.'

'Maar als ik me dat nou pas realiseer als het al te laat is?'

Marc vouwde een hoofddoek van de bandana in zijn achterzak en knoopte hem onder haar hoed, om het zweet dat haar over het voorhoofd liep op te vangen.

'Wat je ook besluit, bedenk je vanavond niet. Niet als je de tempel wilt vinden, tenminste. Want dan lopen we op het bevel van een man die zich kleedt als clown en naar de wetten van de jungle leeft een bewapend dorp in. Dit is niet het moment om je schuldig te gaan voelen. Want ik voorspel je dat de dorpelingen geen wroeging zullen voelen voor wat ze jou aandoen.'

19

Absolute zekerheid

Toen de maan opkwam, kreeg Irene het gevoel dat ze in een rondje terug waren gelopen naar het punt waar ze de vorige avond van start waren gegaan. Ze hadden dezelfde trage, bruine rivier aan hun rechterhand. Aan de linkerkant bewogen dezelfde schimmige bladerpatronen tussen de bamboestelen. Toch moesten ze verder gekomen zijn, ook al was dat alleen te merken aan de brandende pijn in haar kuiten en stekende, gezwollen doornschrammen op haar handen. Maar ook dat overtuigde haar niet, tot ze de geur van brandend hout opsnoof en blauwgrijze rookpluimen zag opdoemen boven de bomen in de verte.

Een van de koelies was vooruitgestuurd om aan te kondigen dat ze in aantocht waren. Bij aankomst zinderde Leh in de gloed van toortsen die een geur van verbrande hars verspreidden. Op een zanderige open plek stond een oude man voor een hut op doorzakkende palen. Er stonden half geklede mannen om hem heen, en vrouwen in sarongs en groepjes naakte kinderen. De hut was even eenvoudig als alle andere in dit armoedige dorp, maar naast de bamboe ladder die de toegang was, stond een totempaal met daarop de schedel van een wild zwijn. Verder lag er een arsenaal aan musketten onder de hut.

'Het dorpshoofd,' fluisterde Clothilde tegen Irene.

In het donker was het onmogelijk een schatting te maken van het aantal wapens in het grote houten rek. Irene zag dat ze strategisch waren neergezet, zodat je ze in een mum kon pakken. Achter de standaard bewoog een schaduw. Iemand die wachtliep en een geweer op hen gericht hield, zag ze. Ze huiverde van opwinding en angst.

In de flikkering van de toortsen bemerkte Irene dat Marc op het moment dat Louis en hij op het dorp af liepen, zich wat terug liet zakken, al bleef hij niet bij de vrouwen. Ze had hem geholpen een holster onder zijn shirt te binden. En ze wist dat hij nog een holster in de wijde zak op zijn dij had. Haar eigen wapen had ze in haar riem gestoken. De ijzeren loop drukte tegen haar heup.

Marc keek om en bewoog zijn mond. *Ben je zover?* vroeg hij geluidloos.

Ze zag hoe plichtmatig alert Clothhilde was, hoe ze zich inzette. Simone liep in haar buurt en hield Kiri's hand vast. De jongen had zijn andere arm om zijn gibbon geslagen. Zowel het kind als Simone zag er moe uit. Xa liep voor zijn zoon en nam de situatie in zich op. Irene kreeg er geen hoogte van wat hij dacht. Zijn reactie op het verhaal over Ormond was nietszeggend geweest, en in de tijd dat hij aan kop van de groep liep, had hij geen woord gezegd. De koelies bleven bij de wagens achter en keken van een afstandje toe. Ze kon op geen enkele wijze achterhalen of Xa ze vooraf had ingeseind.

'Als er geschoten wordt en ze raken Xa, grijp dan dat kind en ren het bos in,' zei Irene zachtjes tegen Simone. Daarna knikte ze naar Marc.

Die klakte met zijn tong, alsof hij een paard aanspoorde. Louis deed een pas vooruit en liep op het stamhoofd af. Er was weinig licht. Toch kon Irene het gezicht van de hoofdman redelijk goed zien. Het was donker en gerimpeld, als de dop van een walnoot. Aan weerskanten schoven vier mannen dichter naar hun leider toe. Hijzelf bleef staan.

Louis zag er nog redelijk toonbaar uit; hij had zich zo goed mogelijk opgeknapt. Hij begroette de man op de respectvolle wijze die van hem verwacht werd, boog door zijn knieën, bracht zijn handen samen voor zijn borst alsof hij bad. Met gebogen hoofd wachtte hij bij het stamhoofd tot ook Xa de traditionele *sampeah* gemaakt had, en de mannen aan elkaar voorstelde.

Irene verloor het dorpshoofd niet uit het oog. Ze luisterde goed naar Xa of hij iets liet doorschemeren. Maar ze kende dit dialect niet, ze kon er niets uit opmaken. En ze wilde niet de aandacht van de hoofdman trekken door Clothilde om een vertaling te vragen.

Vrijwel onmiddellijk deed Xa een stap opzij. Louis bood de hoofdman een geschenk aan: Engelse snuiftabak in een eikenhouten kistje. Het dorpshoofd bekeek het prachtig bewerkte goudbruine deksel. Hij haalde zijn vingers er bewonderend overheen, maar de enige reactie was een nietszeggend gebrom, waarbij hij zijn gebit liet zien. Een fietsenrek was het, met één glinsterende gouden tand erin. Vervolgens keek hij in de richting van de vrouwen.

Zijn ogen glansden als onyx. Gebiologeerd staarde Irene terug, recht in het strenge gezicht van de man die de opdracht had haar tegen te houden.

'Wat doe je in godsnaam?' fluisterde Clothilde nadrukkelijk. 'Irene, Simone, buig onmiddellijk je hoofd.'

'Ik weet wat ik doe,' siste Simone terug. Maar Irene, die meteen besefte hoe onbeleefd dit overkwam, deed wat haar werd opgedragen. Ondertussen hoorde ze hoe de mannen afwisselend in het Frans en de taal van de Brau communiceerden, en toen het geluid van voeten die wegliepen over de modderige ondergrond. Dit werd gevolgd door het kraken van de ladder die toegang gaf tot de hut van het dorpshoofd. Toen Clothilde aangaf dat ze weer kon opkijken, waren de mannen verdwenen.

Voor Irene brak nu de moeilijkste fase aan. Ze moest net doen of ze niet op hete kolen zat, maar verwachtte elk moment dat er een ruzie uitbarstte of een geweerschot klonk, óf dat de mannen kwamen vertellen dat het dorpshoofd de expeditieleden toestemming gegeven had verder te trekken.

In haar werk moest Irene zich vaak aanpassen aan haar omgeving. Als geen ander verstond ze de kunst zich onzichtbaar te maken in een menigte, als ze dat wilde. Maar toen ze naar het houtvuur bij een van de hutten schuifelde, ontliep ze de nieuwsgierige blikken niet. De dorpsvrouwen dromden om haar heen, staarden haar zo intens aan dat het leek alsof ze naar binnen wilde kijken. Ze kwamen zo dicht bij haar staan dat ze de kokosolie in hun korte zwarte haar kon ruiken. Een oudere vrouw bekeek de pijnlijke plek op haar wang, waar Marc een bloedzuiger had weggebrand. Er kwam bloed en pus uit. De vrouwen zaten gehurkt om het kampvuur, en keken om de haverklap naar haar op. Ondertussen sneden ze met hakmessen stukken varkensvlees en stengels bosgroente fijn op boombast.

'De vrouw van het dorpshoofd heeft ons uitgenodigd voor het eten,' meldde Clothilde. Ze duidde op de oudste vrouw, die – in tegenstelling tot de jongere vrouwen – haar borsten niet bedekte, zodat ze zwaar en bloot tegen haar buik bungelden.

Ondanks de exotische omgeving dacht Irene alleen aan Xa, de wapens die Marc bij zich droeg, en de leugens die in de hut van het hoofd verkondigd werden.

'Ik heb geen honger.'

'Je zal toch moeten eten,' zei Clothilde.

'Het is al bijna tien uur,' viel Simone haar bij. 'Denk je nu echt dat de vrouwen op dit tijdstip voor zichzelf aan het koken zijn, Irene? Ze tonen hun gastvrijheid door ons een maal aan te bieden.' Ze keek Clothilde met een frons aan om aan te geven dat ze de gebruiken hier goed kende. 'Als je weigert, is dat een belediging.'

'Als ze ons opdragen om te keren en we daar geen gehoor aan geven, is dat dan geen belediging?' vroeg Irene.

Simone ging er niet op in. Ze leunde tegen de ladder die naar het vrouwenhuis leidde en trok haar modderige laarzen uit. Terwijl de vrouwen onder het werk naar haar bleven kijken, deed Irene hetzelfde. Het leek wel of haar veters vastzaten met lijm, zoveel moeite kostte het haar. Ze trok haar bezwete sokken uit. Eenmaal bevrijd uit de schoenen, begonnen haar voeten op te zetten. Ze hadden een rood en gerimpeld aanzien, als volrijp fruit. Clothilde schopte haar mocassins met een simpele voetbeweging uit. Na overleg met de vrouw van het hoofd beklom ze de ladder. Irene ging achter Simone aan. En zij werd weer gevolgd door de andere vrouwen van het dorp, uitgezonderd die aan het koken waren. Er waren geen meubels – alleen gevlochten slaapmatjes in een hoek – en daarom ging ze net als de anderen in kleermakerszit op de bamboe vloer zitten.

De Brau-vrouwen schaarden zich om hun gasten. Irene schoof wat ongemakkelijk heen en weer, ze voelde zich niet prettig met zoveel mensen zo dicht op elkaar. De dunne vloer trilde. Er kwamen giechelende meisjes op hen af, die om beurten hun handen door hun door de zon geblondeerde haren haalden. De vrouwen praatten onderling en maakten geluidjes. Dit waren de afstammelingen van vrouwen die Irenes moeder gezien had, als ze daadwerkelijk bij de tempel geweest was. Misschien had Sarah Blum de oudsten onder hen zelfs wel ontmoet, een van de vrouwen die nu in de hoek van het vertrek op betelblaadjes kauwden en bij wie bloedrood spuug in de mondhoeken glinsterde. Irene wilde zo graag aan Clothilde vragen of iemand haar moeder had ontmoet, dat ze er naar van werd. Toch hield ze haar mond, en gaf Clothilde zo de kans hun gemompel te verstaan, voor het geval ze iets zouden loslaten over wat ze de expeditieleden zouden aandoen als die toch besloten verder te trekken.

In plaats daarvan boog Clothilde zich naar haar toe en zei: 'Ik ben in precies zo'n ruimte opgegroeid. Met muren van palmbladeren die ritselden van de spinnen en ander ongedierte. Het interessante aan het verhaal dat je verzonnen hebt, Irene, is dat het ten dele waar is. Het ís een kwestie van tijd voor het gouvernement zich ermee bemoeit en alles wegvaagt.'

'Niet als ik er iets over te zeggen heb,' zei Simone, en ze aaide de gibbon op haar schoot. De zoon van Xa was vanwege zijn sekse naar de hut van het stamhoofd vertrokken.

'Waarom wil je dit in stand houden?' vroeg Clothilde.

'Waarom moet het veranderen volgens jou?'

'Als je "veranderen" zegt, bedoel je dan: "waarom hebben ze elektriciteit nodig? Waarom zouden ze vaccinaties krijgen? Of schoon water, of Monet?" Wil je me nu echt beledigen door dát te vragen?' Clothildes stem schoot uit. De kinderen veerden ervan op, ook al begrepen ze de taal die er gesproken werd niet. En de vrouwen kwamen dichterbij, keken gefascineerd hoe een landgenote in een vreemde taal ruzie stond te maken. Clothilde trok haar fraaie tuniek over haar knieën en draaide haar ring met de smaragd om en om. Het was alsof ze zich ervan wilde vergewissen dat ze niet op de een of andere wijze terug geslingerd was in het verleden toen ze het dorp in liep.

'Mijn hele kindertijd was ik ondervoed,' vertelde ze Simone. 'Tegen de tijd dat ik geboren werd waren er al vier van mijn broers en zussen overleden. Idealisten! Jullie denken altijd maar dat je weet wat het beste is voor de oorspronkelijke bewoners. Jullie vinden het een romantisch idee om in een palmhutje te wonen. Kom eens in de regentijd kijken.'

'Mijn ouders zijn hier geboren,' merkte Simone op. 'Dit is net zo goed mijn land als het jouwe. Ik weet heus wel wat de Cambodjanen willen.'

'Jij hebt het voorrecht van de Franse nationaliteit. Daar ontleen je rechten aan, maar niet het recht te denken dat je deze vrouwen kent.'

'Ophouden, allebei,' zei Irene zacht. 'Dit is niet de geschikte plaats en ook niet het geschikte moment voor zoiets.'

Maar Clothilde, die zich tot dusverre kalm gehouden had, was nog niet klaar.

'Ik herinner me de eerste keer dat ik een boek zag. Ik herkende het niet, maar op de een of andere manier begreep ik dat het voor meer stond, voor beter. En ik wilde dat. De eerste keer dat ik Mozart hoorde, stond ik bij de veranda achter Ormonds huis, net als die arme zielen die je daar laatst zag. Ik wilde niets liever dan te weten komen waar die mooie muziek vandaan kwam. En dan bedoel ik niet de grammofoon, maar het dorp.

Zo was het voor mij in die tijd. Ik leefde in een wereld die zo klein en armetierig was dat ik alleen maar kon denken in dorpen. Het is helemaal niet zo fijn om in afzondering en armoede te leven, als jullie dat maar weten.'

Langzaam en doelbewust richtte Simone haar blik op Clothildes flamboyante ring, die ze nog steeds rond en rond draaide zonder daar erg in te hebben.

'Jij hebt duidelijk voor een beter leven gekozen,' zei ze.

'Simone!' Irene had genoeg van haar vijandigheid. 'Schei nou eens uit met die flauwekul.'

Clothilde keek de kring van de dorpsvrouwen rond, die de drie ontketende tijgerinnen in hun midden bezorgd gadesloegen.

'Het is verschrikkelijk als het zover komt dat je je moet verdedigen met zo'n stel aftandse musketten als die daar. Het enige wat ik zeg, is dat als ik een van deze mensen was, als dit mijn leven betrof, ik graag zou weten of ik nog andere opties had dan ingaan op Ormonds suïcidale plannen of vertrouwen op de belachelijke leugens die de mannen op dit moment aan het dorpshoofd voorleggen.'

De dag brak bijna aan. De fakkels die de komst van de expeditie hadden bijgelicht, waren zo goed als opgebrand. Door de gaten in het wolkendek kwam een lichtpaarse gloed. Irene, Simone en Clothilde klauterden het vrouwenhuis uit om zich bij de mannen te voegen, die zich verzamelden op de kale open plek die dienstdeed als dorpsplein. Nadat ze hardhandig door een van de Brau-meisjes was gewekt, hoorde Irene Simone tegen Louis fluisteren: 'Wat is er aan de hand?'

'We hebben ons best gedaan,' zei hij, met een stem die schor was van het slaapgebrek. Hij had zijn jasje niet eens dichtgeknoopt, en van een van zijn laarzen waren de veters niet gestrikt. Hij was zo moe dat hij niet langer geïrriteerd reageerde op Simone. Er schemerde zelfs weer iets van de oude intimiteit tussen de twee toen hij vertelde: 'We zijn de hele nacht bezig geweest het dorpshoofd ervan te overtuigen dat we door Ormond gestuurd zijn om te beschermen wat er over is van de tempel. Maar hij wil nog altijd dat we vertrekken.'

'Nu?'

'Op dit moment.'

Irene keek vragend naar Marc. Zijn gezicht stond grimmig. En hij bleef staren naar iets achter haar. Ze draaide zich om, en huiverde.

Oppositie had ze wel verwacht, uiteraard. Maar op de rij Brau-mannen die langs het pad van het dorp in de richting van de tempel stonden, had ze zich niet ingesteld. Het was een legertje van minstens vijftig man, het lichaam van een draak met het stamhoofd op kop. Die was als enige niet bewapend. Hij keek de expeditieleden aan met een blik die hun liet weten dat ze beter de aftocht konden blazen.

Irene keek om zich heen. Ze besefte dat hij ook weinig redenen had om aan te nemen dat dat niet zou gebeuren. De koelies hadden op eigen initiatief de paarden en wagens naar het punt gevoerd waar het pad terug naar Stung Treng begon. Xa stond daar ook. Hij was beschermend voor zijn zoon gaan staan, die om hem heen gluurde. Simones gezicht stond strak. Met haar wijsvinger aaide ze in een ritmische beweging over de kop van de gibbon. Clothilde deed met haar gefronste wenkbrauwen niet eens moeite haar ongerustheid te verbergen. Ze hield de mauser waarmee ze beweerde op vijftig meter elk object te kunnen raken, stevig vast. Louis en Marc leken niet van plan te wijken; zij hadden ook hun revolvers getrokken. Omdat ze zwaar in de minderheid waren, had dat misschien weinig om het lijf. De Brau compenseerden het gebrek aan kwaliteit van hun vuurwapens met mankracht.

'Als het eerste schot gevallen is, kunnen we niet meer terug,' fluisterde Marc tegen Irene.

Zijn waarschuwing alarmeerde haar. Ondanks zijn ervaringen in het criminele milieu in Shanghai en zijn waarschuwing de vorige dag, had zelfs hij niet verwacht dat het zo'n vaart zou lopen. Maar Irene had het gevoel dat het allemaal zo moest zijn, zodat zij zich zou realiseren dat ze de koperplaten hoe dan ook wilde bemachtigen.

In het halfduister stond de rij dorpsmannen voor Irene. Slanke tailles met sarongs, ontbloot bovenlijf, en musketten in de hand. Boven de olijfgroene Sekong-rivier dreef een witte mist. Vanuit bomen die vochtig waren van de nevel drupte de dauw van blad op blad.

Irene deed één stap in de richting van het dorpshoofd. De musketten kwamen omhoog. Ze deed nog een stap. Nu werd er op haar gericht. Haar hart bonkte onregelmatig in haar oren. Vanuit deuropeningen en ramen van omringende huizen gluurden de dorpsvrouwen naar haar. Ze liep naar het dorpshoofd en keek hem opnieuw recht in de ogen. Op het oude gezicht was geen enkele emotie af te lezen.

Marc had gelijk. Dit was niet haar vertrouwde wereldje. Ze had volkomen vertrouwd op haar vermogen mensen te manipuleren. Maar daar kwam ze niet ver mee, het leek hier een zinloze vaardigheid. *Belachelijke leugens*, had Clothilde gezegd. Irene moest haar gelijk geven. Ze had dit gereduceerd tot een spelletje, en dat was zowel een belediging voor het dorpshoofd als voor haarzelf. Het voelde als een bevrijding toen ze dat besefte.

Ze haalde het pistool uit haar zak. Het geklik van muskethanen die gespannen werden overstemde de bosgeluiden. Ze liet zich op haar knieën zakken. Met gebogen hoofd vocht ze tegen de angsttranen. Ze bracht het wapen tussen haar platte handen naar haar voorhoofd. Daarop boog ze drie keer naar de grond, om met een sampeah haar respect te tonen. Ze legde het wapen aan de verweerde voeten van het dorpshoofd en stond langzaam op. Nog steeds veranderde er niets aan de uitdrukking op zijn gezicht.

Wat ze ook deed, tactiek was altijd haar schild geweest. Nu legde ze haar pantser af. Ze bleef doorlopen over de natte ondergrond, het dorpsplein over, in de richting van het pad dat naar de tempel leidde. Ze keek recht voor zich uit, maar merkte wel dat de Brau niet op haar letten. Ze keken naar de ondoordringbare bosrand achter haar, alsof ze daar hun kracht aan ontleenden.

In een lange rij stonden de mannen naast elkaar aan de kant van de weg. Ze waren vlakbij. Ze zouden haar zo kunnen raken met de houten kolf van hun geweer. Maar ze kon ze niet eens horen ademen. Elke keer dat ze een man passeerde voelde ze zich kwetsbaarder, hulpelozer. Met trillende knieën bleef ze lopen tot ze bij de laatste gekomen was. Toen kon ze zich niet langer inhouden, en keek hem aan. Het was alsof er een lamp op hem gericht was. Met zijn rituele, gekartelde littekens op armen en gezicht stond hij daar fier rechtop een bevel van zijn leider af te wachten.

Ze tilde één loodzware voet op en zette die voor de ander. Daarna tilde ze ook die op, bracht hem vooruit. Als de man zijn musket liet zakken, zou hij haar à bout portant raken. Hij kon niet missen.

Vleermuizen doorkruisten een vurige hemel. De mannen van het dorp begonnen te mompelen. De jungle voor haar was één rafelige, groene muur. Het was net zo'n angstig vooruitzicht terug te krabbelen zonder te weten te komen wat er voor haar lag, als tegen de wens van de hoofdman in te gaan en neergeschoten te worden. En dus bleef ze lopen, voetje voor voetje, op het geluid van kikkers en cicaden af, dat zo luid klonk dat er geen ander geluid meer bestond. Zelfs dat van haar eigen voetstappen niet. Blindelings stapte ze de eerste zonnestralen in. Hoe lang ze liep wist ze niet. Ze bleef lopen tot ze een hand op haar schouder voelde, die haar terughaalde uit haar trance.

Irene dacht dat het een Brau was, al hoopte ze dat het Marc zou zijn, zodat ze zich in zijn armen kon laten zakken. Maar het was Clothilde. Ze had haar wapen nog in de hand.

'Zelfs het stamhoofd was onder de indruk van je moed, geloof ik,' fluisterde ze. 'Hier, neem wat water. Je loopt al langer dan een uur.'

Irene pakte Clothildes veldfles aan. Onder het drinken keek ze het pad achter haar af. Een paar meter verderop stond Simone

Irene en Clothilde verbaasd op te nemen. Mei-ling zat opgekruld op haar schouder. Achter Simone stonden Xa en Kiri.
Daarachter Marc en Louis, met het geweer voor de borst,
immer paraat. Want in het nevelige, blauwachtige morgenlicht
zag Irene een eind verder een groep van tien gewapende Brau-
dorpelingen, die in een sombere stoet achter de koelies en wagens aan liepen.

20

Het offer

'Dit is een goed teken,' zei Louis, en hij voegde er met een berustend lachje aan toe: 'Onder deze omstandigheden hadden we niet meer mogen verwachten. Niet dat ik eerder in zulke omstandigheden geweest ben, trouwens.'

Hij tikte een vonk van zijn sigaret in de richting van de Brauescorte, die een eind verder op het pad toe stond te kijken terwijl alle expeditieleden om Irene kwamen staan. 'Als het dorpshoofd met zekerheid had geweten dat het een leugen was dat Ormond ons hierheen heeft gestuurd om de koperplaten te halen, of als hij de tempel voor zichzelf had willen houden, dan had hij je niet laten ontkomen, Irene. Of ons belet achter je aan te gaan. Geloof je ook niet, Clothilde?'

'Uit wat het dorpshoofd Xa vertelde, kun je afleiden dat het dorp niet geïnteresseerd is in de tempel,' antwoordde Clothilde. 'Hij krijgt zijn bevelen van Ormond. Maar hij wilde je niet in de weg staan voor het geval jullie de waarheid spreken. En hij wist ook niet wat die hebzuchtige, bewapende vreemdelingen zouden doen als ze hun zin niet kregen. En dus laat hij zijn mannen een oogje in het zeil houden, en stuurt hij in de tussentijd iemand naar Stung Treng om met Ormond te overleggen, en uit te vinden wat er nu werkelijk gaande is.'

'Heen en terug doet zo'n gids er al meer dan een dag over,' viel Louis haar in de rede. 'En het kost er ook een om ons in te halen. Als jouw schatting klopt, zouden we de tempel tegen die tijd bereikt moeten hebben.'

Kiri was op Clothildes heup in slaap gevallen. Ze legde liefkozend een hand om zijn hoofd en zei: 'Het is geen schatting. Ik heb de tempel wel een keer of zes op feestdagen bezocht als kind. En toen ik in Stung Treng woonde, ging ik ieder jaar naar Kha Seng om mijn tantes te bezoeken. Dat was dezelfde route, en hetzelfde aantal dagen.'

'Dan houden we nog wat tijd over om de koperplaten te zoeken,' constateerde Louis.

'Irene, ík zou naast je moeten lopen,' zei Simone.

'Niet nu, Simone,' antwoordde Irene, en vervolgens vroeg ze aan Clothile: 'Stel dat de koperplaten in de tempel liggen en Ormond de opdracht geeft om ons tegen te houden, wat zouden we dan volgens jou moeten doen?'

'Dat hoor je aan mij te vragen,' fluisterde Simone, die kauwde op een rijstballetje dat ze uit haar rugtas gehaald had.

In de groep besteedde men inmiddels geen aandacht meer aan Simones gezeur.

'Dat bekijken we later wel,' antwoordde Louis dan ook. 'Op dit moment wil ik door. Wauw, Irene, dat was echt super!'

Irene zag bloedspatjes op haar mouwen van de doodgeslagen muskieten. Ze voelde zich helemaal niet super. Ze was koud tot op het bot. Maar op het moment dat Marc haar handen pakte om ze warm te wrijven, smolt het laatste restje angst.

'En jij?' vroeg ze hem. 'Wil jij doorgaan?'

Hij keek haar vragend aan.

'Ik ben er toch nog?'

Ze kreeg weer gevoel in haar verstijfde ledematen. Haar kuiten en bovenarmen begonnen te tintelen.

'Er kan een heleboel fout gaan,' herinnerde ze hem. 'Als je dit alleen voor mij doet...'

'Voor een deel,' zei hij, en hij kneedde haar vingertoppen. 'Maar goed beschouwd hebben we allemaal wel meer dan één reden. Was dat niet zo, dan lag alles een stuk simpeler.'

'Ik vind dat we de Brau erbij moeten betrekken,' bracht Simone in. 'We zouden moeten vragen wat zij willen.'

'Het dorpshoofd wil in een auto rondrijden, vertelde hij ons,' zei Marc.

'En hij wil een wolkenkrabber zien voor hij sterft,' voegde Louis eraan toe.

'Dat bedoel ik niet,' antwoordde Simone, die Mei-ling een tik verkocht omdat ze een greep naar haar rijst deed.

'We weten wel wat jij bedoelt,' merkte Irene op, en ze keek nog eens in de richting van de Brau. Ze stonden keurig in het gelid, een ondoorgrondelijke uitdrukking op het gezicht. Met hun musketten waren ze moeilijk over het hoofd te zien.

Clothilde sloeg haar ogen ten hemel.

'Ik kan je wel vertellen wat ze willen. Wat ze écht willen is op dit moment heel ergens anders op wat hennepbladeren zitten kauwen.'

'En jij weet het natuurlijk weer het beste, hè?' merkte Simone geërgerd op.

In de aanzwellende hitte van de jungle leek de klok willekeurige sprongen te maken, zowel voor- als achteruit. De tijd greep om zich heen als de lianen die zich van onderaf rond de ficusbomen omhoog slingerden. De mannen van de Brau controleerden de expeditieleden, en de koelies van Ormond hielden de Brau in de gaten.

Waren op de tweede of de derde dag de bovenkant van Irenes handen verbrand in de zon? Ze kon zich al niet eens meer herinneren dat ze ooit niet bloot hadden gestaan aan die vlammenwerper; dat er een moment geweest was waarop ze had kunnen lopen zonder een pijngrimas van de blaren op haar voeten. Ze wurmde zich langs de opkrullende bladeren van pandanbomen, en onderging de vermoeidheid als een last die ze mee moest dragen.

En wat de anderen betrof... Marc was fysiek fit en mentaal sterk, een ideale combinatie in de jungle. Clothilde werd lang niet zo snel moe als Irene, ook al had ze een flinke tijd in Amerika doorgebracht. Louis was het duidelijk gewend te zwoegen in de broeierige hitte. Hij voelde ook in elke situatie feilloos aan wat het beste was. Hij wist precies wanneer iemand een veldfles moest hebben en wanneer het tijd was om te pauzeren. Hij had zowel oog voor de omgeving als voor ieders afzonderlijke behoeften. Zelfs die van Simone. Juist die van Simone, ondanks zijn gevoelens voor haar.

Irene had de hoop al opgegeven dat Simone nog iets kon bijdragen, maar ze was wel onder de indruk van haar doorzettingsvermogen, vooral toen de groep op de eerste rustdag na het vertrek uit Leh opstond, en bleek dat Simone zich niet goed voelde. Iedereen was elk moment van de dag bezweet. Maar haar huid glansde met een vreemd grijs kleurtje. Ze deed ook niets anders dan trillen. Louis dacht dat ze malaria had opgelopen. Maar toen hij de symptomen met haar besprak en haar het middeltje wilde laten drinken dat ze meegenomen had uit de Chinese apotheek in Saigon, weigerde ze. Ze hield vol dat haar milde griepverschijnselen het gevolg waren van de extreme vochtigheidsgraad. En als ze het idee kreeg dat er om haar gepauzeerd zou worden, liep ze door.

Drie dagen liepen ze nu al over het smalle jaagpad, en ze hadden nog één dag van hun pelgrimstocht voor de boeg voor ze de tempel zouden bereiken. Dit stuk van de route was slechter begaanbaar dan het deel vlak langs de rivier. Als de paarden door de verstrengelde bladeren van reuzenvarens werden gedreven, hinnikten ze uit protest. Louis had Irene een paar leren handschoenen gegeven. Maar die waren te dun. Haar handpalmen waren kapot. Ze bloedden, doordat ze zich voortdurend aan planten moest optrekken om langs de obstakels op het overgroeide pad te komen. De koelies dreven de ossen en karren door vegetatie die zo dicht was dat het onvoorstelbaar leek dat de oude Khmer stenen van vijfhonderd kilo door dit terrein sleepten.

Terwijl ze zich over manshoge bemoste boomstronken hees, snapte Irene waarom de eerste westerlingen die Cambodja aandeden het idee gekregen hadden dat Angkor gebouwd was door goden of monsters. De warrige bomen klaagden en krasten als beesten. Het enige bewijs dat er ook mensen woonden, waren de dorpen die ze af en toe zagen, en die even smerig waren als Leh. Alleen was men in Leh alert, en hier onverschillig. Elke groep hutten was weer primitiever dan de voorgaande, en had steevast een bejaarde hoofdman en hoge uitkijkposten vanwege de tijgers. Hoe dichter ze in de buurt van de tempel kwamen, hoe meer ze het idee hadden dat ze terug in de tijd reisden. En aangezien de leden van de expeditie en de mannen van de Brau elkaar voortdurend op de huid zaten, werd het al met al een gecompliceerde tocht.

'Hoeveel hasjiesj hebben ze wel niet bij zich?' vroeg Marc, die zich over de Brau bleef verbazen. 'Er is geen minuut dat ze niet lopen te kauwen. En waar verstoppen ze het? Ze hebben geen zak of iets. Ze beginnen me op m'n zenuwen te werken. Ze zijn voortdurend onder invloed, maar presteren het toch nog om ons in de gaten te houden. In Shanghai voelde ik me bekeken, maar niet zoals nu. Ze laten je geen moment uit het oog.'

'Die koelies van Ormond praten tenminste nog onder elkaar. Maar ik heb de Brau al niets meer horen zeggen sinds we uit Leh vertrokken,' zei Louis. 'Jij wel?'

'Geen woord,' beaamde Marc. Louis, Irene en hij waren op een paar houtblokken op een open plek aan de rand van het pad gaan zitten.

Ze pauzeerden om de nieuwste wond van die morgen te ontsmetten. Een van de koelies had een bloedende schram opgelopen door een onverwachts terugverende tak. Xa bracht een dun smeerseltje aan op de kapotte huid van de man.

Irene bewoog haar tenen op en neer in haar laarzen. Haar voeten plakten van zweet en antischimmelpoeder. Terwijl Marc en Louis het raadselachtige gedrag van hun Brau-bewakers doornamen, keek zij wie van de Brau wachtliep. Er was er altijd wel één. De rest kauwde op hasjiesj, sleep de messen, dutte, of vilde eekhoorns die gevangen waren in het bos. De wollige bruine staarten gaven ze aan Kiri, die al een hele verzameling aan een riem over zijn schouder had hangen. Als ze naar de man keek die de wacht hield, herinnerde Irene zich weer wat ze in Leh gedaan had. Waartoe ze in staat was.

Ze ontdekte wie de wachtpost van die dag was, een man met wangen vol tatoeages. Hij stond achter Kiri, die de tijd doodde door op bladeren te slaan, honing uit bloemen te zuigen, en een touw met blikken achter zich aan sleepte om tijgers en geesten af te schrikken.

'Ik probeer me in hen te verplaatsen,' zei ze tegen Marc en Louis. 'Ik probeer me voor te stellen wat ze denken.'

Voor ze hier verder op in kon gaan, verscheen Clothilde.

'Irene, kun je even met me meekomen?' vroeg ze.

'Wat is er?'

'Ik wil je iets laten zien.'

De mannen praatten loom verder. Irene liep Clothilde achterna, het bos aan de overkant van het pad in. Simone zat op handen en knieën achter de enorme stronk van een groenblijvende boom. Voor haar in het struikgewas lag een plas braaksel. Onmiddellijk dacht Irene terug aan haar overdosis in Saigon.

'Simone, wat heb je vandaag genomen?'

'Geen pillen, Irene. Dat zweer ik.' Haar stem klonk zwak.

'Gisteravond heeft ze ook al overgegeven,' zei Clothilde.

Simone keek haar vals aan.

Clothilde trok een zakdoek uit haar zak en vroeg: 'Kun je rechtop zitten? Hier, laat mij je helpen.'

Maar Simone was niet van plan te bewijzen dat haar iets scheelde, en leunde tegen een boom. Ze duwde de doek weg en snauwde: 'Raak me niet aan.'

'Clothilde, vraag de kok om wat gekookte rijst,' zei Irene. 'En ook maar een pot slappe thee.'

Clothilde schoot weg, langs Marc en Louis, die hun kant op liepen om te zien wat er aan de hand was. Louis wierp één blik op Simone, knielde voor haar neer, en legde zijn hand op haar voorhoofd. Alsof ze een kind was. Zo zaten ze een poosje. Ze zagen er alle twee belabberd uit.

'Je hebt koorts,' zei Louis. 'Ik wist het. Ik wist dat dit je te veel zou worden. Simone, wat moet ik nou toch met jou?'

Simone boog haar hoofd. Als Irene niet beter wist, zou ze gedacht hebben dat ze zich schaamde.

'Dit is haar schuld,' zei Simone bijna onhoorbaar.

'Waar heb je het over?' vroeg Louis.

Simone keek naar Clothilde, die zich terug haastte met een vochtige doek en een blikje biscuits.

'Dit is jouw schuld. Jij verpest alles. Als jij er niet bij was, zou ik hier de leiding hebben.'

'Welnee, Simone. Dit kun je Clothilde niet aanrekenen,' sprak Louis beslist.

In plaats van hem tegen te spreken, keek Simone hem hologig aan. Ze veegde met haar pols langs haar mond. Uit dit verslagen gebaar leidde Irene af dat Simone meer voelde dan alleen een afkeer jegens Clothilde. Ze was jaloers. Dat snapte Irene wel, dat was begrijpelijk. Vanwege haar kennis en loyale opstelling, haar weloverwogen optreden, had Clothilde de rol toebedeeld gekregen die Simone wilde hebben. Bij hun eerste ontmoeting had Irene ook gehoopt dat Simone die op zich zou nemen. Het speet Irene dat Simone uit de gratie was, maar ze wist niet hoe ze dat kon veranderen. Simone was zichzelf al niet de baas, laat staan een ander.

Knorrig mopperde Simone tegen Clothilde: 'Ik begrijp nog steeds niet wat je hier doet. Dit gaat jou helemaal niet aan.'

Clothilde keek de groep rond voor ze de handdoek aan Louis gaf. Het leek even of ze weg wilde lopen. Zonder iemand in het bijzonder aan te kijken, zei ze plotseling: 'Denken jullie dat ik hier wil zijn? Ik doe dit voor Henry, omdat hij mijn dochter gered heeft. Omdat hij mij gered heeft. Hij heeft me een geregeld leven gegeven, of zo geregeld als maar mogelijk is voor een vrouw als ik. Maar denk je nou echt dat het een genoegen is om hier te zijn? Dat ik het fijn vind om te zien hoe jullie mijn land misbruiken? Ik zou je eigenlijk aan je lot over moeten laten.'

Bij deze uitbarsting dacht Irene terug aan de terloopse suggestie van Clothilde om Kiri in te zetten, bij de start van de expeditie. Die onverschilligheid stond in schril contrast met haar uitspraak in de hut in Leh en haar huidige woede.

'Alsjeblieft,' smeekte Irene. 'We hebben je nodig. Ga er niet vandoor.'

'Dat zou ik niet eens kunnen.' Clothilde keek verslagen. 'Alles wat hij me beloofd heeft, alles wat mijn dochter nodig heeft... Het ligt allemaal in jullie handen.'

'Hoe bedoel je?'

'Daar kom je gauw genoeg achter. Het staat in zijn testament. Hij heeft me een legaat nagelaten, met jullie als executeurs. Het is jullie taak mij het geld uit keren als ik zijn plannen uitgevoerd heb.'

'En wat heeft hij dan voor plannen?' vroeg Irene.

Clothilde trommelde met haar duim op de deksel van het blikje biscuits. Ze leek Irenes vraag niet eens te horen.

'Hij waarschuwde me dat ik m'n handen vol zou hebben aan jullie. Maar ik heb me niet gerealiseerd hoe waar dat was.'

Haar blik dreef over het kerkhof van omgevallen bomen naar de wacht van de Brau die hen nagelopen was het bos in. Hij had zijn musket in de aanslag, zoals altijd als hij verantwoordelijk was. Voor de vorm hield hij hen in het vizier.

'Ik had nooit gedacht dat ik me over de jungle nog de minste zorgen hoefde te maken.'

Louis wilde dat Simone op een van de ossenkarren mee zou rijden. Maar dat weigerde ze.

'Ik móét lopen.'

Uiteindelijk accepteerde hij dat zij haar zin kreeg. En toen gingen ze weer op weg. Maar ze waren nog maar net een uur op pad, toen Xa zijn kapmes ophief. Door het gebaar dat hij maakte – één haal door de lucht – wisten Irene en de rest dat ze muisstil moesten zijn, en zich niet mochten bewegen.

Op het pad voor hen bewoog een cobra. De geest van de *naga* – de slangenbewaker van Angkor – kwam uit een van de mythen gegleden, vlak voor de voeten van de zoon van Xa. Hij richtte zich op en zette zijn kap op, zodat de scheve ogen hem vanuit een bruine huif aanstaarden. De slang was bijna even groot als hij. Kiri's magere, blote lichaam was een gemakkelijk doelwit.

Een cobra kon met zijn giftanden in één klap een olifant vellen. Irene voelde het bloed naar haar hoofd stijgen; haar zicht werd wazig. Maar toch merkte ze hoe de spieren in Xa's donkerbruine armen en de getatoeëerde slangen op zijn rug zich spanden. Hij greep zijn kapmes steviger beet. Eindelijk was het voor Irene duidelijk wat hij dacht. Zou hij snel genoeg zijn? Bestond er in zo'n geval wel zoiets als snel genoeg? Irene had zich het liefst afgewend. Maar ze wist dat de kleinste beweging de dood van de jongen kon betekenen. Zelfs met haar ogen knipperen leek riskant.

'O,' zei Clothilde geschrokken.

Ineens verscheen een van de Brau achter de cobra, een knokige man met het gezicht van een asceet. Hij stond doodstil. Irene had hem niet gehoord, niet gevoeld. En toch was hij om iedereen heen gelopen en stond hij nu met geheven kapmes achter de slang, die hem op die afstand zou kunnen bijten. De man keek woest.

De slang dook naar voren, het ijzer doorkliefde de lucht, en Irene kneep haar ogen dicht. Wat volgde was een doffe, walgelijke klap. Kiri krijste. Simone gilde. En Irene zag haar op haar knieën op de grond zitten, met het kind op schoot en haar armen om hem heen.

'Wat doen we nu?' vroeg Irene, die de verslagenheid op het gezicht van Xa zag.

'De EHBO-trommel!' schreeuwde Louis.

Marc rende al terug naar de wagens.

Maar Kiri ontworstelde zich aan Simone. En tot verbazing van alle volwassenen was niet gebeurd wat ze vreesden. Het duurde uren voor iedereen bedaard was.

De Brau pakte de in tweeën gehakte, dode slang op en droeg hem naar zijn dorpsgenoten.

Clothilde haalde haar thermosfles met lauwwarme thee tevoorschijn en liet die rondgaan. Iedereen dronk uit hetzelfde kopje.

Ondertussen wachtten ze tot Xa tot zichzelf kwam. Maar hij verkeerde in shock, en staarde wezenloos naar de plek waar de slang gelegen had.

Clothilde wilde op hem af lopen; Simone tikte haar op haar arm.

'Laat mij maar. Alsjeblieft.'

Clothilde knikte.

Simone liep op Xa af en fluisterde troostend. Hij fluisterde terug.

'Wat zegt hij?' vroeg Irene.

'Hij zegt: als we het menen dat we Kiri zullen beschermen, moeten we hem mee de jungle uit nemen als we vertrekken.' Simone leek zwakker dan ooit. Maar haar stem klonk krachtig, alsof ze zich met het overgeven meteen van haar labiliteit ontdaan had. 'Als we dat doen, zal Xa het spelletje meespelen en blijft hij net doen of hij ons gelooft.'

Het verbaasde Irene niet dat Xa precies wist wat er aan de hand was. Ze keek hoe de jongen achter de Brau aan danste, en triomfantelijk siste tegen de doorgehakte slang.

'Zeg maar dat we voor zijn zoon zullen doen wat we kunnen.'

'Meen je dat?' vroeg Simone.

Xa keek Irene verwachtingsvol aan. In de uitdrukking van de man zag ze dezelfde hulpeloosheid die haar vader getoond had in de maanden na het overlijden van haar moeder. Voor het eerst begreep ze niet alleen wat voor last meneer Simms hem ontnomen had, maar ook hoe opgelucht haar vader zich gevoeld moest hebben toen hij wist dat hij op zijn hulp kon rekenen.

'Ja,' zei ze. 'Ik meen het.'

In de vroege avond, toen de zon onderging, vielen de wolken uiteen en vormden een zilverkleurig schuim aan de donkere hemel. Boomtoppen zwiepten heen en weer in de wind. Er was een storm op komst. Dat was ongebruikelijk 's nachts in dit seizoen. Als het ging stortregenen zou het onverstandig zijn het steeds smaller wordende pad te volgen. Daarom kapten de koelies op een overgroeide plek het lange gras weg, en stampten de rest plat, zodat ze er hun tenten konden opslaan. Het was een vermoeiende dag geweest, meer dan anders. Een emotionele aanslag was het geweest. Iedereen in de groep was bekaf, behalve Simone, die zich op miraculeuze wijze hersteld had. Ze was niet helemaal in orde, maar ze lag ook niet op apegapen, zoals Irene verwacht had. Ze kon zelfs nog gin-tonics mixen en bracht de glazen rond op een dienblad.

Marc zat in een canvas stoel. Hij bracht een ontsmettende crème aan op de vele schrammen op Irenes nek en gezicht. Irene hield de Brau in de gaten. Ze hadden hun eigen kampvuur gemaakt, achter de tenten. Boven het vuur hingen gerafelde repen cobrahuid aan gevorkte takken. Zoals gebruikelijk hield een van de mannen de wacht; hij staarde gehurkt op een ossenkar met een musket in zijn armen naar de vreemdelingen.

'Wat doen ze met die slang?' vroeg Irene aan Clothilde. Ze sloeg het drankje dat Simone haar aanbood af.

'Ze bereiden zich voor op een offer,' antwoordde Clothilde, die wel een glas nam.

Met een tinnen kom die als wasbak diende had Irene zich zo goed mogelijk gewassen. Ze had schone kleren aangetrokken en ruime canvas schoenen, om haar gezwollen voeten wat te ontzien. Maar dat was niet van invloed op de onrust die ze voelde na Clothildes antwoord, en die even snel opkwam als de slang op hun pad. Clothilde dacht dat ze morgen rond het middaguur de tempel zouden bereiken. In minder dan een etmaal zou blijken of ze de koperplaten konden vinden. En ze zouden voortdurend gezelschap hebben van deze Brau, die in staat bleken een opgerichte cobra van achter te besluipen en te doden.

'Wat voor offer?' wilde ze weten.

'Ik heb vroeger wel eens meegemaakt dat een kind gebeten werd door een cobra. Ik hield hem in mijn armen tijdens zijn stuipen. Ik was erbij toen hij zijn laatste adem uitblies. Toch ben ik niet bang voor slangen. Het is de geest van de slang waar ik bang voor ben en ontzag voor heb,' legde Clothilde uit. 'Dat is voor de Brau precies hetzelfde. De man die de jongen gered heeft moet het hart van de slang eten en bidden dat het hem sterk genoeg maakt om het op te nemen tegen de geest van de naga, die hem vannacht zal bezoeken.'

Louis, die alles tot in de kleinste details in tiptop conditie wilde hebben, zat met een schroevendraaier het oculair van een verrekijker vast te schroeven. Hij keek op.

'Bijgeloof heeft me altijd geïntrigeerd. Het ene deel van de wereldbevolking wist zich eraan te ontworstelen – het ontwikkelde deel, als ik dat mag zeggen – en het andere deel gaat er nog altijd onder gebukt.'

'Ik heb in beide werelden geleefd. Maar ik heb nog steeds geen reden gevonden om niet meer in geesten te geloven,' merkte Clothilde op.

Zorgvuldig masseerde Marc de ontsmettende crème in Irenes huid, en hij vroeg: 'Wat voor offer wordt het?'

Clothilde gebaarde naar Mei-ling, die op Simones schoot zat. 'Ze hebben een uur geleden een gibbon gevangen.'

Op dat moment ving Irene de eerste bange schreeuw van een dier op. In het kamp hing een misleidend beschaafd luchtje van citronella en leren laarzen die voor het vuur te drogen stonden. Maar de Brau zaten om hun eigen reinigende vuur, en hieven in het donker gezamenlijk een ritmische klacht aan, die beantwoord werd door het gekreun van de bamboetakken als die elkaar raakten in de storm.

'Ik wou dat ze ergens buiten het zicht waren gaan zitten,' zei ze. Als ze al nieuwsgierig was naar het ritueel, dan werd dat tenietgedaan door haar angstige voorgevoel en het spookachtige van de situatie.

Louis poetste grinnikend de lenzen schoon, en keek naar Marc.

'Misschien is het biologisch bepaald dat vrouwen gevoeliger zijn voor hocus pocus dan mannen.'

De Brau stampten in een bepaald ritme om het vuur, heen en weer. De koelies keken vanuit het kreupelhout toe. De wind trok aan, en dreef het getik van het bamboe op.

'Mijn dochter heeft me een keer bezocht in Shanghai,' zei Marc. De vlammen weerspiegelden in zijn ogen. 'Geesten verschijnen alleen als er zaken niet afgesloten zijn.'

'Ja vast, Rafferty,' bracht Louis ertegen in. 'En hoeveel opium had je gebruikt die avond?'

Irene kromp ineen, omdat Marc ruwer werd. Zijn vingers wreven de buffeltalk diep in de ontstoken blaar op haar hiel.

Het werd stil rond het kampvuur. Het duurde even voor Louis besefte hoe ongevoelig zijn uitspraak geweest was.

'Dat was ongepast.' Hij legde zijn verrekijker weg. 'Het is me het dagje wel geweest. Simone, ik wil toch wel zo'n glaasje, als het mag.'

Simone reikte hem een gin-tonic aan. Daarna liet ze zich terug in haar stoel zakken en trok haar fluwelen jasje dichter om zich heen.

'Het is nu eenmaal zo dat alle mensen in meer of mindere mate bijgelovig zijn, Louis. Het leven is domweg te moeilijk als je nergens in gelooft. Zelfs jij aanbidt de tempels van Angkor. Vind je die seculiere richting die we met z'n allen inslaan niet gevaarlijk?'

Wat ze zei klonk zo diepzinnig dat iedereen haar aanstaarde alsof ze een orakel was.

Het gezang van de Brau werd luider, primitiever, verspreidde zich als een spookachtige bariton over het kamp. Op meters van het kamp sloeg een bliksemflits in het bos in. Het gezang groeide aan. De hengst stampte met zijn hoeven. De merries reageerden met een angstig gehinnik.

'Dat was wel erg dichtbij,' mompelde Marc omhoog naar de hemel.

'De Fransen hebben de Cambodjanen alle macht ontnomen,' zei Simone. 'Het gouvernement heeft ze bijna alles afgepakt. Behalve dit – hun geloof. Waarom zouden ze niet vasthouden aan die zogenaamde hocus pocus?' In de duisternis klonk een onmenselijke kreet, waardoor ze stokte en haar ogen wijd opensperde.

De Brau die het leven van Kiri gered had, leek uit het vuur omhoog te rijzen. Zijn bruine huid drupte van het zweet. In zijn ene hand had hij een mes. Met de andere hield hij het levenloze lichaam van de gibbon vast. Hij had hem de keel doorgesneden, het bloed glinsterde in het schijnsel van het vuur. Opgezweept door de hennep en de wind dromden de stamleden om hem heen. Hij wierp de bloedende aap op de grond en bracht een aardewerken kruik naar zijn lippen.

Simone verborg Mei-ling onder haar jas.

Als verlamd fluisterde Clothilde: 'Dat is rijstwijn vermengd met het bloed van de slang.'

Opnieuw flitste de bliksem. Meteen daarop viel de regen met bakken uit de hemel. Iedereen sprong op om dekking te zoeken.

De hengst had zich losgerukt en galoppeerde in de richting van de kampeerstoelen, met twee koelies achter zich aan. Marc en Louis schoten eropaf om het doodsbange paard de pas af te snijden. Met Simone aan haar ene arm en Clothilde die een greep deed naar haar andere, boog Irene zich om haar kaartenmap van de grond naast haar stoel te graaien. Ze kon het dier nog maar net ontwijken. Ze glipte door de modder, terwijl de merries hinnikend om haar heen renden. Bliksem op bliksem verdreef de duisternis en verlichtte het totale veld. In een flits zag Irene de Brau op het bivak af rennen, met kapmessen en bijlen in de hand.

Ze begon te hijgen. De Brau renden dwars door de chaos van paarden en koelies, reten zadeltassen en tenten open, en sloegen kratten aan diggelen.

'Zoek dekking!' gilde Clothilde.

Simone gilde in het Frans om Xa. *'Qu'est-ce qui se passe!*

Qu'est-ce qui se passe?' In de hectiek was ze vergeten dat hij die taal niet meester was. Maar Xa en Kiri waren verdwenen. En iedereen wist wat er gaande was. Nu werd het duidelijk waarom het dorpshoofd zijn mannen mee gestuurd had: om de vreemdelingen te beletten de tempel te bereiken. Maar hoe ver waren ze bereid te gaan, nu ze opgefokt waren door de drugs, het bloedoffer en de storm?

De schimmen van twee Brau-mannen liepen over in de schaduwen van de geweren van de expeditieleden, die ze kapotsloegen tegen een boom. Simone waadde door de modder en riep geagiteerd: 'Mei-ling! Ik kan Mei-ling niet vinden!' Marc kreeg een paard te pakken. Hij greep de manen, maar kreeg het paniekerige dier niet tot bedaren. Louis kon in de buurt zijn, maar was nergens te zien. Irene zag steeds minder in de striemende regen.

Clothilde drukte haar in het natte gras en fluisterde: 'Blijf daar.' Maar Irene verzette zich. Ze wilde redden waarvoor ze gekomen was. Ze moest de Brau zien te verdrijven voor er gewonden vielen. Ze kroop op Marc af, en riep: 'Je wapen. Geef me je wapen.'

Hij gooide het pistool door de lucht, maar viel toen het paard naar achter trapte.

Turend door het noodweer zag Irene dat Simone in elkaar gezakt op haar zij lag. Ze registreerde de ineengestorte tenten, de Brau die uithaalden met hun kapmessen. Ze veegde de regen uit haar ogen en raapte het pistool op uit de modder. Maar niet snel genoeg. Naast haar knalde de mauser van Clothilde. Ze schoot één, twee, drie, vier keer. Daarna vuurde ze kort na elkaar een vijfde en zesde keer, tot de kamers leeg waren. Het kamp was een heksenketel. De paarden en de Brau namen de benen. Maar er bleef één lichaam bewegingsloos op de grond liggen.

21

De schotwond

Van een gesneuveld kampeerbed maakten ze een brancard. Marc boog zich om de ene kant op te tillen; Irene kon hem amper zien door de stromende regen. Louis droeg het andere eind. Zo schuifelden ze in de richting van een provisorisch afdak, dat ze hadden weten te construeren met het materiaal van een kapotte tent. De storm was bijna over, maar het regende nog steeds stevig. Met een zaklantaarn die ze had kunnen redden zocht Irene rondom de restanten van de ossenwagens naar de zwartleren buidel met de EHBO-spullen. Xa en zijn zoon lieten zich niet zien. En de paar koelies die er niet vandoor gegaan waren, zaten in de buurt aangeslagen te praten. Als de Brau zich hier nog ergens ophielden, zorgden ze wel dat niemand hen kon horen. Om niet te ver af te dwalen en de weg kwijt te raken, hield Irene de gebarsten lantaarn in de gebrekkige tent aan als baken.

'Schiet op,' sprak Clothilde, die achter Irene aan kwam, op hysterische toon. 'Anders bloedt hij dood.'

'En wiens schuld is dat?' vroeg Irene. Ze zag een donker voorwerp half verborgen in het struikgewas liggen en hield haar hand boven haar ogen.

'Je liet me geen keus. Ik ben ingehuurd om je te beschermen.'

'Ik dacht dat je was ingehuurd om me naar de juiste plek te brengen.'

'Die geschiedenis, Irene. Waarom is die zo belangrijk voor je? Mijn god, wat is het waard?'

'Laten we nu niet net gaan doen alsof je daar het antwoord niet op weet.'

Irene legde haar zaklantaarn naast zich, en doorzocht met haar handen de bosjes. Er prikten doorns door het vuile verband om haar vinger. De buidel met EHBO-spullen was met een boog het donker in gevlogen, maar wel op miraculeuze wijze intact gebleven.

'Ik heb hem gevonden,' schreeuwde ze.

Louis en Marc hadden de brancard op twee verweerde blokken hout gezet, die ze in de chaos rond het modderige bivak gevonden hadden. De enige Brau die was overgebleven lag doodstil op zijn buik. Louis had een buisje met morfinepillen gevonden en hem een van de grote pillen laten doorslikken. De man kreunde nog altijd van de pijn.

Marc nam de buidel met medicijnen van Irene over en kromp ineen. Hij had een rib gebroken door de trap van het paard. Het moest onmiddellijk worden ingezwachteld van Louis. Maar Marc vond de bloedende schotwond van de Brau urgenter.

'Neem jij zijn been en hou het omhoog,' droeg hij Irene op. 'Clothilde, jij maakt een vuur en zorgt voor warm water. Louis, jij zult hem moeten vasthouden. Kijk of je wat touw kunt vinden. Het gaat makkelijker als we zijn armen vastbinden.'

Van Simone hoefden ze niets te verwachten. Ze was in alle verwarring onder de voet gelopen en had haar pols gebroken met een krak, alsof het een dode tak was. Nog iets waar straks naar gekeken moest worden. Ze lag op een zeil op de grond, half buiten westen. Aan de rechterkant van haar gezicht had ze een schram van haar kin tot haar wenkbrauw. Haar fluwelen jasje droop van de modder. Haar onderarm stond in een bedenkelijke hoek.

Irene schoof een hand onder de enkel van de Brau. Hij had bijna geen lichaamshaar en zat dankzij een leven lang blootsvoets door de jungle lopen onder de blauwachtige littekens. Toen ze zijn been optilde, voelde ze dat hij zich vaag verzette. Ze had te doen met de arme man die bloedend en wel door zijn eigen mensen was achtergelaten tussen de vreemdelingen die hem verwond hadden. De kogel was aan de achterkant door zijn kuit gegaan. Marc drukte wat plukken gaas op de donkere, bloedende gaten, en verbeet de pijn van zijn eigen gewonde ribben. De Brau trapte. Louis had zijn handen vastgebonden, maar moest alsnog boven op de man gaan liggen om zijn schouders omlaag te drukken. Irene zette zich schrap zodat ze het gewonde been niet liet glippen.

'Neem dit.' Marc gaf haar een rol gaas. 'Druk dat er stevig op.'

Ze legde het been van de Brau op haar knie, en drukte. Hij reageerde meteen toen ze hem aanraakte. Met een felle kreet perste hij alle lucht uit zijn lijf. Hij spande zijn kaken door zijn kiezen op elkaar te klemmen. En toen hij zijn gezicht in de richting van Irene draaide, zag ze dat het vertrokken was van pijn. Maar ze herkende hem. Dit was de man die Kiri het leven gered had.

'Komt het weer goed met hem?' vroeg ze.

Louis knipperde vanwege de regen die onder het afdak drupte, en zei: 'De kogel is er recht doorheen gegaan. Daar bofthij mee. Wie zal het zeggen? Misschien redden we het zo.'

Marc deed een ontsmettend middel op een doek. Irene werd al wat licht in het hoofd van de overweldigende lucht van alcohol.

'Houd hem zo stevig mogelijk vast,' zei Marc. Hij lichtte het gaas van de inslagwond en duwde de doek eronder. De doek begon het wondvocht op te nemen. De man lag stokstijf en sperde zijn ogen wijd open. Hij klemde zich vast aan Irene, alsof ze tegenstanders in een partijtje worstelen waren. Vanuit haar ooghoek zag Irene dat Clothilde een metalen voorwerp met een houten handvat uit de medicijnvoorraad haalde.

'Zal ik hem verhitten?' vroeg ze zenuwachtig aan Marc.

'Ja, maar laat hem niet rood worden. Als hij rood wordt, is-ie te heet.'

'Wat gaan jullie doen?' vroeg Irene.

'De wond dichtbranden,' legde Marc uit. 'We moeten de bloeding zien te stoppen. Stel je er maar op in, want jij zult hem in bedwang moeten houden. En hij staat op het punt meer pijn te voelen dan hij ooit ervaren heeft.'

Irene, Louis en Clothilde grepen de man vast. Marc zette het brandijzer tegen de wond. De huid van de man siste. Zijn kreet sneed door de nacht.

Het was snel voorbij. Maar toen Irene zich ontspande, zei Marc: 'We zijn er nog niet. Ik kan maar een paar tellen per keer druk uitoefenen. Anders verbrand ik het gezonde weefsel.'

Opnieuw verhitte hij de plaat en zette hem op de getekende huid. Irene kokhalsde door de geur van geschroeid vlees. En ze dacht: zou er op aarde nog iemand rondlopen die uit liefde doet wat van hem gevraagd wordt? Hoeveel mensen zouden hiertoe bereid zijn als ik het ze vroeg? Vandaag een schotwond. En wat komt er morgen? Toch had ze er alle vertrouwen in dat Marc ook dat aan zou kunnen. Nu moest ze daar niet aan denken.

Ze richtte zich weer op de Brau. De man verdiende haar volle aandacht. Want door zijn gevecht tegen die vervloekte pijn werd hij steeds zwakker.

De vermoeidheid overmande Clothilde toen ze thee aan het maken was. Ze viel in slaap, zittend tegen een reistas, met vier mokken kokendheet water op het zeil voor haar en de Ceylonthee nog in haar hand. Na alle misère én een slaapmiddel was de Brau diep onder zeil. Marc bood Simone morfine aan. Nadat ze die om onbegrijpelijke redenen afsloeg, zette hij haar pols. Toen de botten terug op hun plaats schoven, hapte ze naar adem van de pijn. Minuten later zakte ook zij weg in een comateuze slaap.

En toen was de beurt aan Marc. Hij ging midden onder het afdak in het tanende licht van de petroleumlamp staan. Irene trok het overhemd los van zijn huid. De linkerkant van zijn lijf was besmeurd en gezwollen van de kneuzingen. Ze was liever alleen met hem geweest om voor hem te zorgen. Sinds ze uit Leh waren vertrokken hadden ze geen moment samen doorgebracht, geen gelegenheid gehad om te praten. Er waren maar twee tenten: één voor de mannen en één voor de vrouwen. Een kans om zich 's nachts af te zonderen hadden ze niet, dat was te gevaarlijk. Irene wist dat ze er niet uitzag. Ze was smerig, zat vol korstjes en had een hoogrode kleur. Maar de paar toenaderingen van zijn kant, zelfs op momenten dat ze omringd waren door anderen, deden haar meer dan hun momenten samen in het hotel. Samen waren hun lichamen een woest patroon van schrammen. Hij had haar gapende wonden gezien. Hij brandde de bloedzuigers van haar huid met dezelfde tederheid als waarmee hij haar die eerste nacht in Saigon omhelsd had.

Het bleef regenen. Maar het was een druilerige regen, alsof het weer er zelf ook genoeg van had. Louis deed een greep in de medicijnbuidel. Als een goochelaar die een konijn uit een hoge hoed trok, haalde hij een voorwerp tevoorschijn dat wel wat van een korset had. 'Dit gaat veel pijn doen,' meldde hij terloops.

Marc stak zijn armen in de lucht, zodat Louis zijn ribben kon insnoeren. Terwijl Louis de veters aantrok, zoog Marc benauwd telkens kort wat lucht in.

'Dit zal de pijn enigszins verlichten,' zei Louis. 'Maar je moet hem elke paar uur afdoen en dan zo lang mogelijk zonder doorademen. Het drukt je longen in. Door die vochtige lucht hier kun je gemakkelijk longontsteking krijgen. Wat heb je het liefst?'

Hij toonde Marc de verzameling verdovende middelen en pijnstillers uit de medicijnvoorraad.

Met een simpele hoofdbeweging bedankte Marc voor de pillen. 'Ik ben van de oude stempel. Ik neem aan dat de whisky gesneuveld is?'

Louis dook opnieuw in zijn trukendoos en haalde er dit keer een fles uit. 'Hier, voor noodgevallen. Irene, wil jij ook wat?'

'Alsjeblieft.'

Hij gooide het hete water uit de mokken en schonk er de sterkedrank in. Terwijl Marc moeizaam naast Irene kwam zitten, nam Louis plaats op een boomstronk en staarde de duisternis in.

'Ik blijf wel wakker om een oogje in het zeil te houden,' zei hij.

Allemaal beseften ze hoe gemakkelijk de Brau in het donker het bivak konden observeren.

'Ik hou je wel gezelschap met waken,' bood Irene aan.

Marc sloeg zijn whisky in één teug achterover. Hij draaide zich op zijn rug, legde zijn hoofd op de Irenes schoot en viel in slaap. Irene hoorde hoeveel moeite het hem kostte te ademen. Zonder er erg in te hebben helde hij naar één kant over om zijn pijnlijke ribben te ontzien.

Irene en Louis hielden de wacht. Ondertussen speelde het beeld van de Brau die het kamp vernielden Irene door het hoofd. Had Ormond daar de opdracht toe gegeven? Of het dorpshoofd? Wat hadden de dorpelingen zelf eigenlijk voor bedoelingen?

'Wat kan Simones revolutie tot stand brengen voor de mensen die hier in afzondering wonen? Denk jij dat zij er baat bij hebben?' vroeg ze.

Louis keek naar de levenloze Brau voor hij zijn wakende blik weer op het bos richtte. 'Als we nu de macht aan hen overdragen, loopt het uit op een ramp. Ze zijn nog niet toe aan de moderne wereld. Maar ze kunnen ook niet terug naar het verleden. Het Westen heeft zich langzaam en geleidelijk ontwikkeld. Dat kan hier al niet meer. Er blijft altijd een kloof tussen wie ze waren en wat ze noodgedwongen werden.'

Simone sliep op een kampeerbed, dat ook ongedeerd gebleven was. Ze lag met haar verbonden pols dicht tegen zich aan, als een gewonde vleugel.

'Een revolutie is dus zinloos. Maar niet omdat zij die aan wil voeren?' informeerde Irene.

'Ik denk niet dat ze het er beter op zou maken,' grinnikte Louis.

Irene was gewend dat er emotie doorklonk in zijn stem wanneer hij het over Simone had. Kon hij, na alles wat er gebeurd was, nog steeds vasthouden aan zijn jeugdliefde? vroeg ze zich af. Ze had hem er een keer naar gevraagd, in de tuin van het hotel in Saigon. Maar hij had er geen antwoord op gegeven. Ze had weinig behoefte het opnieuw te vragen. In plaats daarvan zei ze: 'Jij hebt vast ook een mening. Wat is volgens jou het beste voor de Cambodjanen?'

'Geef je om ze?'

Ze dacht aan Xa, en wat hij wilde voor zijn zoon; aan het risico dat de gewonde Brau gelopen had; aan hoe ongelukkig de Cambodjanen die ze in Phnom Penh ontmoet had waren. Ze dacht aan Seattle en de raad van commissarissen van het museum. Wat ze toen belangrijk vond leek nu ver weg. Ze streek met haar vingers over de schrammen op Marcs slaap.

'Ik heb altijd om ze gegeven. Alleen deed het er tot dusverre niet toe.'

Louis knikte goedkeurend. 'Ik denk dat het goed zou zijn om de Khmer hun eigen geschiedenis te laten bestuderen. Ze zullen er heel anders tegenaan kijken dan wij. Je weet nooit wat er aan het licht komt als ze de kans krijgen. Misschien ontdekken ze iets wat alleen zij kunnen ontdekken. Bovendien kan kennis over hun verleden misschien een opstapje zijn naar een eigen status, hoe wankel ook. Op dit moment zijn ze er totaal niet in geïnteresseerd. Ze hebben geen idee wat dit voor hen kan betekenen. En hoe kan dat ook, als het gouvernement er alles aan doet om ze hun erfgoed te ontnemen?'

'Ik neem aan dat jouw instituut een rol kan spelen bij deze nieuwe inzichten?'

Er knapte een tak. Louis keek om. Maar het lamplicht was gedoofd; het was onmogelijk verder te kijken dan een paar meter van het afdak. Hij stond op om te gaan verkennen, en vroeg: 'Heeft deze discussie zin?'

Ook Irene tuurde het bos in, al kon ze niks ontdekken.

'Dat zal ik je laten weten als ik de koperplaten in handen heb.'

Op het moment dat Irene bij zonsopgang in het grauwe daglicht de ravage zag, vloog het haar aan wat er had kunnen gebeuren.

Ze voelde de misselijkheid in golven bovenkomen. Ze liet de anderen slapend achter in de geïmproviseerde tent en ging poolshoogte nemen. Het was een totale kaalslag. Geen van de expeditieleden was persoonlijk het doelwit van de aanval geweest. Maar die was wel buitengewoon gewelddadig uitgevoerd, en duidelijk bedoeld om hen af te schrikken. De tent van de mannen was aan flarden gehakt met bijlen die uit hun voorraad kwamen. Het was alsof er een tornado gewoed had. Er lagen blikken met oesters, olijven en spaghetti in de bosjes. Het kapotte leren foedraal van een camera hing aan het riempje in een struik. De paarden waren er allemaal vandoor gegaan. Terwijl de nacht de aftocht blies en botste op de hitte van de komende dag, vond ze de koffer terug die ze had laten maken om de koperplaten in te verbergen. Hij lag bijna onherkenbaar vernield tegen een boom.

'Wat een slagveld!'

Irene stond gebukt naar de gesneuvelde koffer te kijken. Toen ze opkeek zag ze dat Simone het onttakelde bivak in zich opnam. Ze had haar pols tegen haar borst aan. Mei-ling zat met grote ogen op haar schouder.

'We moeten nu weg,' kondigde Irene aan. 'Het is menens. Ze willen ons beletten de tempel te bereiken.'

'Kom je daar nu pas achter?' vroeg Simone.

Irene stond op en keek haar kwaad aan. 'Wie weet wat ze nu van plan zijn?'

'Zonde van je koffer.' Simone porde met de punt van haar doorweekte muiltje tegen de gebarsten resten van het deksel. 'De maker is goed in zijn vak. Ik was ervan onder de indruk. Ik zou het nooit door hebben gehad.'

'Je wist het?'

'Misschien was je ermee weggekomen als de sloten aan boord van de Lumière niet zo gammel waren geweest.'

'Heb je mijn hut doorzocht?'

'Natuurlijk,' antwoordde Simone, en ze klopte met haar goede hand op Mei-lings lange staart. 'Jij mijn spullen dan niet?'

'Ik heb je kantoor doorzocht,' gaf Irene toe.

'Ik had niet anders verwacht. Ik hoop dat je begrijpt dat ik het je niet kwalijk neem dat je me niet vertrouwt. Het verbaast me nog dat je me niet hebt achtergelaten. Als ik met iemand zoals mezelf te maken had, gaf ik het wel eerder op.'

Opnieuw legde Simone een redelijkheid aan de dag die niet karakteristiek voor haar was. Irene bestudeerde haar. Ze had modder in haar haren en vuile vegen op haar verband. Haar broek was gescheurd bij de knieën. Ze oogde gebroken. Uiterlijk leek ze op de vrouw die Irene in het kantoor van Anne in Shanghai gezien had – met een blauwe plek op haar kaak op exact dezelfde plek als toen. Maar nu had ze iets anders over zich. Haar ogen stonden helder.

Irene dacht terug aan de dag ervoor, toen Simone had overgegeven in het bos. En aan haar weigering morfine te nemen de avond tevoren.

'Je bent gestopt met de pillen, hè?'

'Ik doe een poging,' antwoordde Simone met een zucht van opluchting.

'Sinds wanneer?'

'Sinds we uit Leh vertrokken.'

'Waarom?'

'Roger zou me nooit terzijde geschoven hebben, al werd ik nog zo'n blok aan zijn been. Maar jij had daar geen problemen mee. Je liet het aan haar over, en deed vervolgens alsof ik niet bestond. Ik besta, Irene.'

Irene schrok van het gekraak van voetstappen in het bos. Mei-ling liet een waarschuwend *tjit-tjit-tjit* horen. Maar het was te luidruchtig voor de Brau. Na 's nachts verdwenen te zijn in het donker, kwamen Xa en Kiri nu de jungle uit gelopen. De jongen had een gedeukt blik Folgers-koffie bij zich. Xa nam de staat van het bivak in zich op, trok een zorgelijk gezicht en begon de drassige vuurplaats vrij te maken.

Simones verslaving was een van Irenes belangrijkste troeven geweest voor als het er straks op aankwam wie de koperplaten kreeg. Wat de consequenties waren nu Simone clean was, kon

Irene niet goed inschatten. Ze keek naar Xa en Kiri en dacht: dit zijn nu juist de mensen die ze wil helpen. Zou Simone haar plannen over hoe dat moest gebeuren bijstellen naarmate ze helderder ging denken? Ze legde Simone dezelfde vraag voor die ze de avond tevoren aan Louis gesteld had.

'Wat gaat jouw revolutie de mensen hier brengen dat ze niet al van Ormond krijgen? Hij mag dan een zelfingenomen gek zijn, maar hij heeft ze klaarblijkelijk wel beschermd. Hij schermt ze af voor wat het gouvernement hun kan aandoen.'

'Ik ben best realistisch, Irene. Ik weet dat het Khmer-rijk van vroeger gelijk was aan het Franse rijk nu. Een handjevol despotische leiders, een bevoorrechte elite, en miljoenen onderdrukte burgers. De gelijkenis is droevig. Maar ten tijde van Angkor was het land tenminste van hen.'

Simone nam plaats op een houtblok en keek over de bivakplek heen. Bij het gedoofde vuur van de Brau boog Kiri zich over de geofferde gibbon en porde het dier met een stok. Hij droeg de geblakerde slangenhuid als een sjaal om zijn nek. 'Ieder volk heeft het recht dingen op zijn eigen manier te doen. Zelfs al doen ze het fout.'

'Je denkt dus niet dat jouw revolutie gelijkheid gaat brengen,' stelde Irene vast.

'Gelijkheid bestaat niet.'

'Alsjeblieft, Simone, neem het geld dat je nodig hebt van me aan. En geef mij de koperplaten.'

Simone snoof de geur van verse koffie in zich op.

'Dit is mijn land. Die geschiedenis is mijn geschiedenis. Maar hun bloed is niet het mijne. Wat kan ik doen om ze te redden als ik ze mijn bloed niet kan geven?' vroeg ze, rondkijkend over het kamp. 'De koperplaten helpen me daarbij, Irene. Begrijp je dat niet? Dat is het enige offer dat ik kan brengen. Verder heb ik niets te bieden.'

Ze fronste toen ze de ossenkarren zag. De ossen waren er nog, maar er waren twee wielen losgekomen. En bewuste halen van een kapmes hadden het tuigwerk aan stukken gesneden.

'De Brau hebben er toch maar knap voor gezorgd dat we zeker een dag verliezen.'

Dat herinnerde Irene eraan dat ze haast hadden.

'Ga jij de mannen wekken,' zei ze. 'Dan kunnen ze de karren in orde maken en de ossen inspannen. Ondertussen moet Clothilde maar kijken wat er te redden valt aan de tenten. De rest repareren we wel als we vanavond ons kamp opslaan. Jij en ik verzamelen alles wat niet vernield is.' Ze wees naar wat ze al gevonden had: een doos met de landmeetspullen van Louis, twee geweren en drie flessen Glenlivet. 'Met een uur wil ik hier weg zijn.'

'Dat is onmogelijk.'

'Niets is onmogelijk. Dat zou jij toch moeten weten. We hebben het al zo ver gebracht, toch?' Irene nam de mok straffe zwarte koffie aan die Xa haar in handen duwde. 'Ik heb genoeg van die hindernisbaan van Ormond. Ik ben er klaar voor. Ik wil vandaag nog de tempel zien.'

22

Het ravijn

'Zeker twintig meter breed,' schatte Louis, nadat hij ver genoeg naar achter gestapt was om met behulp van een opgestoken duim en zijn gestrekte arm de breedte van het ravijn te bepalen. Irene, Marc en Simone stonden aan de rand van de afgrond en keken sceptisch naar de brug. Die was gemaakt van bamboe latten die zo ver uit elkaar lagen dat het groen tussen de latten door te zien was. Het leek net zo'n fragiel geheel als de vernielde en rafelige spinnenwebben in de jungle. Aan weerszijden was een net van lianen bevestigd aan kabels van wel vijftien centimeter dik, gemaakt van dikkere klimplanten. Om de brug omhoog te houden zaten die vast om rotsblokken van een meter hoog. Maar ook al waren de rotsblokken enorm, ze stonden gevaarlijk op elkaar. Schoot er een los, dan kwam de hele stapel naar beneden en stortte de brug aan één kant in. Irene kon niet helemaal tot onder in het ravijn kijken. Woeste toppen van duizend jaar oude bomen ontnamen haar het zicht op de bodem ver onder haar.

Rond tien uur waren de expeditieleden uit het verwoeste kamp vertrokken. Ze hadden een volle dag door de hitte gelopen, bijna zonder pauzes. Marc hield stoïcijns vol, ondanks zijn gebroken ribben. En ook Simone hield het uit, al moest ze bekomen van haar verslaving om dagelijks pillen in te nemen om de dag door te komen.

Het was inmiddels na vieren. Nog maar twee uur voor de zon onderging. En de ossenkarren waren te zwaar voor deze brug. De voorraden zouden te voet naar de overkant moeten worden gebracht. En daarna? Irene, die zich had voorgenomen die dag nog de tempel te bereiken, was zwaar teleurgesteld.

'Hoe ver is het nog naar Kha Seng?' vroeg ze aan Clothilde.

Clothilde boog zich voorover om Kiri te helpen met de wikkel van een snoepje dat Simone hem gegeven had.

'We zijn een uur geleden langs mijn dorp gekomen,' vertelde ze.

'Dat begrijp ik niet,' zei Irene. Ze had de hele middag geen dorp gezien.

'Bij de splitsing. Linksaf was de weg naar Kha Seng. Dit is de weg naar de tempel. Als we de andere kant van het ravijn bereikt hebben, is het nog een minuut of tien. Als het pad tenminste niet compleet overgroeid is.' Ze pulkte aan de snoepwikkel met haar gemanicuurde duimnagel, die schoon was, zoals alles aan haar. 'We kunnen hier ons kamp opslaan. Dan laat ik je morgenochtend vroeg de tempel zien.'

Irene was niet de enige die Clothilde verbijsterd aankeek.

'Tien minuten?' vroeg Irene.

'Tenzij de Brau de brug onklaar hebben gemaakt,' antwoordde Clothilde.

De hele dag waren ze – bij elke pijnlijke stap die ze zetten op het steeds smallere en slechter begaanbare pad – zich ervan bewust geweest dat de Brau-dorpelingen in de buurt waren.

'Hoe komen we daarachter?' vroeg Irene.

Marc gaf het voor de hand liggende antwoord. 'Een van ons moet naar de overkant lopen.'

Irenes lichaam was een en al sneeën en pijntjes. En ze had het gevoel dat ze in brand stond van alle rode mieren die in haar kleren waren gekropen. Kortademig en met stramme ledematen boog ze zich voorover om de brug nog eens goed te bekijken. Zelfs als die niet onklaar gemaakt mocht zijn, zag hij er al dodelijk uit.

Louis bood haar een verkreukeld pakje Gauloises aan, waar de sigaretten uitstaken. Het was alsof ze een strootje moesten trekken wie zijn leven in de waagschaal zou stellen door de brug te testen. Afgezien van Clothilde nam iedereen er een. Als ritueel stelde het niet veel voor, dat gespannen roken. Maar ze hadden het nodig. In de tussentijd lieten ze tot zich doordringen wat Clothilde verteld had. Irene stond in de rookwolken en dacht: ik moet het doen. En toen drong het pas tot haar door, alsof het nieuws onderweg vertraagd was en haar nu pas bereikte. De tempel lag op slechts een paar minuten afstand. Mooi dat ze niet tot morgen ging wachten! Ze wachtte geen moment meer.

Op het moment dat zij haar sigaret op grond gooide en met de hak van haar laars uitmaakte, namen Kiri en de lenige gibbon ineens de benen. Ze renden de wiebelende brug op. Simone ging er als een speer achteraan, met Louis en Clothilde op haar hielen. Bij elke stap zwaaiden de latten heen en weer. Maar de rotsblokken bleven liggen en de touwen hielden het. Ze bewogen met een snelheid die Irene herinnerde aan de manier waarop de Brau de cobra gedood had.

'Toe maar,' spoorde Marc haar aan. 'Ik ben vlak achter je.'

Irene greep de leuning van gevlochten slingerplanten die tussen twee bomen was gespannen vast, en liep zo snel ze kon. Toch ging ze een stuk langzamer dan de rest, leek het. Ze nam zorgvuldige passen. De leren zolen van haar laarzen waren gesleten van het dagenlange geklauter over rotsachtig paden en boomstronken. De latjes van de brug draaiden en keerden, maar de constructie was opmerkelijk deugdelijk. Irene wist dat ze niet naar beneden moest kijken en richtte zich op het eindpunt van de brug.

Ze was halverwege toen ze een plotselinge beweging opmerkte. Het was Simone, die zich omdraaide en de jungle in rende.

'Louis, hou haar tegen,' gilde Irene. In haar opwinding verloor ze haar evenwicht, en voelde de brug onder haar vandaan schieten.

Ze klemde zich vast aan de leuning. Haar voeten bungelden onder de loopbrug, hoog boven de bomen. De ruw gekapte zijkant van de brug raakte haar tegen haar borst. De slingerplanten van de leuning sneden in haar handen. Ze kneep haar ogen dicht.

Toen kwam Marc op haar af. Hij liep uiterst voorzichtig, maar door zijn zware tred schudde de brug. Ze hield zich nog beter vast en wachtte tot hij bij haar was. Met zijn gebroken ribben kon hij haar echter niet omhoogtrekken.

'Zwaai je been omhoog!' gebood hij, terwijl hij zich over haar heen boog.

Ze hoorde hoe bang hij klonk. Tevergeefs probeerde ze te zien of Louis achter Simone aan was gegaan. Op hetzelfde moment gooide ze haar been omhoog. Met haar beweging duwde ze de brug van zich af. Ze probeerde het nog een keer. Nu veerde de brug. Marc verloor zijn evenwicht en viel op zijn knieën. Ze hoorde Louis en Clothilde schreeuwen, maar kon niet verstaan wat. Het geroep van vogels in het bos onder haar overstemde hen.

'Waar is Simone?' hijgde ze.

'Vergeet Simone nu maar. Laat los,' droeg Marc haar op. 'Laat de leuning los en grijp de brug.'

De brug was een centimeter of dertig breed. Ze kon haar arm erover gooien. Maar als ze miste, maakte ze een smak als van een gebouw van tien verdiepingen. De toppen van de knoestige bomen zouden haar val niet breken.

'Je kunt het,' moedigde Marc haar aan.

Ze probeerde zich nog een laatste keer op te trekken. Maar haar spieren protesteerden. En het enige wat er gebeurde was dat ze de leuning naar beneden trok. Zijzelf kwam niet omhoog.

'Loop ietsje naar achteren,' riep Louis naar Marc. 'Ik kom eraan. Ik zal proberen haar omhoog te trekken.'

'Zeg hem dat hij verdomme achter Simone aan moet gaan,' snauwde Irene, en ze hijgde. Haar schouders leken in brand te staan. Ze werd omlaag getrokken door het gewicht van haar kleren en zware laarzen, en ze voelde het. Elke seconde dat ze daar hing was er één die Simone eerder bij de tempel zou aankomen dan zij.

'Laat je zakken,' riep ze Marc toe. 'En hou je vast.'

Ze was niet van plan hier aan haar einde te komen. Ze liet de leuning los, maakte een zweefduik en sloeg haar armen om de brug, die op en neer ging. De ruwe randen van de latten staken door het dunne materiaal van haar bloes, en sneden onder haar armen. Maar ze hield vol. Ze werkte zichzelf omhoog. Het lukte haar op de loopbrug terecht te komen, en met Marc achter zich aan kroop ze naar de overkant. Daar gooide ze zich lachend in het mos. Ze kon niet meer stoppen met lachen, ze leek wel hysterisch. Toen ze haar ogen opendeed, zat Simone op handen en knieën over haar heen, terwijl Clothilde haar bij haar kraag had.

Simones gezicht was aan één kant geel van de jodium. Buiten adem zei ze: 'Dit staat buiten onze moeders of een museum in Amerika. Daar komen we nog op terug. Natuurlijk komt dat nog. Maar niet nu, niet op dit moment.'

Van het warme, kleverige bloed plakte Irenes gescheurde bloes vast aan haar pijnlijke wonden. Simone had de grote ogen van een krankzinnige. Irene zocht tevergeefs naar enige blijk van gezond verstand.

'Ik weet het.'

Simone bracht haar gezicht nog dichter bij dat van Irene. Onderzoekend schoot haar blik van de ene kant van Irenes hoofd naar de andere. Haar pupillen waren kleine, zwarte speldenprikjes. Ze ademde heel snel. Ze leek wel bezeten, vond Irene, die aan de geesten dacht die door het bos doolden. Hadden die Simone in hun ban?

'Wegwezen!' zuchtte Simone. Hardhandig duwde ze Irene opzij, en ze krabde met haar gebroken vingernagels aan het mos.

Irene ging op haar knieën zitten en merkte dat ze op een plat stuk zandsteen had gelegen. Ze zag gebeeldhouwde bloemranken, die een tekst omlijstten.

'Wat is dat?' vroeg ze.

Simone knielde op de steen alsof ze in gebed verzonken zat.
'Het is opgedragen aan Avalokiteshvara,' fluisterde ze.
'Wat houdt dat in?' fluisterde Marc tegen Louis.
'Elke Khmer-tempel was aan een godheid gewijd.'
Voor Marc de kans had er verder op in te gaan, sprong Irene op en begon te rennen.

Ze kon geen snelheid maken vanwege de wortels en slingerplanten, maar ze zwikte en strompelde zo snel als mogelijk was op dit terrein. Haar laarzen kwamen vast te zitten in de modder. Ze rukte ze los. Takken zwiepten haar in het gezicht. Ze merkte het niet. Ze struikelde en viel tegen een rottende boomstronk. Ze worstelde zich omhoog en zag een bruine muur die zich door de jungle slingerde. Ze stormde eropaf, hoorde achter haar de anderen krakend door het struikgewas denderen. Toen ze haar ogen opsloeg, keken die recht in de ogen van een naga, een mythische cobra, een van de twee die op de posten van een stenen poort waren uitgehouwen. Voor de stenen boog lag een berg puin, die ze beklom. Wanhopig tuurde ze het groen in. Verderop, verborgen tussen de bomen, zag ze het knopvormige dak van een tempel oprijzen, bijna identiek aan die van het centrale tempellichaam in Angkor Wat.

Ze sprong naar beneden, greep een stok en hakte in op het gordijn van lianen voor de poort. Ze vocht zich erdoorheen. Toen zag ze dat ze aan het begin van een korte weg door een moeras stond. Ooit moest dit een grote waterpartij zijn geweest. Het moeras lag aan de buitenkant van een door kapokbomen overwoekerde muur, opgetrokken uit gigantische steenblokken die hier en daar tussen de wortels door kwamen. De sierlijke bomen hielden de stenen gevangen in een ijzeren greep.

De toegangsweg bestond uit stenen die van ouderdom de kleur van verbrande wierook hadden aangenomen. Hij leidde naar een *gopura*, een hoog poortgebouw met trapvormig dak, midden in de tweede muur – de binnenmuur. Het terrein tussen de twee muren was overgroeid met struiken, klimplanten, bamboe en manshoge varens.

Irene worstelde zich langs de wortels van de toegangsweg. Ze kon de anderen achter haar niet zien, maar wel horen. Ze wist dat Simone hetzelfde zou doen als zij, de snelste weg zou proberen te vinden naar de tempel midden op het terrein. Om zich te oriënteren deed Irene een beroep op haar kennis van Khmer-architectuur. Als dit complex op Angkor Wat leek, zou de gopura toegang geven tot een ommuurd veld, met in het midden de tempel.

Irene klauterde over de wortels van een ficusboom die aan het eind van de weg groeide, en sloeg de grijze, glinsterende spinnenwebben weg die voor de deuropening van de gopura hingen. Toen ze het pikkedonker in stapte, bleven draden plakkerig spinrag aan haar wimpers kleven. Haar zaklantaarn lag in een van de kratten op de wagens. Ze moest op de tast verder.

Binnen hing de stank van vleermuizen. Haar ogen traanden ervan. De geur was zo overweldigend dat het leek alsof die in de muren gebakken zat. Ze bedekte haar mond met haar mouw vol vieze bloedvlekken. Met haar andere hand tastte ze voor zich uit, en ze schuifelde voorwaarts. Ze had nog maar twee stappen gezet toen haar vingers pijnlijk tegen een steen stootten. Er was wat ingestort. Dat was ook waarom ze verderop de uitgang van de gopura niet kon zien. Ze liep terug en ademde de junglemoslucht in.

Vastberaden sprong ze op de muur links van de gopura, en gleed eroverheen. Ze viel met haar hoofd naar beneden, maar wist de schade te beperken door op pijnlijke wijze op haar polsen te landen. Toen ze overeind kwam, zag ze een enorm binnenterrein van enige vierkante kilometers te midden van het oprukkende oerwoud. De begroeiing tierde hier ook welig, maar was minder weerbarstig dan op het buitenterrein. Ook hier was een verhoogde toegangsweg, dit keer een stuk langer en met minder puinresten. Hij leidde naar een vrijstaand, overdekt terras, waarachter de tempel in alle glorie oprees. Ademloos bestudeerde Irene de vijf torens die de vijf toppen van de berg Meru symboliseerden. De tempel was veel groter dan ze had voorzien. Op het eerste plateau zag ze rondom open gaanderijen. En ze wist wat ze daar kon verwachten: series nissen en verborgen plekken met in het midden een heiligdom. De plek waar de rollen die in dominee Garlands dagboek beschreven waren, zouden moeten liggen.

Ze snelde op de tempel af. Maar toen ze het overdekte terras bereikte, bleef ze staan. Dit was een podium zoals vorsten traditioneel gebruikten voor ceremonies. De voet was bedekt met zwarte korsten mos. Daaronder zag ze geheven handen en bedeesde glimlachen. Overwoekerd door klimplanten dansten tientallen apsara's een vergeten, stille dans om de voet van het gebouw. Irene werd erdoor overvallen. Deze figuren hielden al eeuwenlang stand, hadden in dit afgelegen tempelcomplex de elementen getrotseerd. Maar zij had ze eerder gezien. Ze waren door haar moeder exact nagetekend in het schetsboek dat nu in Irenes kaartenmap zat.

De late middagzon verschuilde zich achter de hoge, elkaar overlappende toppen van rotanpalmen. En toch was het drukkend en ondraaglijk heet. Irene hurkte om tot zichzelf te komen en te bepalen of haar moeder hier inderdaad geweest kon zijn. Ze zat met haar hoofd op haar knieën, toen ze Simone hoorde zeggen: 'Dit moet het zijn.' Daarna klonk het geluid van laarzen die over de stenen renden.

Irene keek op en zag Louis tussen de bomen door sprinten, ongetwijfeld achter Simone aan. Irene zette de achtervolging in, om het terras heen, langs een zijpad, naar een steile trap. Deze voerde naar een voorportaaltje van de tempel, dat toegang gaf tot een open gaanderij langs de hele breedte van het gebouw. Het groene daglicht reikte er niet verder dan een paar meter. Irene had moeite de overschaduwde Boeddhabeelden te zien die op de muren waren aangebracht.

Ze zag Louis voor haar lopen, haalde hem in, griste in het voorbijgaan de zaklantaarn uit zijn hand en dook een hoge ruimte in, die haar dieper de tempel in bracht. Op de binnenplaats haalde ze Simone in. Op hetzelfde moment kwamen ze bij de ingang van het centrale tempellichaam. Net als in de gopura eerder, was het in deze enorme ruimte zo donker als tijdens een nacht zonder maan. Irene scheen omhoog langs een muur en zag blinde ramen die het licht buitensloten. Ze stapte naar binnen op een mossige ondergrond. Er drupte water van het plafond, dat gezien de echo hoog moest zijn. Boven hun hoofd zaten vleermuizen. Ze hoorden hun gepiep door het zoemen van de lamp heen.

Voetje voor voetje liepen Irene en Simone naast elkaar. Naarmate ze verder kwamen – vijf meter, tien meter – werd de lucht bedompter, alsof ze een diepe grot betraden.

'Ruik je dat?' vroeg Simone.

'Wierook,' fluisterde Irene. Ondanks de stank van de vleermuizen rook ze de geurige, rituele wierook die ergens in die ruimte gebrand werd. Langzaam scheen ze met de lamp rond.

Toen het licht over een kniehoge stapel stenen gleed, riep Simone: 'Stop. Terug, Nee, meer naar links.'

'Wat is daar?'

Marc had hen gevonden. Het maakte kennelijk voor hem weinig verschil of hij door de duistere gangen van een overgroeide tempel liep of door de onverlichte achterbuurten van Shanghai.

Irene duwde Simone de zaklantaarn in handen en beklom de berg stenen.

'Het lijkt wel een deur,' zei Louis.

Irene zette haar voeten in gaten, vocht zich eerst omhoog en daarna naar beneden.

'Het is een houten deur!' fluisterde ze eerbiedig. Simone richtte de lichtstraal op een motief van bloemblaadjes omgeven door in elkaar overlopende, geometrische cirkels. Met haar hand streek Irene over het onregelmatige houtsnijwerk.

'Dit is het!' sprak Simone buiten adem. 'Mon Dieu, dit moet het toch zijn! Een houten deur.'

Irene voelde langs het hout naar een deurknop.

'De Khmer hadden houten raamkozijnen, luiken, dakbalken,

en deuren zoals deze,' legde Louis aan Marc uit. Zijn lichaamloze stem klonk schor van emotie.

Simone richtte de lamp voor zich uit en klauterde achter Irene over de stenen.

'Maar alles is verloren gegaan. Door de eeuwen heen vergaan, of verbrand door de Siamezen,' voegde Louis eraan toe. 'Er is nooit een spoor van teruggevonden, laat staan iets groots wat zo gaaf is als dit. Zoiets is nog nooit in een tempel aangetroffen.'

'Ik heb hem,' zei Irene triomfantelijk, en ze klemde haar vingers om een dikke ijzeren ring.

In de hal was het even nat als in een sauna. Haar handen waren glibberig van het zweet. Ze moest met haar hele gewicht aan de deurknop gaan hangen. Simone leunde tegen de zijkant van de deur en gebruikte haar lichaam om hem open te krijgen. De deur knarste, werd geblokkeerd door de ongelijke vloer. Toen ze hem opentrokken, viel er een oranje gloed door de opening en zagen ze ten langen leste een kamer met blinde muren. Kiri, die een achteringang genomen moest hebben, zat in een hoek met een olielamp in zijn hand. In het schijnsel van zijn lamp zagen ze aan de tegenoverstelde zijde van de kleine, besloten ruimte een tweede deur. Irene keek naar Kiri, en zag dat hij gebiologeerd Clothilde aanstaarde.

Clothilde stond met haar ogen gesloten midden in deze ruimte voor een breed voetstuk. Ze keek niet op toen ze de smalle deuropening door kwamen en vol ontzag bleven staan. Ze hield drie stokjes wierook tussen haar handpalmen. Ze bracht haar handen drie keer naar haar voorhoofd en zette de wierook in een aardenwerken schaaltje op een altaar boven op het stenen voetstuk.

Irene klemde haar handen ineen en bracht ze naar haar lippen. Ze was bang dat ze het uit zou schreeuwen als ze haar mond opendeed. Dat ze zou ploffen, nu ze na al die weken – nee, jaren – waarin ze hiernaar verlangd had, eindelijk resultaat zou hebben. Deze ruimte móést het heiligdom zijn dat dominee Garland in zijn dagboek beschreven had. De muren en het plafond waren van koper, dat glinsterde in het lamplicht. Het wierp een vurige gloed over de offertjes van rijst, kokosmelk en jasmijn op een blad dat voor het voetstuk van het beeld lag waaraan Clothilde haar respect betoonde.

Irene liep er langzaam omheen en bekeek het beeld van alle kanten. Het profiel van het gezicht met de afgeplatte rondingen. De schaduwen onder de geloken ogen. Het hoge voorhoofd, met de verfijnde tekening van haar dat opgebonden was in een knot. De lange oorlellen getooid met oorhangers. De bovenlip voorzien van een vaag snorretje. De roodbruine steen met de bijna menselijke vleeskleur. De serene, rustige, meditatieve lach.

Teder bracht Simone haar vingers naar de stevige wang van het beeld.

'Je weet wel wie dit is, toch?' vroeg ze.

'Jayavarman de Zevende,' fluisterde Irene.

Ze knielde neer, niet om haar respect te betonen aan de laatste grote koning van het Khmer-rijk, maar om de richels te bekijken die uitstaken aan de voet. Ze waren zo'n tweeënhalve centimeter dik en deden denken aan de richels die in musea gebruikt werden om schilderijen op tentoon te stellen. Irene liep een rondje om het platform; ze telde aan elk van de brede kanten drie van die uitstulpingen, en aan de smalle kanten elk twee. Tien in totaal dus. Dat kwam overeen met het aantal dat dominee Garland in zijn dagboek beschreven had. De afmetingen van de uitstulpingen klopten ook. Elk was groot genoeg voor een koperplaat met de afmeting van een vel papier. Irene stelde zich voor hoe de koperplaten om het beeld heen stonden, het op zijn plek hielden. Ze hoefde geen wierook te branden om Jayavarman om een wonder te vragen. Haar mirakel was al werkelijkheid.

'Waar zijn ze?' vroeg ze aan Clothilde.

Hier in het heiligdom, diep in de tempel, ver van de junglegeluiden van insecten en vogels, was het zo stil als in een crypte. Misschien kwam het door die doodse sfeer dat Irene Simone niet achter zich bemerkte. Of misschien hield Simone haar adem in toen Irene dat vroeg. Als Marc en Louis niet pal in haar blikveld hadden gestaan, had Irene ook niet geweten dat ze er waren. Zelfs Kiri had zijn gebruikelijke geklets gestaakt.

'Henry heeft me gevraagd jullie naar deze tempel te brengen. En dat heb ik gedaan,' antwoordde Clothilde. Ze boog en streek met haar vingertoppen over de richels, alsof ze ze voor het eerst opmerkte. 'Zoals ik al zei, kwam ik hier als kind met ieder nieuw maanjaar om een offer te brengen. Maar de koperplaten heb ik nooit gezien.'

23

Middernacht

De Koningstempel sprak tot Irene met een indringende, dertiende-eeuwse stem van neergevallen stenen. Hij riep haar toe in de enige tent die de groep had kunnen redden, en waar het met al die lichamen in die ene besloten ruimte drukkend heet was. Hij danste om Louis en Marc, die uitgeteld op gevlochten matjes lagen te slapen. Hij schoof voorzichtig langs Clothilde, die zich in een hoekje als een kat had opgekruld, en sloop langs Simone, die op een kampeerbed lag met haar verbonden pols tegen zich aan. Hij wilde slechts Irene.

Ergens in de afgelopen nacht, toen ze had liggen woelen en draaien omdat ze de slaap niet kon vatten, had ze een tentflap teruggeslagen. Nog steeds rook het in de tent naar zweet en verval. Niemand had ook maar één enkel kledingstuk dat niet beschimmeld was. Door het gaas van het raam zag ze de eerste slierten dauw opkomen. Ze nam haar kleren mee naar buiten, kleedde zich zachtjes aan om de anderen niet wakker te maken, en luisterde naar de lokroep van de tempel.

Als in een droom liep ze langs het gespannen zeil waaronder Xa, Kiri, de koelies en de gewonde Brau lagen te slapen, en liep het pad naar het ravijn af. Tot haar grote opluchting zag ze dat ze zich niet verbeeld had dat er een brug was. Hij glinsterde van de dauw en was even echt als de sneeën in haar handen en zij, die schrijnden van het zweet. Dit keer wist ze de brug probleemloos over te steken. Ze nam lange, behoedzame passen om te zorgen dat de bamboe ladder niet zou gaan zwaaien onder haar gewicht.

Ze vermeed de gopura en ging op weg naar het middenter-rein. Nu de eerste koorts na de ontdekking gezakt was, kon ze stilstaan bij de schoonheid van het deels ingestorte bouwwerk. Ze bestudeerde de contouren van de torens, die afstaken tegen de hemel. Het was een eenzame plek, zoals het ergens alleen kan zijn als het licht aan de horizon doorbreekt, maar de zon nog niet op is. De witte flarden mist leken de ongrijpbare gees-ten van pelgrims van eeuwen geleden. Over het gras, dwars door de nevel die over het tempelterrein hing, zoemde het ge-luid van mantra's rond, afkomstig van de paar monniken die de tempel onderhielden en op het achterterrein woonden.

Om maar zoveel mogelijk te zien, liep Irene op een stenen huisje af, dat tegen een muur gebouwd was. Het keek uit over het paviljoen van de danseressen, met erachter de tempel. Daar ergens liggen de koperplaten, dacht ze, en ze ging op een trapje zitten. Achter een omgevallen steen, of veilig in een ruimte. Maar ze zijn daar. Ze hadden er de hele middag tevergeefs naar gezocht, maar ze was er nu nog vaster van overtuigd dan eerst.

Haar spieren deden pijn. De sneeën die ze op de brug had op-gelopen, klopten. En toch was ze tevreden. Ze was iemand met een missie geweest, zonder te weten hoe het voelde om je wens in vervulling te zien gaan. Hier, in die afgelegen tempel, maak-te ze daar kennis mee.

Ze sloeg haar armen om haar knieën om warm te worden. Ze zag een hert het paviljoen in lopen en zich te goed doen aan het onkruid tussen de stenen. De gespikkelde pels van het dier leek in het ochtendlicht wel van zilver. Diep in het oerwoud wroetten insecten luidruchtig tussen de bladeren. Om haar heen tjilpten vogels. Toch hoorde ze Marcs voetstappen.

Marcs haar zat warrig, net als dat van haar. Zijn kleren waren gekreukt en vies. Toen hij dichterbij kwam, keek het hert op, niet angstig, maar wel met grote bruine ogen.

Marc ging naast Irene zitten en pakte haar hand.

'Tegen het eind van de twaalfde eeuw was Angkor ingenomen door de Cham,' begon Irene, die hem wilde uitleggen wat deze plek voor haar betekende. 'Jayavarman de zevende leefde als prins in ballingschap. Hij was bijna zestig toen hij zijn troepen naar de hoofdstad leidde en het Khmer-rijk terugveroverde. Er zijn beschrijvingen bekend van de zeeslag op het Grote Meer. Daarin wordt gesproken van het water dat rood kleurde van het bloed. Jayavarman is bijna veertig jaar aan de macht geweest. En in al die tijd had hij geen enkele reden op deze plek een tempel te bouwen. De bergstammen waren hem vijandig gezind. Een route over water is er niet. Een belangrijke route over land is er ook niet, en toch...' Ze aarzelde. Ze wist hoe absurd dit moest klinken. Maar als ze zich tegenover hem niet bloot kon geven, wat had het dan voor zin hem toe te laten in haar leven? En dus zei ze: 'Als deze tempel op een andere plek in Cambodja had gestaan, ergens binnen de bekende grenzen van het Khmer-rijk, dan was hij allang ontdekt. Dan had hij hier nu niet op mij staan wachten. Ik weet wel dat het zo niet zit. Ik weet best dat het niet zo kan zijn dat een koning zevenhonderd jaar geleden een tempel bouwde zodat ik hem kon vinden. Maar zo voelt het wel.'

'Als je hier niet was voor de koperplaten, zou je met deze tempel tevreden zijn, toch?'

'Absoluut.'

'En als je ze niet kunt vinden?' vroeg Marc.

Die mogelijkheid weigerde Irene onder ogen te zien. 'Als ik ze vind, weet ik wat ik ermee moet doen. En als ik eenmaal weet wat ik ermee moet, weet ik ook hoe ik mijn oude leven moet afronden en een nieuw leven kan beginnen.'

'Overweeg je ze niet mee te nemen naar Amerika?'

Irene was nog niet gewend aan de nieuwe, tweeslachtige gevoelens die Cambodja bij haar teweeg had gebracht. Het land dat ze van een afstand gemeend had goed te kennen, bleek nu ze er eenmaal was vol tegenstrijdigheden en onzekerheden, met talloze kansen en uitdagingen. Die vreselijke dag dat ze in het Brooke Museum voor de raad van commissarissen stond, was een kille, vage herinnering naast dit oververhitte, overvloedige deel van de wereld.

'Ik weet niet meer wat ik denk,' zei ze. 'Ik weet alleen dat als je zo lang achter iets aan gezeten hebt, het voelt alsof je jezelf geweld aandoet als je je plannen bijstelt.'

'Dat begrijp ik,' zei Marc, en hij streek met zijn lippen over haar verbrande voorhoofd. 'Vroeger wilde ik je nooit ontmoeten. En toen liep je mijn bar in. Nadat we gepraat hadden die eerste avond, wist ik dat ik mijn belofte zou breken. Ik had mezelf beloofd dat ik je de rug toe zou keren als je ooit mijn wereld binnen zou stappen, en daar kwam ik op terug. Op de een of andere manier voelde ik dat ik er alles voor over zou hebben om bij jou te kunnen zijn.' Teder legde hij zijn arm om haar heen en trok haar tegen zich aan. 'En dat klopte.'

Haar relatie met meneer Simms zou altijd een teer punt blijven, wist Irene. Maar door wat hij zei had ze op dit moment het gevoel dat ze dat achter hen konden laten. Ze leunde tegen hem aan. Onder zijn ruwe shirt voelde ze de veters waarmee zijn ribben waren ingesnoerd. Net als op de ruïne van de tempel had de jungle sporen op hen nagelaten. En die wonden zouden ze altijd bij zich dragen.

In de toenemende hitte loste de mist op. Het werd licht. Maar toen klonk er een gedonder. Terwijl Irene en Marc toekeken, kwam van onder het bomendak een groep bruine gibbons op hen af. Ze slingerden van tak tot tak en schreeuwden opgewonden naar de langzaam opkomende zon.

Om acht uur kwamen Louis en Simone, Marc en Irene samen bij het paviljoen van de danseressen. Die tijd hadden ze de vorige avond bij het vuur afgesproken, toen ze het plan van aanpak bespraken. Nog voor de zon onderging waren ze te weten gekomen dat het tempelterrein enkele vierkante kilometers besloeg, en dat de tempel zelf uit enkele tientallen bouwwerken bestond. Maar het heiligdom was de enige logische plek voor de koperplaten. Was dat niet zo geweest, dan was Irene al met zonsopgang gaan zoeken. Maar in het wilde weg zoeken was tijdsverspilling. Daarom besloten ze eerst wat verkenningswerk te doen en de situatie nader te onderzoeken door de abt met een bezoekje te vereren.

Het verbaasde Marc op zo'n afgelegen plek een klooster te vinden. Maar lang voordat Jayavarman de Zevende zijn Khmerrijk terugveroverde voor zijn volk, werd hij al beïnvloed door de Mahayana-boeddhistische ideeën van zijn vrouw. En een levendige kloostergemeente bij een tempel met een Boeddhabeeld was niet uitzonderlijk, zelfs niet als die tempel ver van de bewoonde wereld lag. Ook in Angkor Wat waren monniken geweest toen Henri Mouhot het ontdekte.

Ze lieten één koelie achter in het kamp. Die moest voor de Brau zorgen, wiens been maar langzaam heelde. Xa was met de overgebleven dragers meegegaan om erop toe te zien dat alle spullen de brug over gebracht werden. Clothilde was haar tante in Kha Seng gaan bezoeken en had Kiri en Mei-ling meegenomen. En dus was het aan de vier met hun magere, vuile, bebloede lijven met gebroken botten om de gaven van tabak en bladgouden Boeddhabeelden naar de achtermuur van het tempelcomplex te brengen, waar hutten van hout en palmbladeren tussen stenen paviljoentjes stonden. In de tijd dat ze op de abt wachtten, slenterden de *navaka*s, de jonge monniken, in hun topaaskleurige gewaden langs in groepjes van twee of drie. Ze hielden parasols van tafzijde boven hun hoofd als bescherming tegen de zon. De jongens gaapten de vreemdelingen zonder gêne aan. In haar ooghoek zag Irene de *chedi*, het belvormige bouwwerk, oprijzen. Ze wist dat het een goede plek was om de koperplaten te verbergen, omdat die gewijd kon zijn aan relieken. Maar vanwaar ze stond kon ze er niet in kijken, en ze kon er ook niet dichterbij komen zonder dat een van de oplettende jonge monniken het zag.

De abt arriveerde. Ze volbrachtend hun sampeahs, bogen hun hoofden tot in het stof aan zijn blote voeten. Hij nodigde hen in zijn *sala* zonder muren, en nam in lotushouding plaats op een gevlochten matje. Ze waren gespannen van ongeduld en popelden om aan de zoektocht te beginnen. Gejaagd handelde

Simone de gebruikelijke vragen naar de gezondheid van de abt en zijn volgelingen af. Ze straalde een nieuw vertrouwen uit, merkte Irene. Daaruit bleek dat ze ieder uur dat ze nuchter was sterker werd.

In het formele Khmer dat in religieuze kringen gesproken werd deed Simone met zichtbaar zelfvertrouwen hetzelfde verhaal dat ze ook het dorpshoofd van Leh voorgeschoteld hadden. Ze waren wetenschappers, en door Ormond gestuurd om de koperplaten op te halen zodat die uit handen bleven van het gouvernement.

De abt gaf geen sjoege.

Vooraf waren ze met z'n vieren tot de conclusie gekomen dat het twee voordelen kon hebben om tegenover de abt meteen over de koperplaten te beginnen. In het gunstigste geval zou hij hun vertellen waar ze die tempelschat konden vinden, al leek dat niet waarschijnlijk. Als hij dat weigerde, konden ze misschien iets afleiden uit zijn reactie. Maar hij had nog niks prijsgegeven. En Irene had het gevoel dat haar zenuwen onder stroom stonden.

'Het lijkt wel of hij je niet begrijpt,' zei ze tegen Simone. 'Weet je wel zeker dat je de juiste woorden gebruikt?'

'Er is maar één term voor koperplaten in het Khmer,' merkte Simone op. 'Duidelijker kan ik niet zijn.'

De gelige malariahuid van de abt hing losjes om zijn iele bovenarmen. Met de grijze stoppels op zijn geschoren hoofd maakte hij een sjofele indruk. Het enige wat niet oud aan hem was waren zijn ogen, die glinsterden toen hij Simone antwoord gaf.

'Die koperplaten waar meneer Ormond jullie om gestuurd heeft, ken ik niet. Ik heb nooit gehoord van die geschiedenis van het Khmer-volk. Misschien bent u bij de verkeerde tempel.'

De wroeging die Irene had over het misleiden van een monnik verdween op het moment dat Simone zijn uitspraak vertaalde. Hij was net zo betrouwbaar als zij, daarvan was ze overtuigd.

'Hoeveel blanke vrouwen zijn hier al niet geweest?' vroeg ze ontgoocheld. 'Onze moeders? Die antropologe die we bij Ormond ontmoet hebben? Hij kijkt er niet van op dat we voor zijn neus staan. Ze zijn hier geen van allen onder de indruk. Niet één verbaast zich erover dat Simone Khmer spreekt. En niemand is geschokt dat de abt wordt aangesproken door een vrouw. Ze hebben dit aan zien komen.'

'Had je wat anders verwacht?' vroeg Simone.

'Maar zie je dan niet wat het probleem is?' vroeg Irene. 'Het interesseert hem niet dat we het weten. Zo zeker is hij van zijn zaak. Hij zal niets prijsgeven.'

'Dat hoeft hij ook niet.' Marc hield zijn toon effen. Hij bleef glimlachen om de emotie die Irene in haar stem legde en die de aandacht van de abt had getrokken, te compenseren. 'Nu hij weet waarnaar we op zoek zijn, zal hij alles op alles zetten om ons te beletten het te vinden. Hij gaat ons in de gaten houden, en wij hem. Ongetwijfeld zal hij zijn zenuwen de baas zijn. Maar de meeste monniken hier zijn nog erg jong. Ze hebben geen levenservaring. Vroeg of laat laten ze een steek vallen, dat kan niet anders. Ook al hebben ze instructies gehad, het blijven jongens. En dat zijn de mensen die hij achter ons aan stuurt.'

De abt vertrok geen spier tijdens dit voor hem onverstaanbare gesprek.

'Kijk nou eens naar hem. Voor hem is er geen vuiltje aan de lucht,' merkte Irene op. 'Er zijn hier wel duizend plekken waar hij de platen verstopt kan hebben. We kunnen hier jaren zoeken en ze toch nooit vinden.'

'Zo is het maar net,' beaamde Louis, die aan zijn smalle stropdas trok. Die had betere dagen gekend, maar uit respect voor de abt had Louis hem toch omgedaan.

'En dat is dus precies waarom we die jongens in de gaten moeten houden,' zei Marc. Hij nam een sigaret van het lakwerk dienblaadje waarmee een navaka rondging. 'Als we onze ogen de kost geven, durf ik te wedden dat een van hen ons naar precies die plek leidt waar ze ons nu juist niet willen hebben.'

'Laten we hier beginnen,' zei Louis. Hij stond in de vrijgemaakte deuropening van de gopura uit te kijken over het binnenterrein, bewapend met metalen staven en ballen touw en omringd door de rest van zijn landmeetuitrusting, het krat waar het allemaal in had gezeten incluis. Naast hem bekeken twee monniken de laatste dingen in het krat: een koperen gradenboog met een loden loodlijn, een jakobsstaf om een kompas op te zetten, en een clinometer om hellinghoeken te meten. Even nieuwsgierig als jongens elders in de wereld raakten ze alle voorwerpen aan.

'In deze open stukken kunnen we kwadranten van tien bij tien uitzetten. Binnen maken we ze kleiner,' vertelde Louis aan Marc terwijl hij hem een krijtje toegooide. 'Ik bepaal de afstanden, en dan kun jij ze aangeven. Simone, zeg even tegen de jongens dat zij het touw uitrollen. Je hebt gelijk, Rafferty. Als we ze in de gaten houden, worden we misschien iets wijzer van ze.' Hij boog zich over het krat. 'Tegen zonsondergang kunnen we dit hele terrein uitgezet hebben. Irene, hier heb je mijn notitieboekje. Ik wil dat jij opschrijft wat we vinden.'

'Wat ben je aan het doen?' Irene bekeek het notitieboek met beledigde blik. 'We moeten de koperplaten gaan zoeken!'

'We zíjn de koperplaten aan het zoeken. Op mijn manier dan. Niet op de jouwe.' Louis sprak met de autoriteit die hij ontleende aan een leven lang werken tussen de Khmer-tempels. Hij overhandigde Marc het kompas. Die nam het aan, maar keek vragend naar Irene. Als ze erom zou vragen, legde hij het kompas neer. Dat wist ze. Maar ze wilde geen stelling nemen tegen Louis. Ze bestudeerde zijn gezicht. Zijn huid was bruin en gesprongen door de zon. Toen ze vertrokken waren, had hij er netjes uitgezien. Vergeleken met toen leek hij nu een zonderling, met een wirwar van weerbarstige krullen om zijn gezicht. Maar hij was volledig in zijn element met die onbekende tempel voor zijn neus.

'Als we het terrein eenmaal in kaart gebracht hebben,' ging hij door, 'hebben we een complete lijst van wat we doorzocht hebben en wat we nog moeten doen. Dan weten we waar we met een koevoet moeten werken, en waar we olifanten en katrollen in moeten zetten. Als we systematisch te werk gaan, ontsnapt er geen centimeter van dit bouwwerk aan onze aandacht.'

'Als we systematisch te werk gaan hebben we alleen al weken nodig om het hoofdgebouw in kaart te brengen,' sprak Irene giftig. 'Ormonds mannen zijn over een paar dagen hier, misschien zelfs wel eerder. Ze zouden er al kunnen zijn. Of misschien hebben de Brau de abt ingeseind, nadat ze ons kamp vernietigd hadden. Dat zou verklaren waarom we de koperplaten niet in het heiligdom aantroffen. En waarom hij zich zo hooghartig opstelt.'

Terwijl ze sprak, dacht ze aan wat ze in de tempel gezien had. Het centrale bouwwerk was door boomwortels ondermijnd. De toegang van een van de kamers was geblokkeerd doordat de draagsteen boven de deuropening naar beneden was gekomen. Bij de binnenplaats was een muur ingestort. Dagenlang had ze de ziekte van meneer Simms uit haar gedachten weten te bannen. Er was afleiding genoeg geweest. Maar ten overstaan van die onmogelijke tempel in het volle daglicht kon ze aan niets anders meer denken. Ze had simpelweg niet de tijd die Louis ervoor nodig had. Hoe fanatiek hij ook was... Als een lichaam aankondigde ermee uit te scheiden, kon de geest dat niet eeuwig blijven uitstellen.

Ze herinnerde zich de sleutels die aan een kettinkje om haar nek hingen, haar armband en het horloge in haar zak, dat stipt de tijd wegtikte. Op de aanpak van Louis viel niets aan te merken. Die was prima. Maar alleen voor zijn doeleinden.

'En als ik nou nooit te weten kom wat ik hier moet vinden?' vroeg ze. 'Wat als ik hem de koperplaten niet kan brengen voor hij sterft?'

Misschien is hij al dood, dacht iedereen. Maar niemand sprak het uit.

In plaats daarvan zei Louis: 'Ik weet niet wat je van me verwacht, Irene. We weten dat de koperplaten hier geweest zijn. Maar ze zijn hier nu niet meer. Ofwel ze zijn goed verstopt, en dan vinden we ze nooit. Of ze liggen ergens tussen de stenen, en dan moeten we elke centimeter afzoeken.'

'Het klooster,' flapte Simone eruit. 'We moeten een manier vinden om in het klooster te komen. We moeten de *vihara* en de chedi afzoeken. En het verblijf van de abt.'

Marc stelde de lens van de met koperen randjes bezette Leica van Louis in, en zei: 'Dat kan ik wel doen als je wilt, Irene. Ik heb ooit het huis van de Britse consul doorzocht toen hij dacht dat ik in mijn wijnkelder op zoek was naar een Meursault Charmes uit 1846. En ik heb gevonden waarnaar ik op zoek was.' Hij vertelde het zonder trots. Deze vaardigheden hoorden nu eenmaal bij zijn leven.

Irene keek toe hoe een monnik de gradenboog inspecteerde, en de bronzen boog met de cijfers erop ronddraaide in het zonlicht. Het leek haar onmogelijk en weinig voor de hand liggend om de vindplaats van de koperplaten te berekenen. Ze was altijd goed in rekenen geweest, maar nu moest ze het van haar instinct hebben. Niet het rationele instinct waarop ze in het verleden vertrouwd had, maar een instinct dat zo snel naar boven kwam dat ze er de rillingen van kreeg.

'Zoek maar waar je goeddunkt,' zei ze. 'Hier, of in het klooster. Dat maakt me niet uit. Ik ga terug naar het heiligdom.'

Met beschadigde, pijnlijke vingertoppen zocht Irene nauwkeurig elk vlak deel van het voetstuk van het borstbeeld van Jayavarman de Zevende af. Maar het was uit één stuk roodbruine steen gehouwen. Ze zocht iets wat ze de vorige dag gemist konden hebben, maar vond niets.

'Ik kan geen verborgen panelen of holtes vinden,' zei ze tegen Simone, die midden in de ruimte stond. Met haar handen in haar zij bestudeerde ze de koperen platen die de muren van de vloer tot aan het plafond bedekten.

'Ik had gehoopt dat ze uit kleinere delen bestonden,' antwoordde Simone. 'Maar dat is niet het geval. Het is ongelofelijk. Het zijn stuk voor stuk enorme platen. Ze zijn veel te groot, ze voldoen niet aan de beschrijving van de rollen. Bovendien is dit geen tekst,' voegde ze eraan toe, terwijl ze het uitgehamerde netwerk van in elkaar grijpende krullen en bloemen bekeek.

Er hing een lantaarn aan het plafond. In het licht daarvan, dat als een gouden briesje boven hun hoofd bewoog, herkende Irene de motieven die zo kenmerkend waren voor de Khmer.

'Kan er een verwijzing in zitten?' vroeg ze hoopvol.

'Ik zie niets afwijkends.'

Marc had Irene aangeboden met haar mee te gaan in plaats van naar het klooster. Maar ze had toch besloten dat hij beter bij Louis kon blijven, voor het geval die toevallig op de koperplaten stuitte. Ze was graag samen met Marc. Maar eigenlijk vond ze dat Simone bij haar moest zijn als ze de koperplaten vond, wat voor plannen die er ook mee mocht hebben. Met haar was de zoektocht begonnen. Hij zou ook met haar moeten eindigen. En misschien ook met de monnik, die gehurkt bij de deur van het heiligdom naar hen zat te kijken. Irene legde zich erbij neer dat de jongen er zat, en wendde zich tot Jayavarman de Zevende, alsof hij haar advies kon geven. Maar die hield zijn ogen gesloten, had de blik naar binnen gericht en contempleerde de eeuwigheid.

'Denk je dat de dominee wat hij zag fout heeft geïnterpreteerd?' vroeg Irene, die haar geduld verloor.

'Laat me dat dagboek nog eens zien,' antwoordde Simone.

Bijna waren ze de bondgenoten die Irene had gehoopt te zullen worden op die avond dat ze elkaar ontmoet hadden in het appartement van Anne; ze zaten schouder aan schouder met hun rug tegen de sokkel op de stenen ondergrond, en lazen in het boek dat op de knieën van Irene lag:

Binnen in het heiligdom weerkaatste het schijnsel van de
lantaarn. Ik ontwaardde de glans van metaal. Svai liep ver-
der de tempel in en kwam terug met een opgerolde, platte
metalen plaat, niet groter dan een vel schrijfpapier, vol met
het minutieuze schrift dat ik eerder gezien had op de
stenen pijlers in Angkor, en dat een combinatie lijkt van
Chinees en Sanskriet. Svai zei iets wat ik ruwweg kan ver-
talen als 'de tempel van de koning', en vertelde daarop
trots dat in deze tempel tien koperplaten te vinden waren,
waarop de geschiedenis van zijn primitieve volk beschre-
ven staat.

Simone kroop naar voren, naar de koperen muur recht voor
hen. Ze stak haar vingers in de spleet tussen de onderrand en
de vloer. Het paneel was ongeveer een centimeter dik en zeker
drieënhalve meter hoog. Ze tikte met een meegesleepte koevoet tegen een van de bouten die door het koper waren geslagen en onwrikbaar vastzaten tussen de stenen in de muur.

'Wat valt er fout te interpreteren?'

'Ik moet ze vinden,' fluisterde Irene. 'Ik moet...'

'Hou op!' snauwde Simone zo bruusk, dat het niet eens weerkaatste tegen de muren.

De monnik sperde zijn ogen wijd open, en verdween in de
duisternis van de kamer ernaast.

'Ik zal je vertellen wat je moet,' verklaarde Simone. 'Je moet
niet meer aan hem denken. Want of je die koperplaten nu snel
vindt of niet, je gaat er zijn leven niet mee redden. Hij gaat
dood. Concentreer je op waar we mee bezig zijn, Irene. We zien
iets over het hoofd. Iets belangrijks. Dat voel ik.' Ze staarde
Irene verwachtingsvol aan.

Het feit dat zij van slag was en Simone haar hoofd erbij hield,
bracht Irene van haar stuk. Haar hersens kraakten in een poging alle stukjes van de puzzel in elkaar te passen en de lege
plekken op te vullen.

'Het aquarelblok van mijn moeder,' zei ze uiteindelijk. Ze

haalde het uit haar kaartenmap. 'Er staan afbeeldingen van de tempel in.'

Voorzichtig sloeg Simone de bladzijden om, bladerde langs afbeeldingen van het koninklijke paleis in Phnom Penh en Angkor Wat, tot ze bij de chedi van het klooster achter de tempel kwamen. Ze bestudeerde hem, en bladerde verder. Bij de laatste bladzijde pauzeerde ze opnieuw.

'Wat is dit?' vroeg ze.

Op het papier, dat door de jaren een gelige kleur had gekregen, was een hoog wit gebouw te zien. Het had een dak met groene pannen. Aan weerszijden van de deur stond een sokkel met een levensgrote apsara. Het had een illustratie voor een kinderboek kunnen zijn.

'Mijn moeder zei altijd dat we daar zouden gaan wonen als we rijk waren,' legde Irene uit. 'Het was haar droomhuis.'

Simone stak haar een pakje Gitanes toe en mompelde: 'Mijn moeder droomde van een huis op een theeplantage in de bergen van Java.'

Irene keek hoe de vonk van haar sigaret over de koperen muren danste.

'Zeker drie van deze aquarellen zijn ergens in deze tempel gemaakt. Laten we ze stuk voor stuk beter bekijken.' Omdat de chedi het moeilijkst te onderzoeken zou zijn, en het paviljoen van de danseressen buiten in de volle zon lag, koos ze de aquarel van een reliëf dat ze in de oostelijke gaanderij had opgemerkt. 'Laten we daar beginnen,' zei ze.

Het laagste deel van de middelste tempel bevatte een rondgang van overdekte, open gaanderijen, die in opzet gelijk waren aan de rondgangen van Angkor Wat. Maar in plaats van mythische afbeeldingen of strijdtaferelen waren de muren hier overdekt met gecompliceerde stenen tableaus van boeddhistische verhalen. Irene en Simone stonden voor een paneel waarop de Boeddha was afgebeeld op het moment dat hij onder de *bodhi*boom de verlichting bereikte. Irenes moeder had het exact nageschilderd, tot aan de grijs- en paarstinten van de steen toe. Aan weerskanten ervan liepen de afbeeldingen van de Boeddha door, in een eindeloze variatie klassieke poses tussen klimplanten, gibbons, herten en vogels. De details waren zo nauwkeurig uitgewerkt dat de vlammetjes van de stenen lampen om hem heen in de late morgenzon leken op te lichten.

'Wat denk jij?' vroeg Irene.

'Ik denk dat we op de juiste weg zijn als er zes van die kleine monniken op ons af gestuurd worden,' antwoordde Simone, die de oranjegekleurde wezens zag opduiken uit het bos. Ze verspreidden zich, en presteerden het niet hen ervan te overtuigen dat ze er toevallig waren. Dat gold vooral voor twee sjofel uitziende jongens die met hun rug tegen de muur aan gingen zitten.

'Het lijken wel gevangenen in afwachting van het vuurpeloton. Arme knulletjes! Zitten ze met een paar vrouwen opgescheept. De jongens die Louis en Marc in de gaten moeten houden, hebben waarschijnlijk de tijd van hun leven.'

Irene liep op de zittende monniken af en zag wat ze bewaakten. Er liep een scheur door het reliëf, van boven tot beneden. De zon was achter het dak verdwenen, waardoor de gaanderij in een crèmekleurige schaduw kwam te liggen. Toen ze wat beter keek, viel het Irene op dat deze opening in de muur door mensenhanden gemaakt was, in tegenstelling tot de vele scheuren die het gevolg waren van boomwortels of vallende stenen. De jongens keken naar haar op, en voelden zich net zo ongemakkelijk als zij.

'Wat zal ik doen?' vroeg ze aan Simone.

Simone knielde bij de jongens en zei iets op mierzoete toon.

De jongens hadden haar tegen de abt horen praten, maar staarden haar toch verbluft aan. Waarschijnlijk hielden ze haar voor een geest, met die donkere kringen onder haar ogen en de jodium op haar gezicht.

'Wat heb je tegen ze gezegd?'

'Ik zet ze niet onder druk, als je daar misschien bang voor was.'

Irene wist absoluut zeker dat de schat van de tempel zich in die opening bevond. Ze voelde het met dezelfde vurigheid als waarmee de zon haar pijnigde. Waarom zou haar moeder anders dit reliëfpaneel uitgekozen hebben en niet een van de tientallen andere die rondom op de muur van de tempel stonden? Ze bedwong de neiging de jongens aan hun gewaden omhoog en opzij te trekken, en concentreerde zich op de gebeeldhouwde Boeddha, waarnaast een monnik met een paarse wijnvlek op zijn wang zat.

De Boeddha had zijn handen met de palmen omhoog op zijn schoot, en hij zat op een opgekrulde cobra die hem tijdens zijn meditatie beschermde. Maar hij bracht bij Irene alleen maar frustratie boven. Hij wees haar erop dat ze nog geen fractie van zijn oneindige geduld bezat. Haar slapen klopten met de ijver van een kolibrie. Ze hoorde amper hoe Simone in het Khmer op de jongens inpraatte. Die knikten ernstig, alsof ze ergens mee instemden, maar keken er moeilijk bij.

Simone zei tegen Irene: 'Ik heb gezegd dat ik weet wat ze hier proberen. Dat we weten wat ze bewaken. En dat we weten dat het hun taak is, maar dat wij ook een taak hebben. En als zij niet opzij gaan, stappen wij zo over ze heen en gaan naar binnen. We moeten wel.'

'Ik begrijp je niet.'

'Volgens boeddhisten brengt het ongeluk als er iemand over je heen stapt. En als vrouw over een monnik heen stappen is het summum. Ik zou zoiets nooit doen. Maar ik weet niet hoe ik ze anders van hun plek krijg.'

Simone liep langzaam op de oudste jongen af om hem de gelegenheid te geven de benen te nemen. Toen ze nog maar een paar centimeter van hem verwijderd was, verstarde hij en sprong op. Hij kon het niet. Hij kon een vrouw niet zo dicht in zijn buurt laten komen, ook al was datgene wat hij moest bewaken nog zo belangrijk. Zijn medebewaker wachtte ook niet af tot hij op de proef gesteld werd – of erger, bezoedeld – en ging achter hem aan.

Voor de jongens zich konden bedenken of er een andere jonge monnik hun plaats zou innemen, ging Irene op de plek staan waar ze gezeten hadden. Ze scheen met haar zaklantaarn in de spleet en mepte met haar andere hand naar de vliegjes die in het licht dansten. Met de lichtbundel zocht ze de duisternis af. Ondertussen hoorde ze de jongens door elkaar praten, steeds luider, alsof ze allemaal om haar heen stonden.

Ze bleef de smalle, donkere holte in kijken.

'Zie je iets?' vroeg Simone.

'Nee, helemaal niets.'

Echter op het moment dat ze de zaklantaarn terugtrok, glinsterde er metaal. Opnieuw liet Irene de lichtstraal in het donker rondgaan. Maar ze scheen nu onder een andere hoek. Het geglinster bleef uit.

'Ik moet daarbinnen zien te komen. Hou dit eens vast.'

Simone nam de lantaarn over. Irene stak haar hand naar binnen en tastte in de holte achter de muur. Ze dacht aan slangen, spinnen en vleermuizen. Ze verdween tot aan haar schouder in een opening, waar elk van deze monniken gemakkelijk in paste. Simone was klein en lenig, en kon er waarschijnlijk ook wel in. Maar Irene piekerde er niet over Simone de kans te geven eerder bij de koperplaten te zijn. En dus strekte ze haar rug en ademde uit om zich zo dun mogelijk te maken. Het moest snel gebeuren. Was ze te langzaam, dan kwam ze vast te zitten. Dat zou veel pijn gaan doen met haar verwondingen. Met één arm in de opening bewoog ze zich naar voren en naar achteren, telkens weer. Zo bewoog ze naar voren.

De monniken slaakten een zucht toen ze binnen was.

Simone stak haar hand naar binnen en reikte haar de zaklantaarn aan. Het duurde even voor Irene inschatte hoeveel ruimte er was. Dat bleek ongeveer een meter in doorsnede te zijn. De vloer was glibberig van het mos, net als de andere kamers van de tempel. Het plafond was er zo laag dat ze er met haar haar langs streek. Met de lamp als zoeklicht zocht ze de

wanden af. Toen ze naar beneden scheen, zag ze de grond op-
lichten.

'Simone,' fluisterde ze. 'Ik heb iets gevonden.'

'Dat moeten de koperplaten zijn. De jongens zijn ontzet.'

Opnieuw zag Irene goud glimmen. Haar hoofd tolde. Ze was
als de dood dat ze hier in die kleine ruimte zou flauwvallen, en
ze haar er niet meer uit konden krijgen. Ze drukte een hand
tegen de muur om overeind te blijven. Even later lukte het haar
door haar knieën te zakken; ze richtte de lichtstraal omlaag.

In plaats van koperplaten te zien, keek ze recht in de wijde,
diamanten ogen van een vierarmige, omgevallen bodhisattva,
die haar vol mededogen aankeek. Het goddelijke wezen was
van het formaat van Kiri. Zijn huid glom, en zijn gewaad was
ingelegd met vijfhoeken van geslepen robijnen. In het donker
zakte Irene zwaar teleurgesteld ineen.

'Irene, is er iets mis?' riep Simone.

'Het zijn niet de koperplaten,' wist Irene uit te brengen.

'Wat dan?'

'Het is een beeld,' antwoordde ze schor. 'Van massief goud.
Het moet een fortuin waard zijn.' Ze probeerde weer op adem
te komen, maar de lucht in de kleine ruimte raakte op. 'Simone, stel je nu eens voor dat die abt de koperplaten niet voor ons
verborgen houdt? Wat nou als hij er helemaal niets van afweet?
Misschien dacht hij dat we hem voorlogen, en dat we achter dit
beeld aan zaten.'

'Dat is precies wat hij ons wil laten denken.' Het was een bemoedigend antwoord. Maar Simone klonk er zelf niet van overtuigd. Ze was net zo teleurgesteld als Irene. Alle twee dachten
ze dat het toevallig was dat Irenes moeder dit deel van de tempel uitgekozen had om te schilderen. En dat het puur geluk was
dat ze begonnen waren met zoeken op exact díé plek waar de
abt het beeld verborgen hield. Net zo goed als het pure mazzel
zou zijn als ze de koperplaten vandaag nog zouden vinden. Of
morgen. Of volgend jaar.

Het vallen van de avond werd aangekondigd door een zwerm libellen. Vervolgens kwamen de zwaluwen, en doken vleermuizen op. Ze fladderden boven hun hoofden, krakend als oude vloerpanelen.

Ze hadden twee van de toegankelijke bibliotheken én de kamer buiten het heiligdom zo goed mogelijk doorzocht. Ze hadden schrammen op hun voorhoofd van het gluren in peilloze diepten. Hun armen deden pijn van het slepen en verschuiven van steenblokken. Hun vingertoppen bloedden. Ze waren smeriger dan ooit. Ze hadden de abt laten weten dat ze het beeld gevonden hadden, en hem verzekerd dat ze daar niet opuit waren. Daarna waren ze door de jonge monniken met rust gelaten. Het was tactiek van de abt, hielden ze zich voor. Hij wilde hen laten denken dat er niets meer te ontdekken viel. Maar in afwezigheid van de luidruchtige jongens nam de moedeloosheid toe.

Nu het bijna donker was had het geen zin om door te zoeken. Het was tijd om terug te keren naar het kamp. Toch bleven Irene en Simone bij de hoofdpoort naar de tempel staan. Irene keek naar Louis en Marc, die op een muurtje aan het andere eind van de binnenplaats hun raamwerk van stokken en touwen zaten te bewonderen, en om beurten uit een veldfles dronken. Ze wist waar Louis mee bezig was, en ze kon het hem niet kwalijk nemen. Hij zocht naar de koperplaten, maar wilde tegelijkertijd zoveel mogelijk van deze tempel op zijn naam schrijven voor een ander dat deed. Gewoon voor het geval dat. Ze benijdde hem erom dat hij genoegen kon nemen met de troostprijs.

Louis had eerder die dag fakkels aangebracht. Die gaven een vage gloed in de opkomende schemer. Onder de dakspanten bij de ingang boven haar fladderden vleermuizen rusteloos in afwachting van hun dagelijkse avondvlucht.

'Uit het dagboek meende ik op te maken dat we iets zouden vinden ter herinnering aan het feit dat de koning door deze streek kwam,' zei Irene tegen Simone. 'Iets onaanzienlijks, ter grootte van Banteay Srei misschien. Een tempel die van boven tot onder in één dag doorzocht kon worden. Maar dit is een complete stad.' Ze staarde naar het binnenterrein, van het paviljoen van de danseressen naar de open grasvelden. De uitgestrektheid van het complex imponeerde haar nog steeds. 'We zouden net zo goed Shanghai af kunnen zoeken.'

'We moeten gaan rusten. Morgen lacht het geluk ons toe. Dat voel ik.'

Irene kon Simones inzet wel waarderen. 'Jij hoopt echt dat we de koperplaten samen ontdekken, hè?'

'Ergens heb ik genoeg bewondering voor je om ze je te gunnen. Maar laat ik meteen duidelijk maken dat dat niet gaat gebeuren,' merkte Simone op.

Ze liep op Louis en Marc af. Irene keek haar na. Op deze manier was ze ook weggelopen op het feestje van Anne, de avond dat ze elkaar ontmoetten. Irene was te moe om in te zitten over de schimpscheut van Simone. Ze was zo moe dat ze Xa niet hoorde aankomen tot hij sprak.

'Miss? U gaan.'

Het gefladder van vleermuisvleugels nam toe, en bracht de bedompte lucht onder het dak in beweging.

'Spreek je Engels?' schrok Irene.

'Gaan.' Hij keek haar aan alsof ze hem hoorde te begrijpen. 'Kiri gaan.'

Sinds hij haar erom vroeg, had ze niet meer gedacht aan haar belofte zich om Xa's zoon te bekommeren. Ze wilde dat ze hem kon uitleggen dat ze zich eraan zou houden, al wist ze nog niet precies hoe.

'Het spijt me, Xa, maar ik spreek geen Khmer.'

Door een korrelig schemerwaas kwam Marc op haar af met de veldfles.

Xa duwde Irene een papiertje in de hand. 'U gaan.'

De dakspanten zoemden alsof er een ventilator werd aangezet. Om niet te vallen, keek Marc goed waar hij zijn voeten zette op de ongelijke ondergrond. Achter hem legde Simone haar hoofd op de schouder van Louis, alsof ze nooit ruzie gehad hadden. Schichtig wierp Irene een blik in haar handpalm en las één enkel woord, geschreven in een handschrift dat ze van kinds af aan kende.

Middernacht.

Er klonk gebulder van het dak.

'Gaan,' drong Xa aan. Hij greep haar bij haar pols en trok haar opzij. Een wolk van vleermuizen vloog door de ingang de nacht in en viel als zwarte regendruppels in de schaduwen boven de bomen uiteen.

24

Het puzzelslot

Irene lag in het donker middernacht af te wachten. De eerste regendruppels vielen op het doorzakkende canvas dak. In de opstekende wind schudde de tent als een vlot tijdens een tyfoon op open zee. Irene hoopte dat het niet te snel gedaan was met de storm. Alle geluiden, zelfs het gesnurk van Louis, werden nu overstemd door de donder. En dus zouden de anderen niet merken dat ze de tent verliet.

Het was pikkedonker. De keren dat ze op het horloge keek dat meneer Simms haar in Stung Treng gegeven had, deed ze dat behoedzaam. Als ze haar zaklantaarn op de met edelstenen bezette cijferplaat richtte, camoufleerde ze dat met haar deken en wat kleding. Eindelijk werd het vijf voor twaalf. Voor de honderdste keer checkte ze of ze het kettinkje met de twee sleutels om haar nek had, en de kornalijnen armband nog om haar arm.

Aan de rand van de tent schoof ze in het donker langs de anderen. Ze voelde zich zo log en luidruchtig als een olifant. Voor een plotselinge vlaag nattigheid de anderen kon wekken, kroop ze snel door de ingang. Ze was blij dat iedereen door een slopende combinatie van emotionele en fysieke uitputting aan het eind van zijn Latijn was. Simone had een gin-tonic gedronken voor ze buiten westen raakte op haar kampeerbed. En bij Louis en Marc had het ook niet lang geduurd. Het enige wat Irene wakker hield was adrenaline. Eenmaal buiten voelde ze zich suf. Haastig trok ze haar flanel jas en regenponcho aan.

Toen ze tegen de tent stootte kwam er een guts water naar

beneden. In één tel waren haar laarzen kletsnat. Te laat bedacht ze dat ze haar zuidwester had moeten opzetten. De regen stroomde langs haar gezicht. Ze hield haar hand boven haar ogen en tuurde de doorweekte duisternis in tot ze een vaag flikkerlicht zag. Midden in die wolkbreuk stond een kleine gestalte met een brandende fakkel, die de contouren van een paraplu toonde. Irene stapte de watervloed in en ploeterde glibberend door de modder in de richting van het licht. Daar zag ze dat Kiri op haar stond te wachten.

Hij was vijf jaar oud en was helemaal alleen het donker in gestuurd. Hij had het zo koud dat het kippenvel op zijn blote, magere armen stond. En toch grijnsde hij met de ondeugende, opgewonden lach van een klein jochie dat eindelijk met de grote jongens mocht meedoen. Zijn fakkel was een bamboe stok met brandende pek aan het uiteinde. Hij gaf Irene haar eigen paraplu, die glibberig was van de olielaag om hem waterdicht te maken. De regen kletterde op het doek; het leek wel alsof ze in een tamtam zat.

Ze gaf haar zaklantaarn aan de jongen. Hij griste hem uit haar handen, wierp zijn toorts op de grond en liep naar het ravijn.

Door de stortvloed kon ze het midden van de brug niet zien. Even dacht ze dat hij naar de overkant wilde. Verschrikt trok ze hem aan zijn arm terug. Maar hij tuurde alleen maar rond. Hij rukte zich los en ging op zijn hurken onder een boom zitten. Hij tikte op de grond. Ze ging naast hem zitten tot de oorverdovende regenbui voorbij was. In de tent was ze er blij mee geweest, nu vervloekte ze de regen, omdat die haar weer vertraging opleverde.

Onder haar poncho trok ze haar jas uit, en ze ontdekte dat het niet de hare was, maar die van Louis. Nadat ze sigaretten en een heupfles uit de zakken gehaald had, gaf ze de jas aan Kiri. Die trok hem maar wat graag aan, al had Irene de indruk dat dat eerder was van de nieuwigheid dan vanwege de kou. Hij leek er nog kleiner in. Zijn hals viel weg onder de kraag, en hij zwom in de te lange mouwen.

Terwijl Irene daar bij Kiri zat, vroeg ze zich af of zijn vader hem gestuurd had om aan te geven dat hij haar kon helpen. Ze vroeg zich af wat Kiri wist over zijn opdracht. Of Xa hem iets verteld had, en wat Xa zelf wist. Zouden ze het eigenlijk wel kunnen bevatten als ze hun het hele fantastische verhaal duidelijk wist te maken? Een erg oude, zieke man had haar de halve wereld over gestuurd om deze nacht te beleven. Een nacht die ineens afhing van een vijfjarig jongetje. Ze legde Kiri het zakhorloge in handen. Toen hij die woeste tijger en het doodsbange paard erop ontdekte, sperde hij zijn ogen wijd open. Marc had hem geleerd om te fluiten, en hem levendige militaire deuntjes bijgebracht. Dus in de tijd dat ze samen de storm uitzaten, bracht Kiri een schrille uitvoering van Sousa's 'Mars van de gladiatoren' ten gehore.

Langzaamaan nam de regen af. Toen erdoorheen te komen viel, stond Irene op. De batterij van de zaklantaarn begon het te begeven en bracht nog slechts een miezerig straaltje licht voort. Maar de wolken dreven weg, en daarmee werd de omgeving duidelijker. Het bleke maanlicht gaf een route aan over de latten van de brug. Lachend glibberde Kiri naar de overkant. Irene zag de glinsterende boomtoppen onder haar en had het gevoel dat ze zich op de grens van de nacht bewoog.

Onder de sterrenhemel was de tempel geen ruïne meer. Het leek alsof de natuur erlangs getrokken was en de tijd er geen vat op had gekregen. Overdekt met een wit korrelig maanlicht richtten de naga-wachters zich fier op naar de hemel. Over de doorweekte muren met de wurgende ficuswortels lag een kleverig soort glans. Maar bij het einde van de toegangsweg werd ze betoverd door de vlammen. Rondom het paviljoen van de danseressen brandden fakkels. De apsara's leken tot leven gekomen, en bewogen hun armen in een ritme van lang geleden. Er hing een geur van brandende eucalyptus, vermengd met de graslucht die opkomt na regen. Kiri keek van onder het trapje naar het paviljoen op naar Clothilde, die in een deken gewikkeld op een stenen bankje zat te wachten.

Irene liep naar haar toe en ging bij haar zitten.

'Ga jij me naar de koperplaten brengen?' vroeg ze.

'Ik denk het, maar ik weet het niet zeker. Ik moest je dit geven.' Clothilde stak haar een stoffen tas toe. 'Hij moet wel heel veel van je houden om zoveel moeite voor je te doen.'

Die trouwe Clothilde!

'En hij moet wel veel van jou houden om dit aan je over te laten.'

'Ik was toevallig op de juiste plek en op het juiste moment te koop.' Ze zei het zonder een spoortje bitterheid. 'Ik heb nog meer te doen vannacht. Ik zie je gauw,' zei ze. En voor Irene kon doorvragen, liep Clothilde weg, dieper de schaduwen van de door bomen overwoekerde tempel in, buiten het beperkte bereik van de toortsen.

Kiri's ogen schoten van de ene vrouw naar de andere. Moest hij achter Clothilde aan gaan? Of zou hij bij Irene blijven om te zien wat er in de Chinese groen brokaten tas zat? Ze maakte het benen palletje los. En toen stak ze haar hand in de tas. De jongen liet zich leiden door zijn nieuwsgierigheid. Hij ging naast haar staan en keek enthousiast toe terwijl ze een metalen kistje tevoorschijn haalde. Het was te klein voor de koperplaten. Ze moest erom lachen.

'Dit herinner ik me wel.' Ze wreef haar vingers over de elkaar overlappende koperen sloten. 'Hij heeft het me laten zien toen ik nog klein was.'

Kiri knikte aandachtig, alsof hij geen last had van de taalbarrière.

'Dit heet een puzzelslot.' Ze pakte het kettinkje met de twee sleuteltjes dat ze om haar nek had, en maakte het los. 'Hier, hou je dit even vast?' Ze gaf het kistje aan de jongen. Die nam het met een ernstig gezicht van haar over, alsof hij het belang van dit moment inzag. 'Dit zijn stiftcilindersloten, maar wel hele bijzondere. De sleutels werken alleen in combinatie met de code. Wat heeft hij een risico genomen! Wat moet hij een vertrouwen in me hebben! Hij heeft me dit bijna twintig jaar

346

geleden verteld. Als ik het nou vergeten was? Maar dat ben ik niet. Dat wist hij wel.'

Van die gedachte werd ze zo gelukkig dat het haar benauwde. Ze zette het slot op de juiste cijfers: 1. 8. 5. 7. Het geboortejaar van meneer Simms. Ze deed de eerste sleutel in het daarvoor bestemde sleutelgat, en de tweede in het andere. Terwijl Kiri het kistje met beide handen stilhield, draaide ze de twee sleutels tegelijkertijd om. Daarop klikte het slot en schoot de vergrendeling los.

Kiri kon zich niet langer bedwingen en opende het deksel. Vragend keek hij van Irene naar het boek dat in het kistje lag. Het was niet groter dan haar hand en had een omslag van gevlamde zijde. Midden op de voorkant was in een elegant handschrift *Dagboek* geschreven. Er zat een stevige kartonnen bladwijzer in. Toen ze het boek daar opensloeg, zag ze dat het karton een foto was. Eerst zag ze de achterkant, waarop *Sarah en Irene, 1901* stond in het handschrift van meneer Simms. Dezelfde hand die ook *Middernacht* geschreven had op het briefje van Xa.

Ze draaide de foto om.

'Op deze foto was ik even oud als jij nu,' fluisterde ze tegen Kiri.

Toen hij doorkreeg dat er geen geest uit het kistje kwam, of de kroon van een koning, of een ander magisch voorwerp dat hij gehoopt had erin te vinden, verloor Kiri zijn interesse. Hij richtte zich weer op het horloge, dat hij demonteerde en reduceerde tot een hoop veertjes en metalen stukjes.

Irene had haar moeders gezicht al een hele poos niet gezien. De schok kwam hard aan. Dertig jaar na haar dood voelde het nog steeds alsof het pas gebeurd was. Sarah was bijna dertig geweest toen ze Irene kreeg. En op deze foto was ze dus maar een paar jaar ouder dan Irene nu. Het kind – ik dus, besefte Irene; dit onbekende, onverwachte kiekje van haarzelf in vroeger tijden bracht haar in verwarring – klemde zich vast aan de rok van haar moeder alsof ze nooit meer zou loslaten.

Ze voelde een droefheid in zich opkomen die volledig bezit van haar nam. Als ze het dagboek las zou ze stikken van verdriet. Maar ze wist ook dat ze geen keus had. En ze wilde niet anders. Ze verbeet zich en bekeek de bladzijde waarbij de foto zat. Links bovenaan stond het vervolg van een alinea die op de vorige bladzijde begon.

... de hele dag gezocht. We hebben in een stenen kabinetje een schitterend gouden beeld van een godheid gevonden, maar niets wat voor onze koperplaten kan doorgaan.

Het was niet alleen het 'onze koperplaten' dat impact had op Irene. Na alles wat ze op haar reis meegemaakt had, na alles wat ze ontdekt had, voelde dit – dat haar moeder betrokken was bij de geschiedenis van de Khmer – als lotsbestemming. Het was de stem van haar moeder die haar aangreep. Een stem die altijd schor klonk van het vele praten, zoals haar vader haar vroeger plaagde. Haar ogen schoten over de regels. Maar het was alsof Irene haar moeder het hoorde vertellen, in plaats van dat ze het verhaal las. De woorden kwamen zo duidelijk door dat ze het een wonder vond dat Kiri ze niet hoorde.

We waren allemaal teleurgesteld. De tweede dag gingen we minder enthousiast op zoek. De koperplaten konden op veel plaatsen onder gevallen stenen liggen. Patrik en Henry gaven niet op. 's Ochtends hadden we geen succes. Maar na de lunch gebeurde er iets vreemds. Terug in Manila lijkt het allemaal een droom. Ik vraag me af of het ook absurd is dat ik het opschrijf. Maar ik heb het gevoel dat ik het op een rijtje moet zetten, vooral omdat ik me er niet toe kan zetten het aan Patrik te vertellen.
De mannen waren op weg gegaan om het bovenste niveau van de tempel te onderzoeken. Madeleine en ik waren aan de achterkant toen een gezette vrouw een bewusteloos meisje bij ons bracht. Van onze gids hoorden we dat het

meisje een giftige plant had binnengekregen. Het was net of de vrouw om nonnen riep. Maar we begrepen haar niet goed; en het Frans van de gids was niet best. Bovendien waren er alleen monniken bij deze tempel. Als verpleegster wist Madeleine dat het meisje het gif moest uitbraken. Maar we kregen het de vrouw niet aan het verstand gebracht. Het kind lag daar doodstil, als een beangstigende voorbode van de dood.

Plotseling vroeg Madeleine me een ketel te gaan zoeken om water te koken. Ze was vastbesloten het kind te redden. Ik las het in haar ogen. Ze haalde wat buskruit uit haar pistool, vermengde het in een kopje met warm water en dwong het kind dat te drinken. Vervolgens legde ze het kind over haar knie en stak een vinger in haar keel. De moeder krijste. Het kind begon over te geven. De monniken leken wel van steen, zo stil waren ze. Ze dachten waarschijnlijk dat we het kind wilden vermoorden.

Nu was dit alles natuurlijk al ongebruikelijk. Maar toch is dit niet het wonderbaarlijke voorval waarover ik móét schrijven. Wat daarna gebeurde blijft me achtervolgen. De oude vrouw wilde ons meenemen naar het huis van het kind, om ons te bedanken dat we haar het leven gered hadden. Al snel kwamen we achter de tempel aan bij een trap die uit de heuvel gehouwen was. Eenmaal boven liepen we door een kleine boomgaard tot we bij een open plek kwamen, waar we iets ongelofelijks zagen. Er stond een groot wit huis, met daaromheen een groen gazon. Een vrouw kwam naar buiten, een Cambodjaanse non van een religieuze orde. Haar hoofd was kaalgeschoren. En ze droeg een gewaad in een prachtige grijstint. Ze keek ons aan alsof we geesten waren, en zei iets tegen de oude vrouw. Ze klonk niet boos, maar toch hadden we door dat er iets mis was. Tot onze stomme verbazing sprak ze ons aan in foutloos, lyrisch Frans. Ze bedankte ons hartelijk. Madeleine drukte haar op het hart dat de moeder het meisje veel water moest

laten drinken, waarop de non vertelde dat het meisje geen
moeder had.
En nu komt het punt waar mijn verhaal wat fantastisch over-
komt. De non vertelde ons dat het klooster waartoe zij be-
hoort, waakt over een bibliotheek met boeken van palmblad
over de geschiedenis van het rijk van de koning. Aangezien
de boeken van vergankelijk materiaal zijn, worden ze elke
vijftig jaar opnieuw gekopieerd, gedurende een periode van
twaalf maanden die bekendstaat als het 'nieuwe rijk'. Het
kopiëren van de teksten wordt niet gedaan door de nonnen,
maar door een kind. Het moet altijd een meisje zijn dat geen
ouders meer heeft. Het kind moet hier speciaal Sanskriet en
Khmer voor leren. De periode van het nieuwe rijk vangt aan
als ze achttien wordt. En aan het eind van die twaalf maan-
den worden de documenten van haar hand vergeleken met de
oude, om te zien of ze identiek zijn. Tijdens een ceremonie
van drie dagen worden de oude boeken verbrand, en wordt
het meisje aangesteld als bewaker van de bibliotheek.

Irene schrok toen Kiri ongeduldig op haar laars klopte. Grijnzend toonde hij de wankele toren die hij gebouwd had met de
onderdelen van het horloge. Hij hoopte dat zij hem ook mooi
vond. Ze lachte terug, keek toen rond over de binnenplaats van
de tempel en verwachtte half haar moeder over het gras te zien
aankomen. Maar de betovering van het verhaal van haar moeder was verbroken. Op het terrein huisden alleen de schaduwen van de oude stenen. Irene was er beduusd van. En toen ze
het mysterieuze verhaal van haar moeder nog eens teruglas,
werd het er allemaal niet duidelijker op. Zij had het over een
bibliotheek met boeken van palmblad, en niet over een heiligdom waar tien koperplaten lagen. Dat begreep Irene niet. Gretig las ze verder.

Ik wilde terug naar de tempel rennen om Patrik dit won-
derbaarlijke verhaal te doen. Maar het verhaal van de non

was nog niet uit. *Ze gaf elk van ons een armband met rode
stenen en vertelde dat die uit de schatkamer van de koning
kwamen.*

Irene liet haar ogen van het dagboek naar de streng kornalijnen
kralen om haar pols dwalen en las snel verder.

*Ze informeerde of ze verder nog iets kon doen om ons te be-
danken. Nu was Madeleine altijd wat voortvarender dan ik.
Ze vroeg of we de koperplaten mochten zien. Waarom ze
dacht dat de platen in het klooster lagen, weet ik niet.*
*De non nam ons mee naar een groot vertrek en hield een
lamp op. Aan de muur hing een lakwerk kastje, met daarin
negen platte, uitgerolde stukken koper, die qua vorm en
grootte exact overeenkwamen met de plaat die we in onze
kelder in Manila verborgen hadden. Toen ik Madeleine aankeek, wist ik dat ze er maar een slag naar geslagen had. Dit
had ze niet verwacht. We konden ook geen van beiden bedenken waarom de non ze ons liet zien.*
*Ik wist hoe graag Patrik die koperplaten wilde vinden. Ik
wist wat voor informatie ze bevatten en hoe waardevol ze
waren. Maar ik wist ook dat ik een kind verwachtte. Nu ik
dit schrijf ben ik zes maanden zwanger. Ik weet niet waarom Madeleine instemde toen ik haar vroeg de koperplaten
hier te laten en Henry er nooit over te vertellen. Maar ik
weet wel dat ik dat wilde. Vanaf het moment dat ik ze zag,
vanaf het moment dat ze werkelijk bleken te bestaan, besefte ik wat hun invloed zou zijn op Patrik en mij, en op ons
prille gezin. We zouden de rest van ons leven blijven zoeken
en altijd maar meer willen. En ik wil gelukkig zijn met wat
ik heb.*

Hier eindigde het dagboek. De rest van de vergeelde bladzijden
was leeg gebleven. Maar meer had Irene ook niet nodig om een
beeld te krijgen van het verhaal, vanaf het allereerste begin,

toen haar vader een kist kocht uit de nalatenschap van een missionaris op Borneo. Een kist met een geheim vak met daarin het dagboek van dominee Garland. Tot het moment dat ze het verslag van haar moeder las, had ze zich niet gerealiseerd dat haar vader in die kist misschien ook een koperplaat uit de tempel had gevonden. Eén van de tien slechts. De dominee had hem gestolen zonder dat te vermelden.

De geurige hitte van de toortsen streek over Irenes huid. Haar vader, haar moeder, meneer Simms en de vrouw die Simones moeder zou worden hadden – afgaand op het dagboek – een tocht naar de tempel ondernomen om de andere negen koperplaten te gaan zoeken, bedacht ze. Haar vader moest verschrikkelijk teleurgesteld geweest zijn dat zij ze niet vonden; hij had niet kunnen vermoeden dat zijn vrouw ze wel ontdekte, maar achterliet.

Bij terugkomst in Manila had hij het dagboek en de originele plaat laten taxeren, nam Irene aan. Dat was dan de crimineel Fear weer ter ore gekomen, en die had Sarah Blum laten ontvoeren om losgeld. Meneer Simms had Fear omgebracht, en zo Irenes moeder gered. Meneer Simms had begrepen dat de voorwerpen in die chaotische nacht verdwenen waren, dat ze meegenomen waren door een van de op de vlucht geslagen handlangers van Fear. Hij had geen reden om aan te nemen dat zijn beste vriend ze verstopt had.

Irene begreep haar vader wel. Hij had gezien wat het dagboek teweegbracht. Ze kon zich ook goed voorstellen dat het een schok geweest moest zijn na de dood van zijn vrouw een tweede dagboek te vinden. Van haar dit keer, waarin ze beschreef dat ze de koperplaten in de tempel had laten liggen. Voor haar vader moest het moeilijk geweest zijn dit geheim te houden voor meneer Simms, de man aan wie hij zoveel te danken had.

Nu, met het dagboek van haar moeder op schoot, dacht Irene na over de eerste koperplaat – die van dominee Garland – waarmee deze hele speurtocht begonnen was. Als het dagboek van de dominee in het kistje zat dat haar vader na zijn dood aan meneer Simms had nagelaten, lag het voor de hand dat de koper-plaat erbij zat. Misschien had meneer Simms hem zelfs mee-genomen naar Stung Treng.

Ze stond op en gebaarde naar Kiri dat hij de onderdelen van het horloge bij elkaar moest vegen. Om de negen overgebleven koperplaten te vinden hoefde ze alleen maar haar moeders be-schrijving te volgen. En daarmee zou de zoektocht tot een einde komen, daar was ze van overtuigd.

25

Het laatste weesmeisje

Ze liet het kistje met het puzzelslot achter op de bank in het paviljoen van de danseressen en stopte het dagboek van haar moeder in haar zak. Over de glibberige toegangsweg liep ze in de richting van een flakkerend geel vlammetje ergens onder aan de tempeltrap. Daar aangekomen bukte ze en bekeek het schaaltje met brandende olie. Haar adem stokte toen ze het herkende. Het was een zwart geglazuurd Jian-theekommetje, een van een stel dat ze ooit voor meneer Simms gecatalogiseerd had. Ze liep de trap op naar een tweede Jian-bakje, waar ook een vuurtje in brandde. Ze vond het een wonder dat Clothilde zulke breekbare voorwerpen heel had kunnen houden toen de Brau het kamp aanvielen.

Met Kiri op haar hielen rende Irene naar een volgend lichtgevend schaaltje, aan het eind van de oostelijke gaanderij. Het leidde haar de lange gang door, langs de Boeddha die de verlichting bereikt had onder de bodhi-boom. Een aardewerken lamp gaf een pad aan dat achter langs de tempel door de nachtelijke stilte van het kloosterterrein voerde, naar een ijzeren hek met een lantaarn aan een van de spijlen.

In de verte zag Irene op een bed van mos een schaaltje staan, waarin een vlammetje oplichtte. En daarna nog een lantaarn in een wirwar van takken. Terwijl zij het aarzelende lichtje het bos in volgde, vloog Kiri voor haar uit. Hij sprong over wortels van ficussen en wingerd die op de grond om zich heen grepen. In de bomen tjirpten insecten. Toen doemde de voet van de heuvel op. Twee potjes gloeiende olie stonden aan weerszijden van de overgroeide trap. Irene klauterde de gladde treden op, zonder acht te slaan op de stekende pijn in haar zij.

Kiri was het eerste boven. Hij spoorde haar aan door zwijgend met zijn vuist op zijn dij te kloppen. Op een modderig plateau direct onder hem boog ze zich voorover. Met haar handen op haar knieën probeerde ze op adem te komen. Toen ze weer rechtop stond, strekte Cambodja zich uit aan haar voeten.

De regen was weggedreven. De maan stond aan een wolkeloze hemel. Ze had het volle zicht op de enorme tempel beneden. De tempel van de koning. Háár tempel.

Hijgend beklom ze de laatste treden. Er liep een smal pad door een bosje met broodvruchtbomen. Gelijktijdig kwamen Kiri en zij aan bij een open plek. Kiri greep haar hand. En terwijl ze over het natte grasveld haar moeders droomhuis in ogenschouw nam, klemden haar vingers zich om de zijne.

Ze was als de dood dat het grote witte gebouw als een luchtspiegeling zou oplossen als ze niet bleef kijken. Daarom liep Irene eropaf en nam ondertussen alle details in zich op. Zelfs van een afstandje herkende ze de apsara's die op sokkels aan weerszijden van de imposante deur dansten. Wat indruk maakte, was nog niet eens zozeer de vloeiende menselijke lijn van hun bladgouden lijven. En ook niet de fonkelende edelstenen in hun hoofdtooi. Wat haar trof was dat ze net zo groot waren als zij. In het iriserende maanlicht voerden ze een ballet op ware grootte op, net zoals zij, toen ze als meisje tussen hun zusters in het museum gedanst had.

Bij het voorportaal liet ze Kiri's klamme vingers los en legde haar handen tegen de deuren. Ze waren wel twee keer zo hoog als zij en uitgestoken in bloemmotieven, net als bij het heiligdom beneden. Terwijl ze het houtsnijwerk bekeek, openden de deuren zich. Daarachter stond Clothilde. Zwijgend wenkte ze Irene.

Het eerste wat Irene opviel toen ze de hal in liep, waren de geglazuurde vloertegels in de kleur van goudsbloemen. Het was een spelonkachtige hal met een oplopend cassetteplafond.

Kiri probeerde zich langs Clothilde te wurmen. Die greep hem bij de arm en duwde hem naar buiten, wat hem een kreet van protest ontlokte. Met wezenloze ogen draaide Clothilde zich naar Irene. Hoe lang ze dit ook met meneer Simms had voorbereid, ze had zich er kennelijk niet op ingesteld dat dit moment werkelijk zou komen. Ze gooide de deken die ze eerder om zich heen geslagen had om warm te blijven, van zich af. Eronder droeg ze een enkellange donkerblauwe jurk. Op blote voeten gebaarde ze dat ook Irene haar laarzen moest uittrekken.

Irene knielde om haar veters los te maken, en deed ook haar poncho uit. Ondertussen kwam Clothilde weer tot zichzelf.

'Ik heb erg mijn best gedaan om dat kistje te openen. Maar ik kon het niet open wrikken zonder het te beschadigen,' gaf ze lachend toe.

Enigszins achterdochtig merkte Irene op: 'Ga me nou niet vertellen dat je dit vanavond allemaal alleen deed omdat hij je dat heeft gevraagd. Je zult de reden toch wel weten.'

'Ik weet dat het te maken heeft met de geschiedenis die je zoekt.'

Irene wilde haar nog wat vragen, maar zweeg omdat er een vrouw de hal in zweefde. Ze leek als twee druppels water op de non die Sarah Blum beschreven had in haar dagboek. Een Cambodjaanse met een kaal hoofd in een basaltgrijs gewaad. Toch kon dit niet de vrouw zijn die Irenes moeder ontmoet had, want ze leek nauwelijks ouder dan Irene. Zenuwachtig bekeek ze Irene van top tot teen, alsof ze een herkenningsteken zocht en niet terugvond.

'Is dit de vrouw die je hierheen moest brengen?' vroeg ze in het Frans aan Clothilde.

Clothilde knikte.

In de ogen van deze vrouw moest Irene er verschrikkelijk uitzien. Aan haar smerige kleren viel niets meer te redden. De stekende wond op haar wang was dermate ontstoken dat ze er waarschijnlijk een litteken aan zou overhouden. Door de wind stond haar haar alle kanten uit. Irene wist dat het geen enkel verschil zou maken, maar haalde haar vingers er toch door.

'Weet u wie ik ben?' vroeg ze aan de non.

De vrouw wierp een blik in de richting van Clothilde.

'Zou ik u moeten kennen?'

Irene had de sleutels al gebruikt. Het horloge was door Kiri gesloopt. Het enige wat ze dus nog overhad was de kornalijnen armband. Ze schoof hem van haar pols.

'Zegt dit u wat?' vroeg ze, en ze hield de streng kralen omhoog.

'Waar heeft u die vandaan?' reageerde de non geschokt.

'Toen mijn moeder stierf, zat hij tussen haar bezittingen.'

'Wie was uw moeder?'

'Sarah Blum.'

'Hoe lang is ze al dood?' vroeg de non, en ze wendde haar blik af.

'Ze is overleden toen ik nog een kind was.'

De non pakte de armband aan.

'Dat spijt me.'

'Mijn naam is Irene.'

'Ik heet Loung.' Ze klemde haar vingers om de stenen. 'Ik ken het verhaal. Uw moeder heeft de abdis destijds verteld dat ze in verwachting was en haar gevraagd het kind te zegenen.' Ze lachte naar Irene. Maar ze deed het met een verdrietig gezicht, alsof ze samen een droevig geheim deelden. 'U jaagt kennis na en bereidt alles terdege voor. Nuchter bent u ook.'

'Hoe bedoelt u?'

'U bent geboren in het jaar van de aap. 1896.'

Irene kreeg een déjà vu. Maar ze was natuurlijk al eerder in de tempel geweest, ook al was dat nog in de buik van haar moeder.

'Hoe komt het dat u zoveel over mij weet?'

'Uw moeder en haar vriendin hebben mij het leven gered.'

'U bent de uitverkorene,' mompelde Irene.

'Wat houdt dat in?' vroeg Clothilde, die het gesprek ademloos volgde.

Irene was al vergeten dat Clothilde erbij stond. Haar stem bracht Irene terug bij de werkelijkheid.

'Doof de lampen,' droeg Irene Clothilde op. 'Haal de lantaarns naar beneden. Als Simone wakker wordt en merkt dat ik weg ben, gaat ze naar de tempel. En dan komt ze hierheen. Doe het nu! Ik leg het later wel uit.'

Clothilde bleef liever. Maar ze had een taak te vervullen, die nog niet ten einde was. Als ze het geld wilde incasseren dat meneer Simms haar had toegezegd, moest ze doen wat Irene haar opdroeg.

'Ik kom zo snel mogelijk terug,' zei ze.

Op het moment dat de deur achter haar dichtviel, draaide Irene zich naar Loung.

'Jij bent het die de geschiedenis transcribeert.'

'Ah, dus dat is het. De geschiedenis. Daar ben je voor gekomen.'

'Waar ligt het?'

Loung had Irene op kunnen houden, of simpelweg kunnen liegen. Maar zonder enige aarzeling liep de vrouw door de hal naar een houten deur met zilveren panelen, waarop zwierige letters waren aangebracht. Met Irenes armband nog in de hand opende ze de deur en stapte opzij.

Het duurde Irene allemaal veel te lang. Ze haastte zich langs Loung en rende de lange gang door naar een tweede deur. Ze greep de deurklink, maar kreeg met haar bezwete handen geen vat op de metalen deurknop. De deur was erg zwaar. Ze duwde er uit alle macht tegen tot hij openging, en ze in een donkere kamer belandde.

'Loung?' fluisterde ze.

De non gaf geen antwoord. Irene hoorde wel haar eeltige voeten over de grond schuiven. Er klonk gesis. Toen dook Loung op naast een lantaarn, die aan de muur bevestigd was. Voor haar lag een stapel van iets wat Irene aanzag voor palmbladeren. Nu stak Loung een tweede lantaarn aan, waarmee de bladeren in palmbladboeken veranderden. Met de derde lamp verschenen er banden van moerbeiboompapier op de planken. De vierde lamp bracht een bibliotheek aan het licht.

Irene keek verbluft rond. Overal waren boeken. Op de schragentafel, in de hardhouten kasten langs de muur. Waar ze opengeslagen lagen herkende Irene het zwierige schrift. Niet in stenen deurposten uitgehouwen dit keer, niet uitgehakt in stenen zuilen, maar handgeschreven op bladzijden van palmbladeren en lavendelkleurig papier. En dat terwijl er niet één zo'n overlevering uit de tijd van Angkor Wat bekend was.

Irene ging voor de tafel staan en haalde haar vinger langs de punt van een metalen pen. Er kwam een streepje inkt op haar huid.

'Lees me eens iets voor,' zei ze.

'Wat zou je willen horen?' vroeg Loung. 'Iets over zijn jeugd? Zijn ballingschap in Vijaya? Zelfs zijn officiële documenten zijn in dichtvorm.' Ze trok een boek van een plank en spreidde de zigzagbladzijden uit op tafel. 'Dit is een inventaris van een van de pakhuizen van de koninklijke schat. Hóning, bíjenwas, kámfer,' citeerde ze in een bepaald metrum. 'Parasóls, zijden lákens, en íjsvogelveren.'

'Alles in deze ruimte heeft betrekking op Jayavarman de Zevende?'

'Ja.'

Dan ging het om meer dan alleen de koperplaten. Gefascineerd bij de gedachte dat ze wel eens meer kon aantreffen dan waar ze naar op zoek was, vroeg Irene: 'Waar zijn dan de bibliotheken van de andere vorsten?'

'Welke andere vorsten?'

'De rest.'

'Ik weet niet precies wat je bedoelt,' zei Loung. 'Hier hebben we alleen de archieven van Jayavarman.'

'Maar er waren minstens dertig Khmer-koningen. Ze zijn zeshonderd jaar aan de macht geweest. Nog geen vijftig of zestig jaar daarvan is aan Jayavarman toe te schrijven.'

Irenes blik schoot van de ene kant van de kamer naar de andere op zoek naar ruimten tussen de boekenkasten, onder de tafel. Ze was zo overdonderd geweest door al die boeken dat ze niet direct doorgehad had wat hier ontbrak: het lakwerk kastje dat haar moeder in haar dagboek had beschreven, het kastje met de koperplaten.

'Waar is de geschiedenis van het rijk? Het hele rijk, niet van slechts één koning.'

'Is dat wat je moeder zei dat je zou vinden?'

'Ik weet dat ze de koperplaten heeft gezien. Ze waren hier in deze ruimte. Negen ervan tenminste. Ik denk dat mijn ouders de tiende hadden. Dat is waarom ze hier kwamen: om de andere te vinden.'

'En denk je dat je in al die jaren de eerste bent die erom komt?'

De meelevende toon van Loung bracht Irene van haar stuk.

'Ben ik dat dan niet?'

'Het spijt me, Irene. Als je daarvoor gekomen bent, ben je te laat.'

Was Stanić haar voor geweest? Of Ormond? Irenes huid prikte van de hitte. Maar het koude zweet liep haar langs de rug.

Ze greep de hoek van de tafel en zakte op de grond. 'Nee,' fluisterde ze, terwijl ze haar hoofd tegen de muur aan legde. 'Alsjeblieft niet.'

'Je moeder wilde ze niet,' zei Loung, die dichterbij kwam en Irene strak aankeek. 'Waarom heb jij je zinnen erop gezet?'

'Nu zal ik nooit weten wat erop staat,' mompelde Irene.

'Je bent vast niet helemaal hierheen gekomen om te weten wat erop staat, Irene,' merkte Loung op. 'Niemand is ooit hierheen gekomen om er alleen maar achter te komen wat erop staat.'

'Ik had ze mee willen nemen naar Amerika,' bekende Irene. 'Ik was van plan de koperplaten te pikken en er mijn reputatie mee te redden. Ik kon aan niets anders meer denken. Maar ik weet nu al niet meer waarom ik dat wilde.' Ze sloot haar ogen, alsof ze, door de kamer buiten te sluiten, ook de golf van teleurstelling over wat ze daadwerkelijk verloren had op afstand kon houden. 'Ik wil niet terug naar Seattle. Ik hoor daar niet meer. Ik hoor hier. Ik wil hier een rol spelen.'

'Een rol in wat?' vroeg Loung.

'Er was zoveel over de Cambodjanen dat ik niet begreep,' zei Irene, die zich nog steeds verschuilde achter haar gesloten, rode ogen. 'Pas toen ik hierheen kwam en ze met eigen ogen zag, begreep ik het. Ik had steeds te horen gekregen dat er een brede kloof was tussen hen en hun geschiedenis. Toen zag ik hoeveel hun door het kolonialisme was opgedrongen. En dat was verhelderend. Het was ook een openbaring om tot de conclusie te komen dat ze helemaal niet zo ver afstaan van hun voorouders als je op het eerste gezicht zou denken. Niemand wil het toegeven. Ikzelf wilde het niet toegeven. Maar het getuigt van onverschilligheid, om niet te zeggen arrogantie, om te proberen te verklaren hoe ze in het verleden tot die geweldige dingen in staat waren zonder naar hun huidige situatie te kijken. Hun dagelijks leven kan net zo belangrijk zijn bij een opbloei van hun cultuur, als te weten komen hoe hun vorsten leefden. Belangrijker misschien wel, omdat dat door de eeuwen heen standgehouden heeft. En de gouden stoepa's en de hiërarchie van de goddelijke koningen niet.' Ze zuchtte. 'Ze veiligstellen.'

'Wat veiligstellen?'

'Dat is wat ik nu met de koperplaten zou doen. Ik zou ze veiligstellen. Ik zou verhinderen dat mensen zoals ik ermee aan de haal gaan. Maar ik ben al te laat.'

Terwijl Irene daar op de vloer zat, drong dat tot haar door. Ze boog zich voorover, legde het hoofd op haar armen, en luisterde naar het geruis van het gewaad van Loung, die door de kamer liep. Ze schoof wat papieren in elkaar. Er klikte iets op de tafel.

'Jayavarman de Zevende was een extravagante vorst. Hij leefde op te grote voet,' vertelde Loung toen.

Irene zweeg verslagen.

'De bouw van die steden van hem drukte zwaar op zijn bronnen en mensen,' vervolgde Loung. 'Van de laatste inhoud van de schatkist bouwde hij deze tempel. Hier zou hij heen komen als hij ooit moest vluchten.'

Hoe bestaat het dat ik dit alles voor niets gedaan heb!

'Na de dood van Jayavarman had zijn opvolger niets meer te besteden.'

Hoe kan het dat meneer Simms er zo naast zat? Dat de koperplaten al weg zijn, en ik geen idee heb waar ze nu zijn?

'Tegen het eind van de vijftiende eeuw was de welvaart in de Oriënt afhankelijk van scheepvaart,' vervolgde Loung haar college plichtsgetrouw. 'Angkor Wat lag te ver van zee. De Khmer konden zich niet mengen in deze handel. En de Siamezen bleven maar binnenvallen. Bovendien nam de Khmer-populatie toe. Er was meer vraag naar voedsel. Te veel berghellingen werden leeggekapt voor landbouw. Daardoor ontstonden overstromingen, modderstromen. De *barays* en kanalen slibden dicht. En langzaamaan verspreidde het boeddhisme zich over Cambodja. De goddelijke koning speelde daar geen rol meer in.' Ze pauzeerde, en toen Irene geen commentaar gaf vroeg ze: 'Vergis ik me, of is dit wat je hier hoopte te vinden? De oorzaak dat het rijk ineenstortte.'

Loung had zich tenminste wel kunnen verdiepen in de geschiedenis van het rijk voor de koperplaten weggenomen werden. Misschien had ze die zelfs wel gekopieerd op palmbladeren en bewaard tussen de documenten van Jayavarman.

Het zou genoeg moeten zijn. Dat is wat je tegen haar gezegd hebt. Je wilde alleen maar weten wat er op de koperplaten stond.

Maar dat was het niet. Natuurlijk was het niet genoeg. Irene wilde de platen zelf zien, ze aanraken, ze vinden, zelfs al hoefde ze ze niet langer in haar bezit te hebben. Ze kon zich er niet toe brengen op te staan. Ze kon alleen maar mompelen: 'Bedankt dat je me dat vertelt.'

'Irene, doe je ogen open.'

Irene richtte haar hoofd op en keek naar de non in haar grijze gewaad. Loung stak haar iets toe. Irene greep het voorwerp vast. Het duurde het even voor ze begreep dat ze een koperplaat in handen had.

De plaat was van dun metaal, licht gebogen, alsof er een deel van een groter geheel was gerold. Eerbiedig streek Irene haar vingers erlangs en eroverheen. De zijkanten waren glad. Maar boven- en onderaan waren de randen ruw, alsof ze afgescheurd waren. Ooit waren de koperplaten blijkbaar één geheel geweest. Maar toen ze uitgerold werden, waren ze uit elkaar gevallen. Ze bekeek de tekst die er aan de achterkant in gehamerd was, zodat de letters aan de voorzijde uitstaken. Loung had haar verteld wat er stond, maar eigenlijk wilde ze het zelf kunnen lezen.

De gepoetste rol was goed onderhouden; nergens zat oxidatie. Met moeite scheurde Irene zich los van die aanblik, en keek naar Loung.

'Waarom liet je me denken dat ze verdwenen waren?'

'Ik wilde je gezicht zien als ik vertelde dat de koperplaten weg waren. Ik wilde horen wat de reden was waarom je ze wilt hebben. Ik moest het zeker weten.'

'En is dat zo?'

'Ik zou met de koperplaten het bos in kunnen vluchten. Maar er komt een dag dat ik nergens meer heen kan. De aarde is rond. Ooit kom ik uit waar ik begon. Vanaf het moment dat de Fransen ons land innamen hebben we ons hierop voorbereid. Het was onvermijdelijk dat de wereld ons zou inhalen, toch?'

De tranen stonden Loung in de ogen. Ze wist dat het voorbij was en plaatste een platte, houten kist bij de voeten van Irene. Zij was onderdeel van een uitgestorven beschaving. Een scriba van de koning, de laatste in haar lijn. Als de bibliotheek opgeëist werd door de twintigste eeuw, zou er geen plek meer zijn voor haar of eventuele opvolgers. De Leica van Louis kon de volledige klus klaren in de tijd die zij nodig had om één enkel boek te kopiëren.

'We wisten dat het een kwestie van tijd zou zijn. We hebben

gehoopt en gewacht tot de juiste persoon zou komen. Maar jij... Ik had niet kunnen dromen dat jij dat was.'

Irene kon het nog steeds niet geloven. Niet alleen kwamen haar dromen uit en legde ze inderdaad de hand op de geschreven geschiedenis van de Khmer, ze kreeg er de volledige kroniek van de allerbelangrijkste vorst van de Khmer bij. Alles waar ze zich tot nu toe in vastgebeten had, waar ze haar hoop op gevestigd had, lag opgeslagen hier in deze ruimte. Ze klemde de plaat tegen haar borst, tilde de kist op, en zei: 'De mensen in mijn gezelschap willen allemaal iets anders met de koperplaten. En ze denken het allemaal beter te weten dan de rest. Ik wil de koperplaten veiligstellen, maar ik weet niet hoe ik dat het beste kan doen. Nog niet.'

'Dat is een risico dat ik moet nemen.' Loung keek toe terwijl Irene de kist op tafel zette en zei: 'Maak maar open.'

Voorzichtig maakte Irene de sloten open en lichtte het deksel op. Voor haar lagen nog eens acht koperplaten, elk van elkaar gescheiden door lagen doek.

'Dat is nog niet alles, weet je,' legde Loung uit. 'Er zit een raadsel verborgen in de koperplaten. Als je dat weet op te lossen, heb je de kaart die je naar de laatste schat van de koning voert. Tijdens de Birmese invallen in de zestiende eeuw annexeerden de Siamezen land van de Khmer. En de nazaten van Jayavarman brachten de koperplaten naar onze bibliotheek om ze te redden. Ze moesten met tempel en al verborgen blijven, in de hoop dat het rijk ooit weer tot bloei zou komen. Toen ik hoorde dat je in aantocht was, dacht ik dat je op de schatkaart uit was.'

'Ik wist niet eens van het bestaan. Waar ligt die schat?'

'Dat weten we niet.'

Irene herinnerde zich een opmerking uit het dagboek van haar moeder.

We zouden de rest van ons leven blijven zoeken en altijd maar meer willen.

Zij en de anderen hadden die ene koperplaat vermoedelijk

laten vertalen. Zo waren ze waarschijnlijk op het spoor van de kaart gekomen. Vervolgens kwamen ze hiernaartoe in de hoop de rest te vinden.

'Jullie weten het niet, doordat er één ontbreekt. Is het zo?' vroeg ze.

Loung knikte. 'Als de laatste koperplaat in jouw bezit is...'

'Als ik de laatste koperplaat heb...'

Handenwringend fluisterde Loung: 'De wereld is veranderd. Nu alles anders wordt, ben jij misschien wel voorbestemd om mij op te volgen.'

'Altijd een meisje dat geen ouders meer heeft.'

Irene had een uur verloren met de storm. En ze had bijna een uur nodig gehad om haar moeders dagboek te lezen. Hoe lang ze hier in deze ruimte met Loung zat, wist ze niet. Maar ze realiseerde zich plotseling dat de nacht bijna om was, en dat op deze breedtegraad de dag al vroeg aanbrak. Ze borg de negende koperplaat in de kist en deed die dicht. Er zat een leren draagriem aan. Die deed ze over haar schouder. 'Voor het licht wordt moet ik terug in het kamp zijn. Ik moet een plek verzinnen om dit te verbergen voor iedereen wakker wordt.'

Zwijgend bracht Loung Irene terug naar de hal, die afgebakend werd door de gloed van uitbrandende olielampen. Kiri stond naast de open deur naar het voorportaal, nog steeds in de jas van Louis, tegen de muur te leunen. Hij gluurde om de deurpost. Toen Irene en Loung achter hem kwamen staan, verzette hij geen stap.

Irene keek langs hem heen. Ze zag Clothilde op de veranda staan, met haar rug naar het witte huis. Ze had haar mauser getrokken, het wapen waarmee ze op vijftig meter afstand raak beweerde te kunnen schieten.

'Clothilde,' fluisterde Irene, bij wie beelden van terugkerende Brau-strijders opkwamen. 'Wie staan daar?'

'Je vrienden,' antwoordde Clothilde.

'Allemaal?'

'Ja.'

'Heb je het tegen Irene?' riep Simone buiten Irenes gezichtsveld tegen Clothilde.

'Is er nog een uitgang?' vroeg Irene aan Loung.

Maar op het moment de non uitlegde waar het pad bij de achteruitgang heen voerde, dacht Irene: en dan? Ze zou ervandoor kunnen gaan. Maar waarheen? Deze Cambodjaanse nacht gaf toegang tot een ondoordringbare jungle, met daarna nog meer jungle. Ze zou het ravijn moeten oversteken. Ze kende de weg terug naar Stung Treng niet eens. Ze had geen voorraden, geen wapens. En hoe moest het dan met Marc? In rap tempo nam ze alle opties door. Zelfs áls ze de koperplaten ergens kon verbergen om ze later op te halen, zou Simone haar geen moment meer uit het oog verliezen, besefte ze. Irene had geen keus, en het verbaasde haar hoe opgelucht ze zich daarbij voelde.

'Clothilde, laat dat pistool zakken,' zei ze.

'Dat kan niet.'

'Waarom niet?' vroeg Irene.

'Ik vrees dat ze me dan neerschiet.'

Behoedzaam leunde Irene zo ver naar voren dat ze om Clothilde heen kon kijken. In het natte gras voor het trapje stonden Marc en Louis pal tussen Clothilde en Simone in, en ze keken er niet vrolijk bij. Clothilde hield haar mauser op Simone achter hen gericht. Die had op haar beurt haar pistool getrokken en hield zich verschanst achter de mannen, die ze als schild gebruikte.

Irene kon zichzelf wel voor haar hoofd slaan dat ze ooit gedacht had dat Simone haar verstand wel zou gaan gebruiken als ze geen Luminal meer slikte. Ze wist maar al te goed waartoe Simone in staat was als ze onder druk kwam te staan. Daarom stapte ze nu naar buiten. Ondanks de afstand tussen hen voelde ze Simone staren naar de kist die ze op haar heup droeg. Dat kon ook niet anders, hij was ingelegd met bladzilver, dat opvallend schitterde. Irene zou iets moeten doen voor Simone een overhaaste actie ondernam.

'Dit is een bibliotheek, gewijd aan Jayavarman de Zevende,' riep ze. 'Er is een kamer vol boeken op palmblad. Je moet komen kijken!'

'Zeg tegen haar dat ze haar wapen wegstopt,' zei Simone.

'Alleen als zij dat eerst doet,' reageerde Clothilde.

De mannen stonden er doodstil tussenin.

'Alsjeblieft, Simone,' smeekte Irene.

Maar Simone hield voet bij stuk. 'Op het moment dat ik mijn wapen laat zakken, grist zij je die kist uit handen en gaat ervandoor. Je hebt haar toch gehoord? Ze heeft een hekel aan ons, aan wat we hier doen. Ze komt hier vandaan. Ze kan opgaan in het bos. We zouden de koperplaten nooit meer terugzien.'

'Ik zou ze weten te vinden,' verzekerde Irene haar.

'De wereld is groot,' verklaarde Simone.

'Je moet me niet onderschatten. Alles wat ik zocht, heb ik tot dusverre weten te vinden.' Om haar woorden kracht bij te zetten hield Irene de kist omhoog.

Op dat moment viel het Irene op hoe stil Clothilde was voor iemand die zich hoorde te verdedigen. Opeens dacht ze terug aan Clothilde op het terras van het hotel in Phnom Penh met Murat Stanić. Hoofden dicht bij elkaar. Niet direct de pose van een vrouw die niet met die man geassocieerd wilde worden, zoals Clothilde beweerd had over Stanić. En Irene herinnerde zich nog een andere uitspraak.

Als het tot de mogelijkheden behoort, richt je dan op het kind. Een ouder doet alles voor zijn kind.

Irene hield Clothilde scherp in het oog, en zei tegen Simone: 'Clothilde heeft er niets aan ons te dwarsbomen. Ik weet haar dochter te vinden.' Het was pure bluf, meer had Irene niet tot haar beschikking.

Clothilde vroeg zich waarschijnlijk af hoe ze in deze bizarre situatie beland was. Had ze ooit kunnen vermoeden dat het pact dat ze met meneer Simms had gesloten tot zoiets zou leiden? Zelfs na alles wat er gebeurd was? Bits zei ze tegen Irene:

'Wat als ik helemaal hierheen gekomen ben, en alles gedaan heb wat ik moest doen, maar ik me buiten mijn schuld niet aan mijn afspraak kan houden? Of dat ik me er wél aan hou, maar jij besluit me niet te betalen?' Al pratend hield ze haar ogen en haar wapen op Simone gericht. 'Ik heb een gok gewaagd. Als jij mij geweest was, Irene... Als jij een Cambodjaanse zonder vooruitzichten geweest was, had je ook naar Stanić geluisterd. Dat kun je me niet verwijten. Jij zou ook je beste kans gegrepen hebben.'

'En welke kans heb jij precies gegrepen?' vroeg Irene. 'Heb je hem verteld waarnaar we op zoek waren?'

'Nee.'

'Maar hij denkt nu wel dat je hem bezorgt wat wij gevonden hebben,' zei Irene beschuldigend.

Opstandig gaf Clothilde toe: 'Hij wacht op me in Kratie. Voor het geval ik me bedenk.'

Irene zag de hand met het wapen trillen. Ze voelde de wanhoop van Clothilde.

'Meneer Simms heeft een afspraak met je, Clothilde. En ik zal me daaraan houden. Dat beloof ik je.'

De Cambodjaanse leek niet helemaal gerustgesteld, maar duwde Irene wel de mauser in handen.

'Waag het niet nog eens over mijn dochter te beginnen.'

Het stond Irene tegen Clothilde op zo'n manier uit te schakelen. Maar op dit moment had ze haar handen vol aan Simone. Ze bekeek het wapen van Clothilde met de stompe loop, ze voelde het gewicht. Het gaf haar vertrouwen. Daar was ze dankbaar voor. Maar het laatste wat ze wilde was Simone pijn doen. Ze liet het pistool op het gras vallen en keek hoe Loung Clothilde en Kiri naar zich toe trok. Hun wereld was eeuwenlang intact gebleven, bedacht Irene. Tot mensen als zij en Simone er binnenstapten. Maar ze wist dat ze de vooruitgang niet kon tegenhouden.

Irene begon in de richting van Simone te lopen. De grond onder haar blote voeten was een brij van modder en onkruid.

Toen ze bij Marc kwam, fluisterde hij: 'Blijf praten. Als het je lukt haar af te leiden...'

Bang als ze was dat haar gevoelens voor hem, haar hoop voor hen beiden, haar parten zouden spelen, liep ze hem voorbij zonder hem aan te kijken. Ze ging op Simone af, wier gezicht nog onder de vegen en oranje jodiumplekken zat. Ze was bang. Haar hart klopte in haar keel.

'Zeg me waarom je ze wilt hebben,' zei Irene tegen Simone. 'En geef me nu de ware reden.'

Simone richtte het pistool op de buik van Irene, en zei: 'Je weet best waarom ik ze wil.'

'Ja, maar weet jij het ook?'

'Hoe bedoel je?'

'Ik realiseerde me iets.' Irene liet haar vingers langs de bovenkant van de kist glijden, zodat Simone naar beneden zou kijken. Haar hersens maalden, zochten. Ze dacht aan de conversatie met Monsieur Boisselier, over dat Roger beweerd had dat Simone hem zou verlaten voor haar eerste liefde. Eerst had Irene gemeend dat dat Louis was, en toen dat het om de revolutie ging. Maar nee, de Khmer, hun erfgoed, het verlangen er deel van uit te maken... daar draaide het om. Precies zoals dat altijd voor Irene het geval geweest was. Simone had Angkor Wat heilig genoemd, nog voor Irene op Annes feestje de koperplaten te berde gebracht had.

'Je kunt niet met zekerheid weten wat je ermee wilt voor je ze gezien hebt,' zei Irene.

Simones gezicht vertrok van jaloezie.

'En waarom wil jij ze hebben?'

'Ik ga het je niet makkelijk maken.' Irene boog haar hoofd alsof ze een sampeah ging maken voor Simone. 'Zet het pistool maar tegen mijn hoofd.'

'Je probeert me een streek te leveren,' zei Simone.

'Toe nou maar.'

'Irene, ga niet te ver,' riep Louis haar toe. 'Alsjeblieft, Simone, zo hoeft het niet te gaan.'

'Als ze die revolutie echt wil, sta ik in haar weg,' zei Irene. 'Ze zal er niet ver mee komen als ze mij niet neerschiet.'

Marc protesteerde niet. Irene hield nog meer van hem nu hij niet probeerde haar af te houden van wat ze moest doen.

'Ik geef je die koperplaten niet zomaar, Simone. Ik wil ervoor vechten. Je zult me dus neer moeten schieten. Bewijs het maar. Bewijs maar dat dit je voor alles gaat. Dat het mijn leven te boven gaat. Doe je best om me die koperplaten af te nemen.'

Ondanks haar gebroken pols greep Simone het pistool met beide handen vast en richtte het hoger.

'Je kunt me niet ompraten.' Haar stem klonk lager, zo boos was ze.

De loop streek als een kus langs Irenes voorhoofd.

Irene rilde, maar deed haar best zo stil mogelijk te blijven staan.

'Ik wil je helemaal niet ompraten. Zo dom ben ik niet. Of zo slim.'

Irene zag Simones vinger tegen de trekker drukken. Ze voelde aan het kistje. Ze was doodsbang, maar om de een of andere reden wist ze daardoor nog beter wat haar te doen stond. Ze maakte de sluiting los en stak haar hand in de kist.

Van achter het grijze silhouet van het pistool bleef ze Simone aankijken. Ze haalde een koperplaat uit de kist en deed hem weer dicht. Simone had zich op dit moment voorbereid. Maar ze had er te lang naar uitgekeken, en was niet in staat de opgetogen blik in haar ogen te onderdrukken.

Irene stak haar de koperplaat toe. Simone bewoog niet. Ze had haar armen gestrekt en hield het pistool stevig in beide handen. Ze kon de koperlaat niet aanpakken zonder de controle te verliezen.

'Leg hem op de grond,' snauwde Simone.

'Nee.'

'Nu!'

'Nee,' antwoordde Irene. 'Niet voor je me vertelt wat je er werkelijk mee wilt. Zeg het, Simone. Geef het toe.'

Simone drukte het wapen zo hard tegen Irenes voorhoofd dat het pijn deed. Met een vuurrood hoofd siste ze: 'Je denkt dat ik er niet toe in staat ben.'

Irene onderdrukte de neiging weg te duiken, en zei: 'Ik geloof niet dat je op je man lijkt, als dat is wat je bedoelt.'

'Dit is wat anders.'

'Dat zeiden we ook om ons vrij te pleiten toen we hem ombrachten.'

Doordat Simone kwaad was, trilde het wapen. De loop gleed opzij.

Onmiddellijk dook Irene de andere kant op.

Onhandig probeerde Simone het wapen onder bedwang te krijgen. Op dat moment sloeg Irene Simone zo hard als ze kon met de koperplaat tegen de zijkant van haar hoofd. Het pistool vuurde richting de sterrenhemel. Marc en Louis veerden naar voren om Simone vast te grijpen. Maar dat was al niet meer nodig. Ze zakte in elkaar en bleef stil op de grond liggen. Net als destijds haar man in het lange gras van het Chinese platteland.

Irene wist dat de koperplaat niet zwaar genoeg was om Simone letsel toe te brengen. Het stervensproces dat zich voor hun ogen afspeelde, was niet iets fysieks. Toch drukte ze haar duim op Simones hals. Een snelle hartslag gaf aan dat ze nog leefde.

'Er is niemand die de Khmer liever hun zelfrespect teruggeeft dan jij,' fluisterde Irene. 'Jij wilt dat liever dan wie dan ook. Maar het is niet egoïstisch om de koperplaten ook voor jezelf te willen houden, Simone.'

Simone deed haar ogen open en staarde naar het Zuiderkruis.

Irene zag dat ze haar verzet had opgegeven. Ze schoof de band van het kistje van haar schouder. Ze dacht aan de ongedwongen wijze waarop Marc zich had overgegeven aan de studie van de Khmer, nadat hij haar ontmoet had. Ze dacht aan de oprechte wens van Louis de Cambodjanen inzicht in hun eigen geschiedenis te verschaffen. Ze bedacht dat niemand van hen kon garanderen dat de koperplaten uit handen bleven van regeringen, plunderaars of musea in Parijs of Seattle. Maar als ze genoeg geld van meneer Simms kregen – net zoveel als ze van hem los kon krijgen – en ze alle vier elk op hun eigen, aparte wijze de koperplaten dienden, wie zou er dan meer kunnen doen?

'Hier,' zei ze tegen Louis, en ze stak hem het kistje toe.

Hij keek ernaar, maar pakte het niet aan.

'Een kans om ze werkelijk veilig te stellen en te onderzoeken,' zei ze. 'Dat wil je toch?'

Hij knikte. De verbazing droop van zijn gezicht.

Kiri was uit het voorportaal naar beneden gekomen, met Clothilde en Loung achter zich aan. Ze bleven staan aan de rand van de tuin, waar het maanlicht gefilterd door de haag van limoenbomen scheen. Er hing een wattendeken van wolken in de lucht.

'Daar ben ik inmiddels ook toe bereid,' zei Irene, en ze pakte Marcs hand.

26

Aankomende nacht

Met nieuwe doelen voor ogen begon de expeditie aan de terug-reis naar Stung Treng. Voor Irene betekende het dat ze nu door wat anders opgejaagd werd. Bij elke stap kon ze alleen maar denken aan meneer Simms en hopen dat hij nog in leven was. Ze liepen door tot ver na zonsopgang en stopten pas als de hitte niet langer draaglijk was of het te hard ging regenen. Ondanks de gebroken botten van Marc en Simones labiele toestand schoten ze flink op.

Simone leek zich erbij neergelegd te hebben dat de koperplaten ingezet werden bij een nieuw soort historisch onderzoek naar de Khmer. Maar op de momenten dat er plannen gemaakt werden, was ze stil. Dan zat ze met haar gebroken pols in een mitella zwijgend naar de bomen te staren, terwijl de anderen overlegden hoe ze hun vondsten in fasen de revue zouden laten passeren, te beginnen bij het claimen van de ontdekking en het inventariseren van de koningstempel en de bibliotheek.

Tijdens de gesprekken kon Irene een toekomstbeeld schetsen. De komende maanden werden er gigantische hefbomen en katrollen de jungle in gebracht. Er moesten mannen uit bergdorpen als arbeidskrachten ingehuurd worden, en er kwamen kralen met olifanten voor het zware werk. Het tempelterrein zou straks vol staan met tafeltjes en bebaarde wetenschappers in kaki broeken, die een meetlint achter zich aan sleepten. Louis kreeg de leiding, en Marc zou Louis assisteren. Op de heuvel daarboven zou Irene samen met Simone en Loung het levensverhaal van Jayavarman de Zevende vertalen en indexeren. Het werd de eerste volledige beschrijving van het leven van de Khmer-vorst, van zijn geboorte tot aan zijn dood. Onvergelijkbaar, en in waarde alleen overtroffen door de koperplaten. Maar die zouden ze geheimhouden tot ze een manier verzonnen om ze uit handen van de regering te houden, was het gezamenlijk besluit.

De kist met de negen koperplaten was in een hutkoffer gepakt, die met een ketting en drie hangsloten vastzat aan een ossenwagen. Irene had een sleutel, Louis de tweede en Simone de derde. Misschien kwam er ooit een moment dat ze elkaar volkomen vertrouwden. Maar op dit moment lagen ijzerzagen en andere vormen van gereedschap waarmee de ketting of sloten opengebroken konden worden bij de koperplaten in de hutkoffer. Als ze met het werk aan de tempel van start gingen, werd het ontcijferen van de schatkaart een van hun doelen. Zelfs al ontbrak er een stuk.

Irene had niemand verteld wat er in het dagboek van haar moeder stond. Zelfs Marc niet. En evenmin praatte ze over haar vermoeden dat meneer Simms de laatste koperplaat in zijn bezit had. Ze wist niet goed waarom. Ergens had ze de behoefte dit nog geheim te houden, zelfs al was dat maar voor even.

In de buurt van het dorp Leh bereidden ze zich voor op het ergste: ze verborgen de hutkoffer in het struikgewas langs de weg. Ze ketenden de koffer vast aan een boom. Maar toen ze de gewonde Brau met zijn slecht helende beenwond afleverden, werden ze door het dorpshoofd op stoïcijnse wijze begroet. Hij deed alsof hij hen nooit eerder gezien had. Aangezien ze het er heelhuids en zonder kleerscheuren van afbrachten, gingen ze ervan uit dat een van de dorpslieden Ormond ingelicht had dat de expeditieleden tegen de orders van het dorpshoofd in waren gegaan, en dat Ormond daarop had laten weten dat ze hen met rust moesten laten. Dat hij, net als Loung, het onvermijdelijke geaccepteerd had.

Toen ze vier dagen na vertrek uit de tempel aankwamen bij de villa van Ormond, bleek dit inderdaad juist. Hij stond hen

374

al bij het hek op te wachten, bekeek hen door zijn donkere bril toen ze de weg naar de stad af kwamen. Zijn brokaten sarong was in de tussentijd flink verbleekt. En hij was ook wat vetrollen rijker.

'Hoe lang nog voor we de meute hier kunnen verwachten?' vroeg hij.

De middagzon teisterde de aarde en dreef een verstikkende geur van wilde seringen voort. Irene, die het bloedheet had in haar vieze kleren, ontweek zijn vraag.

'Leeft hij nog?'

'Het is een taaie oude man.'

Na op deze bruuske wijze gerustgesteld te zijn, kon Irene wel in tranen uitbarsten. Snel ging ze op een ander onderwerp over.

'Heeft u een idee wat daar ligt?'

Ormond bestudeerde de gehavende hutkoffer op de ossenwagen, waar Louis, Simone, Marc, Clothilde en zelfs Xa en Kiri omheen liepen. Het kon hem niet ontgaan dat Clothilde haar hand op het pistool had dat ze op haar heup droeg.

'Het heeft me nooit geïnteresseerd wat daar was.'

Hij keek naar zijn villa, waar zijn twee roodharige huisjongens op de veranda zaten te schaken. Uit de blik die hij op hen wierp, bleek dat hij besefte hoe zwaar zijn koninkrijkje onder vuur kwam te liggen. Met elke nieuwe telegraafpaal, elk nieuw stoomschip en elke auto die van de lopende band rolde, werd de wereld kleiner. Met één armgebaar gaf hij het leven aan dat hij had opgebouwd, en zei: 'Ik wilde alleen maar beschermen wat van mij was.'

Hoe Irene er ook naar snakte meneer Simms te zien, het leek haar niet verstandig bij hem binnen te vallen als hij haar niet verwachtte. Omdat geen van de vrouwen die hem verzorgden hem de waardigheid kon verschaffen die hij zich wenste op zo'n dag, bood Clothilde aan hem te helpen opknappen voor Irene kwam.

Nadat ze zich gebaad had in een hut met een strodak naast de villa, liep Irene naar een van de slaapkamers boven. Daar opende ze een tas die ze voor de zekerheid in Stung Treng had achtergelaten. Achter een kamerscherm, onder de zwarte, starende ogen van een Cambodjaanse neushoornkop aan de wand, streek ze de Annamitische outfit die ze in Saigon had aangeschaft en trok die aan. De lotusknopvormige mouwen streken langs haar zonverbrande armen. Ze maakte de Chinese knopen op de zijkant van de tuniek vast. Haar wonden prikten doordat ze net ontsmet en verbonden waren, maar het was heerlijk weer iets schoons aan te trekken.

Ze liep de kamer in en schrok op toen ze Simone in de vensterbank zag zitten, met nat haar dat op haar schouders drupte, en een nieuw verband om haar pols. Ze droeg een schone, witte bloes en denimbroek. Afgezien van de rode plekken aan de zijkant van haar gezicht, waar ze door de koperplaat geraakt was, zag ze er als herboren uit. Irene gluurde over haar schouder en zag dat Simone naar Louis en Marc keek, die in stoelen bij de rivier zaten. Aan de oever voor hen nestelden sterns. Gele wevervogels scharrelden tussen het riet. In een pointillé-werk van zon en schaduw zagen de mannen boven de boomtoppen de storm die in de verte in aantocht was. Irene kon wel bedenken waar ze het over hadden. De laatste dagen had Louis over niets anders gesproken dan wat hij nodig had om de tempel te bestuderen. Waarschijnlijk stelde hij een lijst op van rolwagentjes en landmeterskettingen, en mompelde hij ondertussen tegen Marc: 'Caproni. Ja, we hebben absoluut wat mannen van Caproni nodig voor de gipsafdrukken.'

Marc en Louis waren niet met z'n tweeën. Een van hen had een hoed van een palmblad gevouwen. Kiri probeerde die Meiling op te zetten. Simone keek naar de jongen, die de gibbon achternazat tot bij een groepje bomen, en vroeg: 'Wat ga je met hem doen als hij jouw verantwoordelijkheid is?'

Irene stapte bij het raam vandaan.

'Wat bedoel je?'

'Ga je hem adopteren?'

Simone tikte met de vingers van haar goede hand tegen haar

dij. Irene bood haar een sigaret aan om haar te laten stoppen.

'Hij heeft een vader.'

'Ja, maar ga jíj je over hem ontfermen?' vroeg Simone.

'Marc en ik hebben het besproken. Wat erbij zou komen kijken om hem op te voeden, bedoel ik. Hem zijn geschiedenis bij te brengen. Het is een druppel op een gloeiende plaat, natuurlijk. Geen revolutie. Maar het is een begin. Eén jonge, geschoolde Cambodjaan die zijn geschiedenis kent.'

'Je tapt wel uit een ander vaatje.' Achter Simone hingen zware witte wolken laag aan een platina lucht. 'En waarom ook niet? Je krijgt precies wat je wilt, het respect van Louis incluis,' zei ze nors.

'Ik doe afstand van datgene waarvoor ik gekomen ben.'

'Omdat je niet meer om status geeft, tenminste niet zoals eerst. Dus dat geldt niet.'

Irene wist niet of dit waar was of niet. Maar het had geen zin er met Simone over in discussie te gaan. Ze keek op de bladgouden klok aan de muur. Clothilde had gezegd dat ze na vijven naar de kamer van meneer Simms kon komen. Ze had nog wat tijd over, genoeg om een vraag te stellen die al sinds de terugkeer naar Stung Treng op haar lippen brandde.

'Simone, hoe lang was je al uit op een eigen revolutie?'

Simone tikte wat as uit het raam.

'Ik denk niet dat je blij zult zijn met mijn antwoord.'

'Word ik ooit wél blij van je antwoorden?'

Nu moest Simone lachen.

'Ik heb je al verteld dat ik uiteindelijk wel inzag dat Roger het verkeerd aanpakte. Sterker nog, eerloos aanpakte. Ik was genoeg betrokken bij de partij om te weten dat er ook op een andere wijze verandering tot stand gebracht kon worden. Het hoefde allemaal niet zo gewelddadig, zo vernietigend. Maar...' Ze aarzelde. 'Om heel eerlijk te zijn wilde ik niets liever dan stoppen. Ik wilde gewoon naar huis. En toen brachten we Roger om. En daar moest ik een andere reden voor hebben dan alleen mijn leven terug willen zoals het was.'

'Dus jouw idee voor een nationalistische revolutie ontstond pas na zijn dood?'

'Ik kon mijn man niet vermoord hebben omdat ik terug wilde naar mijn jeugdliefde en de rest van mijn leven in tempels wilde rondneuzen.' Simone drukte haar sigaret uit en rolde de peuk tussen haar vingers. 'Het kon niet zinloos zijn dat ik Louis in de steek liet, mijn leven schonk aan die vreselijke man, hield van die man.'

Simones tegendraadse gedrag aan boord van de Lumière, haar harde uitspraken over Louis, haar gecompliceerde gedrag in Saigon en Phnom Penh... Irenes hoofd tolde toen ze bedacht dat dat allemaal alleen geweest was om de dood van haar man te rechtvaardigen.

'Het was niet zinloos, Simone. We gaan iets betekenen voor Cambodja. Ik heb de Khmer jarenlang bestudeerd en ga daar nu iets nuttigs mee doen. En hoe gek het ook klinkt, dat komt door jou. Jij hebt me gedwongen met andere ogen naar dit land te kijken.' Irenes stem trilde. 'En wat Roger aangaat... Een vreselijke man, maar dat is te zwak uitgedrukt. Hij was gevaarlijk, en niet alleen voor jou. Als het hem gelukt was een machtspositie te verwerven, had hij duizenden levens kunnen verwoesten.'

'Dat weet ik.' Simone was amper te verstaan.

Irene keek hoe ze nerveus de restanten van haar sigaret verkruimelde, en vroeg: 'Wil je wel deel uitmaken van ons plan?'

Simone draaide haar gezicht van Irene af. Ze keek weer naar buiten, keek neer op Louis en Marc die een spelletje deden met Kiri en de gibbon. De zon brak door de wolken en viel op clusters oranje tijgerlelies die als bosbrandjes oplichtten tussen de groene duisternis van de ficusbomen.

'Ik zal wel even nodig hebben om m'n plek te vinden. Maar ja, dat wil ik wel. Dat denk ik tenminste. Al weet ik niet hoeveel waarde je kunt hechten aan wat ik denk.'

Ineens had Irene een ander beeld van de toekomst. Ze zouden met z'n vieren samenwerken in de koningstempel, gezamenlijk een reputatie opbouwen. Zodat als de tijd rijp was om de koperplaten aan de wereld te presenteren, ze serieus genomen zouden worden en hun ontdekking erkend werd. Ze kon zich Simone voorstellen, worstelend met het schuldgevoel omdat ze uiteindelijk gekregen had waarnaar ze verlangde. En zij zou zich altijd zorgen blijven maken dat Simone op een dag een potje kalmeringsmiddelen vond en zou toegeven aan de verleiding. Ze zou altijd bang zijn dat Simone in een van haar emotionele valkuilen liep en onverwachts een spaak in het wiel zou steken.

Maar tegen alle verwachting in was Irene toch blij dat Simone er niet vandoor ging. Ze waren er de vrouwen niet naar om contact te blijven houden, om af te spreken voor een kopje earl grey in een met palmen beplante binnenplaats van het Raffles of het Metropool. Gingen ze uit elkaar, dan was de kans groot dat Irene Simone nooit meer zou zien. Misschien lukte het Simone dan nooit iets van haar leven te maken. Irene wilde de kans niet missen Simone te zien veranderen in de vrouw die ze altijd al had kunnen worden, hoe klein die kans ook was.

De klok sloeg. Het was tijd. Irene bekeek zichzelf in de spiegel op een houten standaard in de hoek. Sinds de dood van haar vader had ze er niet meer aan gedacht haar haar te laten knippen. Het was langer dan ooit. Ze trok haar door de zon gebleekte strengen haar naar achteren en maakte een knotje in haar nek. Het verbaasde haar hoe lang geleden dat eerste etentje met Louis al leek, toen ze zich net zo druk maakte over haar uiterlijk als nu.

Meneer Simms had altijd graag gezien dat ze er netjes uitzag. En haar gezicht mocht dan onder de insectenbeten zitten, haar bruine huid bracht de geprononceerde jukbeenderen en blauwe ogen naar voren. Het verheugde haar dat hij haar nog steeds mooi zou vinden.

'Ik moet gaan,' zei ze tegen Simone.

Simone, die haar sigaret tot het laatste endje verpulverd had, begon een nieuwe uit elkaar te plukken.

'Het moet in je opgekomen zijn dat hij de ontbrekende koperplaat heeft. Waarom heb je daar niets over gezegd?'

Irene haalde diep adem.

'Ik ben niet in alle opzichten veranderd,' antwoordde ze.

'Mooi,' zei Simone. 'Ik ben blij dat te horen.'

Meneers Simms' slaapkamer was op de begane grond aan de achterkant van Ormonds villa, en niet binnendoor te bereiken. Irene liep buitenom over het pad. Een zacht briesje bracht de bladeren van de mangobomen in beweging. Op de veranda voor de kamer van meneer Simms hing een lantaarn aan een ijzerdraadje. Hij brandde al, verspreidde een waaier gelig licht, dat geen enkel nut had zonder een nachtelijk donkere achtergrond. Toen Irene bij de hordeur kwam, stapte Clothilde naar buiten. Ze had rode gezwollen ogen en staarde Irene als een verdwaald meisje aan.

Irene moest zich tot het uiterste inspannen om haar verdriet te onderdrukken. Ze kon geen medeleven meer opbrengen voor Clothilde. Zonder een woord te zeggen liet Irene haar achter op de veranda en ging de slaapkamer in. De geur van ziekte kwam haar walgelijk bekend voor en bracht onmiddellijk beelden boven van het openbreken van ampullen morfine tijdens de laatste uren van haar vader. In de glazen lamp stonden fragiele Japanse kraanvogels geëtst, waardoor het eerste wat ze dus zag in de donkere kamer een groep doorzichtige vogels was die langs de muur leken te vliegen. Daarna zag ze het bed. Verloren in het midden lag meneer Simms, rustend tegen een stapel kussens.

Tot Irenes opluchting had Clothilde hem zijn kamerjas van zwarte Qing-zijde kunnen aantrekken. Maar toen ze op de rand van het bed plaatsnam, schrok ze van zijn bleke huid. Zijn ogen, die eerst helderblauw waren, waren nu dof. Het leken wel stenen, leven zat er niet meer in. Ze drukte haar lippen op zijn ingevallen wang. Hij ademde oppervlakkig en moeizaam. Afgezien daarvan was het alsof ze een lijk kuste. Ze bedwong de impuls terug te deinzen voor de onfrisse warmte van zijn stervende lichaam.

'We hebben én de tempel én de bibliotheek gevonden,' fluisterde ze. 'Het is er allemaal nog. Ik kan u de koperplaten laten zien, meneer Simms. Ik weet hoe het verhaal afliep.'

Hij gaf geen antwoord.

Irene ging voorzichtig, zonder hem aan te raken, naast hem liggen. Clothilde had haar gezegd dat haar arsenaal middelen niet meer voldeed. Tegen deze pijn was geen kruid gewassen. Nooit was Irene zo dicht bij hem geweest. Zijn aanwezigheid, hoe zwak ook, overweldigde haar. Met haar mond aan zijn oor gaf ze hem de antwoorden waarnaar ze samen zo lang gezocht hadden, vertelde zacht over het overvloedige leven van de koning, de uitgeputte schatkist, Siamese invallen en de overgang naar handel over zee.

'Geen gigantische aardbeving?' mompelde hij.

'Wat zegt u?'

'Geen reuzen die de tempels kapotsloegen?' vroeg hij met een lachje.

Hij wist wat hij zei. Hij was alert. Ze ging rechtop zitten en boog over hem heen.

'Waar is hij? Zeg me alstublieft waar hij is.'

'Geen grande finale,' zuchtte hij.

'De laatste koperplaat. Heeft u hem? Weet u wat het is? Het is een kaart die naar de laatste schat van de koning leidt.' Ze haastte zich om hem alles te kunnen vertellen wat hij in die ene alerte fractie van een seconde zou kunnen begrijpen.

'Hoe schitterend het verhaal ook is, er komt altijd een einde aan.' Zijn borst schudde van het hoesten. 'Geen glorieuze gloed.' Het slijm reutelde in zijn keel. 'Alleen een stervend licht.'

'Begrijpt u wat ik zeg?' vroeg Irene.

Maar hij keek haar aan zonder een teken van herkenning. Daarna gleed zijn blik verder naar het raamwerk van de frangipane die zich een weg zocht over de veranda, naar de geslepen glazen kralen van haar tuniek. Zijn stem zakte weg.

Ze draaide zich af, onderdrukte haar snikken. Ze wilde dit zo graag nog met hem delen. Ze wilde dat hij haar zou feliciteren, haar zou koesteren, haar zou zeggen dat ze mooi was en eeuwig zou blijven leven, in ieder geval lang genoeg om het avontuur tot het einde toe mee te maken.

Ze was zo gewend aan de jungle dat ze inmiddels kon ruiken hoe de avond bijna inviel en daarmee de laatste restanten hitte zou wegvagen. Een zachte gloed verspreidde zich als vloeibaar kwik door de kamer. Irene dwong zichzelf naar meneer Simms te kijken. Zijn aandacht ging uit naar het laatste zonlicht dat over de vloer van de kamer kroop. Samen keken ze hoe er een vaag, gelig lijntje ontstond in de richting van een bureau vol naalden en ampullen. Een van de onderladen stond open. Het licht klom in de leeuwenpoot van het bureau, en dook in de la. Op het moment dat het koper flitste, hapte meneer Simms kort en schril naar adem. Irene keek hem aan. Het was geen uiting van pijn geweest. Ze volgde zijn blik naar de bureaula.

Ergens in het huis dreef de zachte melodie van *Claire de Lune* via een open raam naar buiten. Het landschap verdween langzaam in de opkomende nacht. Meneer Simms had zijn ogen dichtgedaan. Irene drukte haar lippen op zijn voorhoofd, zonder een reactie te krijgen. Toen fluisterde ze: 'Dank u wel,' en stond op om de tiende koperplaat uit het bureau te pakken.

Dankwoord

Toen ik deze roman schreef, waren er veel mensen die me adviseerden en aanmoedigden. Ik wil de volgende mensen persoonlijk bedanken voor hun bijdragen: Connie Brooks, die zo aardig was talloze versies te lezen, en me bleef steunen; Alexandra Machinist, de allerbeste agent ter wereld, die mijn roman ontdekte en erin geloofde, en me tot het laatst heeft begeleid. Janet Brown; Beth Branco; Blair Mastbaum; Jen Bergmark; Colette Sartor; Jenny Fumarolo; en Jessica Barksdale-Inclan, die allen meelazen en me hun mening gaven; Susanna Porter, mijn fantastische redacteur, die op evenwichtige wijze bepaalde wat er geschrapt moest worden en wat mocht blijven. Zij gaf me de redactionele ervaring waarvan ik al als kind droomde; Priyanka Krishnan en alle anderen bij Ballantine/Random House, die geholpen hebben dit boek vorm te geven; Suzie Doore van Hodder & Stoughton en Whitney Lee van de Fielding Agency, die Irene en haar kompanen zo enthousiast aan hun reis lieten beginnen; John Rechy, die me aanmoedigde deze roman te schrijven; Andy Brouwer, voor zijn onmisbare advies op het gebied van junglereizen en het ontdekken van tempels; Lisa Okerlund, met wie ik als kind het avontuur al zocht in de verhalen van Shona en April Lewis; mijn oudtante, die Irene haar naam, wilskracht en karakter schonk; mijn oma, die me mijn eerste verhaaltjes vertelde, en me in aanraking bracht met Shanghai.

Bij mijn onderzoek heb ik veel bronnen geraadpleegd. Graag noem ik: *Angkor* van Dawn Rooney; *Angkor and the Khmer*

Civilization van Michael D. Coe; *Shanghai* van Harriet Sergeant; en *Silk Roads* van Axel Madsen.

Met veel liefde bedank ik hier ook mijn zus Julie, die me applaus gaf bij elk boek dat ik vanaf mijn tiende geschreven heb; mijn moeder, die me leerde hoe heerlijk lezen is en me eindeloos *Miss Twiggley's Tree* voorlas; mijn vader, met wie ik een passie voor boeken deel; mijn beide ouders, omdat ze altijd geloofden in mijn schrijfkunst; en Jim Vitale, omdat hij de kers op de taart is!